YAYIN NO: 275

CANLI HEDEF
Ross Macdonald

Özgün Adı: *The Moving Target*

© Ross Macdonald
Aslı Karasuil Telif Hakları Ajansı aracılığıyla;
© Bilge Kültür Sanat Yayın Dağıtım San. ve Tic. Ltd. Şti.
Sertifika No: 0507-34-008622

1. Basım; Temmuz, 2008

ISBN: 978 - 9944 - 425 - 75 - 9

| | | |
|---|---|---|
| Yayın Yönetmeni | : | *Ahmet Nuri Yüksel* |
| Yayına Hazırlayan | : | *Nurten Hatırnaz* |
| Baskı | : | *Özener Matbaacılık* |
| Kapak Baskı | : | *Trichrome Matbaacılık* |
| Cilt | : | *Yedigün Mücellithanesi* |

**BİLGE KÜLTÜR SANAT**
Nuruosmaniye Cad. Kardeşler Han No: 3 Kat: 1 34110 Cağaloğlu / İSTANBUL
Tel: (0212) 520 72 53 - 513 85 04   Fax: (0212) 511 47 74
bilge@bilgeyayincilik.com      www.bilgeyayincilik.com

# CANLI HEDEF

## Ross Macdonald

Çeviren
*Nurten Hatırnaz*

BİLGE
KÜLTÜR
SANAT

# 1

Taksi, sahil istikametine doğru, U.S. 101'e saptı. Yol kahverengi bir tepenin dibinden meşe çalılıklarıyla kaplı bir kanyona doğru kıvrılıyordu.

"Burası Cabrillo Kanyonu," dedi taksici.

Görünürde ev falan yoktu. "İnsanlar mağaralarda mı yaşıyor?"

"Yok, canım, daha neler. Gayrimenkuller deniz kıyısında."

Bir dakika sonra denizin kokusunu almaya başlamıştım. Bir virajı daha alıp serin deniz sahasına girdik. Yolun kenarındaki bir tabelada: 'ÖZEL MÜLK: GİRİŞ İZNİ HER AN İPTAL EDİLEBİLİR' yazıyordu.

Meşe çalılıklarının yerini düzenli palmiyeler ve Monterey servileri almıştı. Gözüme fıskiyelerle kabarmış çimler, bembeyaz verandalar, kırmızı kiremitten ve yeşil bakırdan çatılar ilişti. Fıstığın tekinin kullandığı bir Rolls Royce yanımızdan rüzgâr gibi geçip giderken rüya görüyorum sandım.

Aşağıdaki kanyonun üzerindeki sis, ağır ağır yanan bir kâğıt paradan yükselen dumanı andırıyordu. Deniz bile sisin arasından pahalı bir şey, kanyonun ağzında masmavi ve parlak, yekpare bir kama gibi görünüyordu.

"Özel mülk: Hızlı renk garantili; egolarınızı küçültmez."
Pasifik'i hiç bu kadar küçük görmemiştim.

Nöbetçi porsuk ağaçlarının arasındaki bir yola saptık, bir süre özel bir karayolu ağında seyredip Hawai'ye uzanan derin ve engin denize çıktık. Sırtını kanyona vermiş ev uçurumun yamacındaydı. Geniş açıyla birleşen kolları muazzam büyüklükteki beyaz bir ok ucu gibi denizi gösteriyordu. Fundalıkların arasından tenis kortlarının beyazlığı ve yüzme havuzunun titrek mavi ışığı ilişti gözüme.

Taksici direksiyonu yelpaze şeklindeki yola kırıp garajların yanında durdu. "Mağara adamlarının ikametgâhı burası. Servis girişinden mi?"

"Kibirli biri değilimdir."

"Beklememi ister misiniz?"

"Sanırım."

Ben taksiden inerken mavi keten önlüklü iri bir kadın servis verandasına çıktı. "Bay Archer?"

"Evet. Bayan Sampson?"

"Bayan Kromberg. Ben evin kâhyasıyım." Yüzünden sürülmüş bir tarlayı yalayıp geçen güneş ışığı gibi bir tebessüm gelip geçti. "Taksinizi gönderebilirsiniz. Felix işiniz bittiğinde sizi şehre geri götürebilir."

Taksiciye parasını ödeyip bagajdan çantamı aldım. Elimdeki çantadan bir parça utanmıştım. İş bir saat mi bir ay mı sürecek bilmiyordum.

Kâhya kadın, "Çantanızı depoya koyayım," dedi. "Ona ihtiyacınız olacağını sanmıyorum."

Beni krom ve porselen bir mutfaktan serin ve kapalı geçit gibi kemerli bir koridora, oradan da bir düğmeye basmasıyla ikinci kata çıkan bir kabine götürdü.

"Modern hayatın nimetleri," dedim.

"Bayan Sampson bacaklarından rahatsızlanınca içeri bunu koymaları gerekti. Yedi bin beş yüz papele mal oldu."

Bunu beni susturmak için söylediyse başarmıştı. Asansörün karşısındaki kapıyı tıklattı. Cevap veren olmadı. Bir kez daha tıklattıktan sonra bir kadına ait olamayacak kadar büyük ve gösterişsiz olan yüksek tavanlı beyaz odanın kapısını açtı. Koca yatağın üstünde bir tuvalet masasının üzerine sıralanmış bir saat, bir harita ve bir kadın şapkasının resmedildiği bir tablo asılıydı. Zaman, mekân ve seks. Kuniyoshi'ye benziyordu.

Yatak dağınık ama boştu. Kâhya kadın, "Bayan Sampson!" diye seslendi.

Sakin bir ses cevap verdi, "Güneşleniyorum. Ne istiyorsun?"

"Bay Archer geldi... telgraf gönderdiğiniz bey."

"Söyle dışarı gelsin. Bir de bana bir kahve daha getir."

Kâhya kadın, "Pencereli kapılardan çıkabilirsiniz," deyip gitti.

Ben dışarı çıkınca Bayan Sampson başını kitabından kaldırdı. Sırtını kuşluk güneşine dönmüş, yarı yatar vaziyette bir şezlonga uzanmıştı. Vücudunu bir havlu örtüyordu. Yanı başında bir tekerlekli iskemle vardı, ama yatalak gibi bir hali yoktu. Kara kuru bir şeydi. Öyle çok bronzlaşmıştı ki cildi tahta gibi olmuştu. Yaşını tahmin etmek, bir maun ağacından yontulmuş bir şeklin yaşını tahmin etmek kadar zordu.

Kitabı karnına koyup bana elini uzattı. "Hakkınızda çok şey duydum. Millicent, Drew Clyde'dan ayrılırken çok yardımınız dokunmuş. Gerçi nasıl olduğunu söylemedi ama."

"Uzun hikâye," dedim. "Ve de pis bir hikâye."

"Millicent da Clyde da pisliğin tekidir zaten, öyle değil mi? Şu sanatçı erkekler yok mu! Metresinin kadın olduğundan hep şüphe etmişimdir."

O eskimiş çocuksu sırıtışımla, "Müşterilerim üzerine katiyen kafa yormam," dedim.

"Haklarında da konuşmaz mısınız?"

"Konuşmam. Başka müşterilerimle bile."

Sesi pürüzsüz ve canlıydı. Ama hastalık orada, gülüşündeydi; titreyen sesinin altına gizlenmiş bir parça acı seste. Gözlerine baktım; güzel bronz bir vücudun içine gizlenmiş, korkmuş ve hasta bir şeyin gözlerine... Göz kapaklarını indirdi.

"Oturun Bay Archer. Sizi neden çağırdığımı merak ediyor olmalısınız. Yoksa merak da mı etmezsiniz siz?"

Onunkinin yanındaki bir şezlonga oturdum. "Ederim. Hatta varsayımda bile bulunurum. Ben daha çok boşanma işlerine bakarım. Ben bir çakalım, anlarsınız ya."

"Kendinize haksızlık ediyorsunuz, Bay Archer. Hem bir dedektif gibi de konuşmuyorsunuz, öyle değil mi? Boşanmadan bahsetmeniz iyi oldu. İşin başında şunu açıklığa kavuşturmak isterim ki benim istediğim şey boşanma değil. Evliliğimin devam etmesini istiyorum. Kocamdan daha çok yaşamaya kararlıyım."

Sesimi çıkartmadım, bir şeyler daha söylemesini bekledim. Biraz daha yakından baktığımda esmer teni hafifçe pürüzlenip bozuldu. Güneş bronz bacaklarını dövüyordu, benimse başımı. El ve ayak tırnakları aynı kan kırmızısı renge boyanmıştı.

"Bu güçlü olanın hayatta kalması olmayabilir. Herhalde biliyorsunuzdur: Artık bacaklarımı kullanamıyorum. Ama ben ondan yirmi yaş küçüğüm ve ondan daha uzun yaşayacağım." Acılık şimdi sesine taşınmış, yaban arısı gibi vızıldıyordu.

"Burası fırın gibi, değil mi? Erkeklerin ceket giymek zorunda olmaları haksızlık. Üzerinizdekini çıkartın, rica ederim."

"Hayır, teşekkürler."

"Çok da centilmensiniz."

"Tabanca kılıfı takıyorum da. Hem hâlâ merak ediyorum. Telgrafınızda Albert Graves'den söz etmişsiniz."

"Sizi o tavsiye etti. Ralph'in avukatlarından biri. Yemekten sonra onunla ücretinizi konuşabilirsiniz."

"Artık savcı değil mi?"

"Savaştan bu yana değil."

"'40 ve '41'de onun için çalışmıştım. O zamandan beridir de onu görmedim."

"Bana anlattı. İnsanları bulma konusunda iyi olduğunuzu söyledi." Kara suratında etobur ve ürkütücü, beyaz bir gülümseme belirdi. "İnsanları bulma konusunda iyi misinizdir, Bay Archer?"

"Kayıp kişileri desek daha doğru olur. Kocanız kayıp mı?"

"Aslına bakarsanız değil. Kendi başına çekip gitti o kadar ya da biriyle. Kayıp Şahıslar Bürosuna gitseydim deliye dönerdi."

"Anlıyorum. Bulabilirsem onu bulmamı ve yanındakinin kim olduğunu öğrenmemi istiyorsunuz."

"Bana nerede ve kiminle olduğunu söyleyin yeter. Gerisini kendim hallederim." Ne kadar hasta olsam da, dedi sızlanan cılız fısıltısı, bacaklarım olmasa da...

"Ne zaman gitti?"

"Dün öğleden sonra."

"Nereye?"

"Los Angeles'a. Las Vegas'taydı –o civarda boş bir yerimiz var –ama dün öğleden sonra Alan'la birlikte Los Angeles'a uçtu. Alan onun pilotu. Ralph onu havaalanında gönderip kendi başına gitmiş."

"Neden?"

"Herhalde sarhoştu." Kırmızı ağzını hor gören bir ifadeyle kıvırdı. "Alan onun içki içtiğini söyledi."

"İçki âlemine gittiğini düşünüyorsunuz yani. Bu sık sık yaptığı bir şey mi?"

"Sık sık değil ama yaptı mı da tam yapar. İçince bütün çekingenliğinden sıyrılıverir."

"Seks konusunda mı?"

"Bütün erkekler böyledir, değil mi? Ama beni endişelendiren o değil. Para hususundaki çekingenliğinden sıyrılır. Birkaç ay evvel küfelik olup bir dağı hibe etti."

"Dağ derken?"

"Av eviyle birlikte."

"Bunları bir kadına mı verdi?"

"Keşke öyle olsa diyeceğim geliyor. Bir adama verdi, ama zannettiğiniz gibi değil; uzun beyaz sakallı, Los Angeles'lı bir din adamına."

"Kocanız tam yolunacak kaz gibi."

"Ralph mi? Bunu yüzüne karşı söyleyecek olsanız öfkesinden kudurur. İşe verimsiz yerde petrol veren kuyu işletmecisi olarak başlamış. O tipleri bilirsin:

Kalbinin olması gereken yerde domuz kumbarası olan yarı erkek, yarı timsah, yarı ayı kapanı... Bu ayık olduğu zamanki hali. Ama alkol onu yumuşatıyor; en azından şu son birkaç senedir. Birkaç dubleden sonra yine küçük bir oğlan çocuğu olası geliyor. Burnunu temizleyecek, gözyaşlarını silecek, yaramazlık yaptığında kıçına şaplak atacak bir anne ya da baba modeli arıyor. Çok mu gaddarım sizce? Sadece objektif olmaya çalışıyorum."

"Evet," dedim. "Yine bir dağı hibe etmeden onu bulmamı istiyorsunuz." Ölü ya da diri diye geçirdim içimden ama ben onun psikanalizcisi değildim.

"Bir kadınla birlikteyse ilgimi çeker elbette. Kadınla ilgili her şeyi bilmek isterim; çünkü böyle bir fırsatı kaçırmayı göze alamam."

Psikanalizcisi kimdi acaba?

"Aklınızda belli biri var mı?"

"Ralph bana güvenmezdi —Miranda'ya benden daha yakındı—, casusluk edecek donanımım da yok. Sizi bunun için tutuyorum ya."

"Açıkça söylemek gerekirse."

"Ben her şeyi açıkça söylerim."

# 2

Açık olan pencereli kapıların orada beyaz ceketli Filipinli bir uşak belirdi. "Kahveniz, Bayan Sampson."

Gümüş kahve tepsisini şezlongun yanındaki alçak sehpanın üzerine bıraktı. Ufak tefek ve eli çabuktu. Minik yuvarlak kafasındaki saçları yağ gibi kaygan ve siyahtı.

"Teşekkür ederim, Felix." Hizmetkârlarına karşı nazikti ya da üzerimde iyi bir izlenim bırakmak istiyordu. "Siz de ister misiniz, Bay Archer?"

"Hayır, teşekkürler."

"Bir içki istersiniz belki."

"Öğle yemeğinden önce olmaz. Ben yeni tip dedektiflerdenim."

Gülümseyip kahvesinden bir yudum aldı. Ayağa kalkıp terasın denize bakan ucuna doğru gittim. Aşağıda taraçalar kıyıya keskin bir iniş yapan uçurumun kenarına doğru uzun yeşil basamaklar halinde alçalıyordu.

Evin köşesinden bir yerden foş diye bir ses geldi. Parmaklıklara doğru eğildim. Mavi çinili yeşil sulu oval havuz yukarı terastaydı. Bir kız ve bir erkek foklar gibi suyu yararak yakalamacılık oynuyorlardı. Kız oğlanın peşindeydi. Oğlan kızın onu yakalamasına izin verdi.

Sonra bir erkek ve bir kadın oldular. Hareketli sahne güneşin altında dondu. Sadece su ve kızın elleri hareket ediyordu. Kadın ellerini adamın beline dolamış arkasında dikiliyordu. Parmaklarını bir arp sanatçısının parmakları gibi nazikçe kaburgalarının üzerinde dolaştırıyordu. Ardından göğsünün ortasındaki tüyleri kavradı. Yüzü adamın arkasına gizlenmişti. Adamın yüzünde ise bir bronz heykelinki gibi mağrur ve öfkeli bir ifade vardı.

Kadının ellerini itip uzaklaştı. Kadının yüzü artık çıplak ve savunmasızdı. Kolları artık bir amaçları kalmamış gibi iki yana düştü. Kız havuzun kenarına oturup ayaklarını suya sarkıttı.

Bronz tenli genç adam havada bir takla atıp tramplenden suya atladı. Kız bakmadı. Su damlaları saç uçlarından gözyaşı gibi göğsüne damlıyordu.

Bayan Sampson bana adımla seslendi. "Yemek yemediniz, değil mi?"

"Hayır."

"O zaman verandada üç kişilik yemek hazırla Felix. Her zamanki gibi orada yiyeceğim."

Felix hafifçe başını eğip çekildi. Bayan Sampson onu tekrar çağırdı. "Soyunma odamdan Bay Sampson'ın fotoğrafını getir. Neye benzediğini bilmeniz gerek, değil mi Bay Archer?"

Deri dosyadaki semiz yüzün kır saçları ve kederli bir ağzı vardı. Etli burnu cesur görünmeye çalışıyor ama ancak inatçı görünüyordu. Şişkin göz kapaklarını kapatan ve sarkık yanaklarını buruşturan gülümsemesi sabit ve zorlamaydı. Morglardaki ölülerin sahte yüzlerinde bu gülümsemelerden görmüştüm. Bana yaşlanıp öleceğimi hatırlatırlardı.

"Zavallı bir şey, ama bana ait," dedi Bayan Sampson.

Felix kişneme, homurtu ve iç geçirme arası bir ses çıkardı. Bu yoruma ekleyecek bir şey bulamadım.

Ev ile yamaç arasında kırmızı çinili bir üçgen olan terasta yemek servisi yaptı. Tuğla istinat duvarının ardındaki yokuş çimlerle, vapurdumanlarıyla ve lobelyaların kırılmayan mavi-yeşil dalgasıyla kaplanmıştı.

Felix beni dışarı çıkartırken bronz tenli genç adam da oradaydı. Öfkesini ve kibrini bir kenara bırakmış, üzerine rahat bir şeyler geçirmişti ve rahat bir görüntü çiziyordu. Ayağa kalktığında kendimi bir parça ufak hissetmeme neden olacak kadar uzundu. Bir doksan ya da iki metre vardı. El sıkışı sertti.

"Alan Taggert'tır adım. Sampson'ın uçağını kullanırım."

"Lew Archer."

Sol elindeki küçük içkisini çevirdi. "Ne içersin?"

"Süt."

"Şaka yapıyorsun. Dedektif olduğunu sanıyordum."

"Kımız demek istedim."

Yüzünde keyifli bir gülümseme belirdi. Benimki cin ve bitters. Port Moreby'de alıştım."

"Çok uçtun mu?"

"Elli beş görev ve birkaç bin saat."

"Nereye?"

"Daha çok Carolines'e. Bir P-38'im var."

Bunu aşk dolu bir özlemle söylemişti; bir kızın ismini söyler gibi.

Kız o an çıkıp geldi. Üzerinde çizgili bir elbise vardı: Sağ taraftaki çizgiler dar diğer taraftakiler genişti. Koyu kızıl saçları taranıp kurutulmuş ve kabartılmıştı. Kocaman yeşil gözleri bronz yüzünde göz alıcı aynı zamanda da acayip duruyordu; renkli gözlü bir Kızılderili gibiydi.

Taggert onu tanıştırdı. Kız Sampson'ın kızı Miranda'ydı. Kız bizi çadır bezinden bir şemsiyenin altındaki masaya oturttu. Mayonezli som balığımdan başımı kaldırıp ona baktım. Uzun boylu bir kızdı; hareketlerinin garip bir çekiciliği vardı; şu yavaş gelişen ama beklemeye değenlerden. Ergenlik çağına on beş yaşında girer, ilk evliliğini ya da ilk ilişkisini yirmi ya da yirmi birinde yaşarlardı. Birkaç sene kendilerine büyük gelen aşk maceraları yaşayıp genç kızlıktan kadınlığa evrildikten sonra yirmi sekiz-otuz yaşlarında eksiksiz hoş bir kadın olurlardı. Yirmi bir yaşlarındaydı; Bayan Sampson'ın kızı olamayacak kadar büyüktü.

Sanki sesli düşünüyormuşum gibi, "Üvey annem," dedi. "Üvey annem her zaman aşırıya kaçar."

"Beni mi kastediyorsunuz, Bayan Sampson? Ben gayet ölçülü biriyimdir."

"Özellikle siz değil. Onun yaptığı her şey aşırıdır. Diğer insanlar belden aşağıları felç olmadan ata binebilirler. Ama Elaine binemez. Bence bu psikolojik. Eskisi gibi bir afet değil; bu yüzden de yarışmadan çekildi. Attan düşmek ona bunu yapması için bir şans verdi. Bence attan bilerek düştü."

Taggert kısa bir kahkaha attı. "Saçmalama Miranda. Yine kitap mı okuyordun."

Miranda ona kibirli kibirli baktı. "İnsan bunun için suçlanamaz herhalde."

"Benim burada bulunmamın psikolojik bir açıklaması var mı?" diye sordum.

"Sizin burada tam olarak neden bulunduğunuzu bilmiyorum. Ralph'in izini sürmek ya da onun gibi bir şey için mi?"

"Onun gibi bir şey."

"Galiba ona bir şeyler yüklemek istiyor. Kabul etmelisiniz ki adamın biri bir gece evine gelmedi diye dedektif tutmak epey aşırıya kaçmaktır."

"Benim ağzım sıkıdır, eğer sizi endişelendiren buysa."

"Beni endişelendiren bir şey yok," dedi tatlı tatlı. "Ben sadece psikolojik bir gözlem yapıyorum."

Filipinli uşak kimseye fark ettirmeden terasa sızmıştı. Felix'in sabit gülümsemesi bir maskeydi; yaralı gibi görünen kara gözlerinin derinliklerinden gizli gizli bakan benliği bu maskenin ardında yalnızlık içinde bekliyordu. Sivri kulaklarının söylediğim her şeyi duyduğu, soluk alıp verişlerimi saydığı ve açık havada kalp atışlarımı seçebileceği hissine kapılmıştım.

Taggert rahatsız olmuşa benziyordu; ansızın konuyu değiştirdi. "Daha önce gerçek bir dedektifle tanıştığımı hatırlamıyorum."

"Bir imza verebilirim ama X diye imzalarım."

"Gerçekten, ama, ben dedektiflerle ilgileniyorum. Bir zamanlar dedektif olmak istediğimi sanırdım –uçağa binene kadar. Herhalde bütün çocuklar bunu hayal eder."

"Bütün çocuklar hayallerinin peşine takılıp gitmezler ama."

"Niye ki? İşinizden memnun değil misiniz?"

"Beni şeytanlıktan uzak tutuyor. Bir bakalım, ortadan kaybolduğu gün Bay Sampson'la birlikte miydiniz?"

"Doğrudur."

"Ne giyiyordu?"

"Spor şeyler. Harris tüvit ceket, kahverengi yünlü gömlek, taba rengi bol kesim bir pantolon ve ayakkabı. Şapkası yoktu."

"Saat tam olarak kaçtı, peki?"

"Yaklaşık olarak üç buçuk –dün öğleden sonra Burbank'e indiğimizde. Ben uçağı park etmeden önce bir hurdayı kaldırmaları gerekti. Uçağı hep kendim park ederim. Çalınmasını istemediğimiz bazı cihazlar var da. Bay Sampson da bize bir limuzin göndermeleri için oteli aramaya gitti."

"Hangi otel?"

"Valerio."

"Wilshire'ın dışındaki bir puebloda."

"Ralph'in orada bir bungalovu var," dedi Miranda. "Sessiz olduğu için orayı seviyor."

Taggert, "Ben ana girişe gittiğimde," diye sözüne devam etti, "Bay Sampson gitmişti. Pek aldırış etmedim. Çok içmişti, ama bunda olağan dışı bir şey yoktu; başının çaresine bakabilirdi. Gerçi yine de canım sıkılmıştı. Beş dakika bekleyemediği için öylece Burbank'te kalakalmıştım. Valerio'ya gitmek için taksiye üç papel vermem gerekiyordu ama cebimde o kadar para yoktu."

Çok fazla şey söyleyip söylemediğini anlamak için Miranda'dan tarafa baktı. Kız eğleniyor gibiydi.

"Her neyse," dedi, "otobüse binip otele gittim. Her birinde yaklaşık yarım saat yol gittiğim üç otobüse."

"Valerio'ya gitmiş mi?"

"Hayır. Hiç gitmemiş."

"Bagajları ne oldu peki?"

"Bagajı yoktu."

"O zaman geceyi orada geçirmeyi planlamıyordu, öyle mi?"

Miranda, "Alakası yok," diye lafa girdi. "Valerio'daki bungalovda ihtiyacı olan her şey var."

"Belki de şu an oradadır."

"Hayır. Elaine her saat başı arıyor."

Taggert'a döndüm. "Planlarıyla ilgili bir şey söylemedi mi?"

"Geceyi Valerio'da geçirecekti."

"Sen uçağı park ederken ne kadar bir süre tek başına kalmıştı?"

"On beş dakika falan. Yirmi dakikayı geçmedi."

"Valerio'dan gelecek olan limuzin oraya çabucak gitmedi belki. Belki de oteli hiç aramadı."

"Belki de birileri onu havaalanında karşılamıştır," dedi Miranda.

"Los Angeles'ta çok ahbabı var mıydı?"

"Daha çok iş çevresinden tanıdıkları. Ralph hiçbir zaman öyle çok sosyal biri olmadı."

"Bana isimlerini söyleyebilir misin?"

Miranda sanki isimler birer böcekmiş gibi yüzünü elleriyle kapattı. "İyisi mi Albert Graves'e sorun siz. Ofisini arayıp yolda olduğunuzu söylerim. Felix sizi götürür. Sonra da Los Angeles'a dönersiniz herhalde."

"Başlamak için mantıklı bir yer gibi görünüyor."

"Alan sizi uçurur." Ayağa kalkıp yukarıdan yarım yamalak öğrenilmiş buyurgan bir bakışla ona baktı. "Bu öğleden sonra özel bir şey yapmıyorsun, değil mi Alan?"

"Memnun olurum," dedi. "Can sıkıntısından kurtulurum."

Zıvanadan çıkmış şirinlik muskası kuyruğunu sallaya sallaya eve gitti.

"Ona bir şans versene," dedim.

Alan ayağa kalktı; gölgesi üzerime düştü. "Ne demek istiyorsun?"

Onda bir kendini beğenmişlik, bir okul çocuğu küstahlığı vardı ve ben de bununla eğleniyordum. "Uzun bir adama ihtiyacı var. Birlikte hoş bir çift olursunuz."

"Tabii tabii." Elini olmayız gibisinden bir o tarafa bir bu tarafa salladı. "Bir ordu insan Miranda ve benim hakkımda acele hüküm veriyor."

"Miranda da dâhil mi?"

"Ben başka biriyle ilgileniyorum. Seni ilgilendirdiğinden değil gerçi. Ya da şu marsığı."

Mutfağa giden antrede dikilen Felix'i kastediyordu. Adam hemencecik ortadan kayboldu.

"Piç kurusu sinirlerime dokunuyor," dedi Taggert. "Ha bire etrafta dolaşıp dinliyor."

"Sadece ilgileniyordur belki."

Homurdandı. "Bu evde canımı sıkan şeylerden biri, o kadar. Yemekleri aile ile birlikte yiyorum, tamam ama zor zamanlarda hizmetkârlardan biri olmadığımı zannetme. Kahrolası bir uçak şoförüyüm işte."

Miranda için öyle değilsin ama diye düşündüm fakat söylemedim. "Kolay bir iş herhalde, değil mi? Sampson sürekli uçuyor olamaz."

"Uçmakla bir alıp veremediğim yok benim. Uçmayı seviyorum. Sevmediğim, ihtiyara dadılık etmek."

"Dadıya mı ihtiyacı var?"

"Huysuzun teki olabiliyor. Miranda'nın önünde sana ondan bahsedemezdim, ama geçen hafta çölde, sanırdın ki içerek ölmeye çalışıyor. Günde bir buçuk litreye yakın içiyordu. Böyle içtiği zamanlarda megalomaniye kapılır ve benim de bir ayyaştan emir almak midemi bulandırır. Sonra içleniverir. Beni evlat edinip bana bir havayolu şirketi satın alası gelir." Sesini kalınlaştırıp sarhoş bir ihtiyar taklidi yaptı: "Sana sahip çıkacağım, Alan oğlum. Kendi havayoluna sahip olacaksın."

"Ya da dağa."

"Havayolu konusunda şaka yapmıyorum. Buna gücü yeterdi de. Ama ayıkken kimseye beş kuruş vermez."

"Su katılmamış şizofren," dedim. "Neden böyleydi peki?"

"Emin değilim. Yukarıdaki kaltak herkesi çıldırtabilir. Sonra, oğlunu da savaşta kaybetmiş. Ben de burada devreye giriyorum galiba. Tam gün çalışacak bir pilota ihtiyacı falan yok. Bob Sampson da pilotmuş. Sakashima'da vurulup düşmüş. Miranda ihtiyarı dağıtanın bu olduğunu düşünüyor."

"Miranda'yla arası nasıldı?"

"Çok iyi, ama son zamanlarda atışıp duruyorlardı. Sampson onu evlendirmeye çalışıyordu."

"Belli biriyle mi?"

"Albert Graves'le." Bunu söylerken yüzünde herhangi bir duygu belirtisi yoktu; ne lehte ne aleyhte.

# 3

Otoban deniz kenarındaki kasabanın sonunda Santa Teresa'ya giriyordu. Bir buçuk kilometre boyunca uzanan kenar mahalleleri geçtik: Burada yıkıldı yıkılacak derme çatma kulübeler, ön tarafı dükkân olan barınaklar, kaldırımların olması gereken yerlerde toprak yollar, tozun toprağın içinde oynayan çocuklar vardı. Ana caddenin yanında, mukavva bir pastanın üzerindeki şekerli krema gibi görünen neon lambalarının olduğu birkaç turist oteli, kırmızı badanalı *chili* evleri ve ayak takımının toplaştığı birkaç izbe taverna vardı. Sokaktakilerin yarısı bodurluklarıyla Kızılderilileri, yüzleriyle de Faslıları andırıyordu. Cabrillo Kanyonu'nu geçtikten sonra kendimi uzaylı gibi hissettim. Cadillac da havada süzülen uzay gemisiydi.

Felix ana caddede sola dönüp denizden uzaklaştı. Renkli gömlekli ve gofre pantolonlu adamlar; pantolonlu, her dereceden karnı teşhir eden göbekleri meydanda kadınlar Kaliforniya İspanyol dükkânlarına ve iş hanlarına girip çıkıyorlardı. Hiç kimse kasabanın üzerinde yükselen dağlara dönüp bakmıyordu ama dağlar oradaydı ve hepsini aptal gösteriyordu.

Taggert sessizce oturuyordu, yakışıklı yüzü ifadesizdi. "Beğendin mi?" diye sordu.

"Beğenmek zorunda değilim," diye cevap verdim. "Sen?"

"Ben burada tek kuruş harcamam. İnsanlar filler gibi buraya ölmeye geliyorlar. Ama sonra yaşamaya devam ediyorlar –buna yaşam denirse tabii."

"Burayı savaştan önce görecektin. Eski haliyle kıyaslayacak olursan aktivite merkezi gibi. Eskiden kupon kesip her kuruşun hesabını yapan ve bahçıvanın parasını kısan yaşlı hanımlardan başka kimse yoktu buralarda."

"Kasabayı bildiğini bilmiyordum."

"Bert Graves'le birkaç dava üzerinde çalışmıştım –Bölge Savcısı olduğu zamanlarda."

Felix bir iş hanının avlusuna uzanan sarı sıvalı revakın önünde durdu. Camlı bölmeyi açtı. "Bay Graves'in Ofisi ikinci katta. Asansörü kullanabilirsiniz."

"Ben burada bekliyorum," dedi Taggert.

Graves'in ofisi davalarını hazırladığı adliye sarayındaki o tozlu hücreye hiç benzemiyordu. Bekleme odası soğuk yeşil renkte kumaşlarla ve ağartılmış ahşapla dekore edilmişti. Soğuk yeşil renkte gözleriyle renk şemasını tamamlayan sarışın resepsiyonist, "Randevunuz var mıydı, beyefendi?" dedi.

"Siz Bay Graves'e Lew Archer geldi deyin, yeter."

"Bay Graves şu anda meşgul."

"Beklerim."

Puf puf bir iskemleye oturup Sampson'ı düşündüm. Sarışının beyaz parmakları daktilosunun üzerinde dans ediyordu. Huzursuzdum ve bu bana hâlâ gerçek dışı geliyordu. Kafamda pek de canlandıramadığım bir adamı aramak için tutulmuştum. Din adamlarıyla takılan ve ölesiye içki içen petrolcü bir kodamanı. Fotoğrafını cebimden çıkartıp tekrar baktım. O da bana baktı.

Kapı açıldı ve yaşlı bir hanım zıplayıp kıkırdayarak geri geri dışarı çıktı. Şapkası sanki kıyıya vurduğunda bulduğu bir şeye benziyordu. Pembe renkli ipeksi göğsüne iğnelenmiş saatinin içinde elmaslar vardı.

Graves de arkasından çıktı. Kadın ona ne kadar zeki olduğunu söylüyordu; zeki ve yardımsever. Graves dinliyormuş gibi yapıyordu. Ayağa kalktım. Graves beni görünce şapkanın üzerinden göz kırptı.

Şapka çıkıp gidince Graves de kapıdan dönüp geldi. "Seni görmek güzel, Lew."

Sırtıma vurmadı, ama tokalaşması her zamanki gibi sertti. Yıllar onu değiştirmişti gerçi. Saç çizgisi yavaş yavaş şakaklarından geriye doğru kayıyor; küçük gri gözleri minik çizgilerden oluşan bir ağdan dışarıya bakıyordu. Mavi gölgeli kuvvetli çenesinin yanları gıdısının başladığı yerden sarkıyordu. Benden beş yaş büyük görünmediğini hatırlamak rahatsız ediciydi. Ama Graves bu noktaya tırnaklarıyla kazıyarak gelmişti; bu da yaşlılık evresiydi.

Onu gördüğüme memnun olduğumu söyledim. Öyleydim de.

"Altı-yedi yıl olmuştur," dedi.

"Olmuştur. Artık savcılık yapmıyormuşsun."

"Zaman ayıramadım."

"Evlendin mi?"

"Daha değil. Enflasyon, malum." Sırıttı. "Sue nasıl?"

"Onu avukatına soracaksın. Benim arkadaşlığımı beğenmedi."

"Bunu duyduğuma üzüldüm, Lew."

"Üzülme." Konuyu değiştirdim. "Çok mahkeme işi yapıyor musun?"

"Savaştan beri yapmıyorum. Böyle bir kasabada para getirmiyor."

"Getiren bir şeyler var herhalde." Odaya göz gezdirdim. Soğuk sarışın kendine gülümseme izni verdi.

"Burası sadece sahnem. Ben hâlâ savaşçı bir avukatım. Ama yaşlı hanımlarla nasıl konuşacağımı öğreniyorum." Gülümsemesi alaycıydı. "İçeri gelsene, Lew."

İç ofis daha geniş, serin ve daha mobilyalıydı. Çıplak duvarlarda av resimleri vardı. Diğerlerinde kitaplar sıralanmıştı. Graves koca masasının yanında daha da ufak görünüyordu.

"Politikadan ne haber?" dedim. "Vali olacaktın, hatırlıyor musun?"

"Parti Kaliforniya'da parçalara ayrıldı. Hem ben politikaya doydum. İki sene Bavaria'daki bir kasabayı idare ettim. Askerî hükümet."

"Maceracı politikacı, ha? Ben İstihbaratçıydım. Peki, Ralph Sampson?"

"Bayan Sampson'la konuştun mu?"

"Konuştum. Ama ne konuşmaydı. Gerçi ben bu görevin mahiyetini tam olarak anlamış değilim. Sen?"

"Öyle ya. Onu bu işe ben ikna ettim."

"O niye?"

"Çünkü Sampson'ın korumaya ihtiyacı olabilir. Beş milyon dolarlık bir adam işini şansa bırakmamalı. O alkolik, Lew. Oğlu öldürüldüğünden bu yana daha da kötüye gidiyor; kimi zaman da korkarım ki bilincini yitiriyor. Bayan Sampson sana Claude'dan bahsetti mi: Şu av kulübesini verdiği zattan?"

"Evet, din adamı."

"Claude zararsız görünüyor, ama bir sonraki öyle olmayabilir. Sana Los Angeles'ı anlatmama gerek yok. Yaşı geçkin, tek başına bir ayyaş için güvenli bir yer değil."

"Hayır," dedim, "bana anlatmana gerek yok, ama Bayan Sampson onun eğlence turunda olduğunu düşünüyor gibi."

"Onu böyle düşünmeye teşvik eden benim. Yoksa onu korumak için para harcamazdı."

"Ama sen harcarsın."

"*Onun* parasını. Ben Bay Sampson'ın avukatıyım, o kadar. Tabii, ihtiyarı bayağı da severim."

Damadı olmayı da beklersin, diye geçirdim içimden.

"Ne kadar ödeyecek?"

"Ne kadar istersen. Günlük elli papel artı masraflar, nasıl?"

"Şunu yetmiş beş yapalım. Bu davada hesaplanamaz şeyler istemiyorum."

"Altmış beş." Gülüyordu. "Müvekkilimi korumam gerek."

"Tartışmayacağım. Dava bile olmaz belki de. Sampson arkadaşlarıyla birlikte olabilir."

"Onları kontrol ettim. Burada pek arkadaşı yoktu. Sana görüştüğü kişilerin bir listesini vereceğim, ama ben olsam onlarla vakit kaybetmezdim. Asıl arkadaşları Teksas'tadır, servetini yaptığı yerde."

"Bu olayı epey ciddiye alıyorsun sen," dedim. "Neden işi bir adım ileriye götürüp polise başvurmuyorsun?"

"Kendini kovdurmaya mı çalışıyorsun?"

"Evet."

"Bu mümkün değil, Lew. Eğer onu benim için polisler bulursa beni o saniye kovar. Hem bir kadınla birlikte olup olmadığından da emin değilim. Geçen yıl onu San Francisco'da genelevde buldum."

"Senin ne işin vardı orada?"

"Onu arıyordum?"

"Bu iş gittikçe daha çok boşanma tadı vermeye başladı," dedim. "Ama Bayan Sampson ısrarla öyle olmadığını söylüyor. Hâlâ olayı anlamış değilim –onu da."

"Anlamayı bekleme zaten. Ben onu senelerdir tanıdığım halde anlamıyorum. Ama bir dereceye kadar onu idare edebilirim. Nazik bir durum söz konusu olursa bana bildir. Açgözlülük ve kibir gibi birkaç baskın dürtüsü vardır. Onunla iş yaparken bunlara güvenebilirsin. Ayrıca o boşanmak istemiyor. Bekleyip bütün parasına konmayı tercih ediyor –ya da yarısına. Diğer yarısını da Miranda alacak."

"Başlıca dürtüleri bunlar mıydı hep?"

"Onu tanıdığımdan beri, yani Sampson'la evlendiğinden beri. Ondan önce kendine bir kariyer edinmeye çalışıyordu: dansçılık, ressamlık, desinatörlük... Yeteneği yok. Bir süre Sampson'ın metresi oldu, en sonunda da sırtını ona dayadı ve son çare olarak onunla evlendi. Bu altı sene önceydi."

"Peki, bacaklarına ne oldu?"

"Eğitmeye çalıştığı bir atın sırtından düşüp kafasını taşa çarptı. O günden beri yürüyemiyor."

"Miranda onun yürümek istemediğini düşünüyor."

"Miranda'yla mı konuştun?" Yüzü aydınlanmıştı. "Harika bir çocuk, değil mi?"

"Kesinlikle, öyle." Ayağa kalktım. "Tebrikler."

Kızardı, ama bir şey söylemedi. Graves'in kızardığını hiç görmemiştim. Bir parça mahcup olmuştum.

Otomatik asansörle aşağı inerken bana, "Benim hakkımda bir şey mi söyledi?" diye sordu.

"Tek kelime etmedi. Kendim çaktım."

"Harika bir çocuk," dedi tekrar. Kırkında aşk sarhoşu olmuştu.

Arabaya geldiğimizde hemencecik ayıldı. Miranda Allan Taggert'la birlikte arkada oturuyordu. "Sizi takip ettim. Sizinle birlikte Los Angeles'a uçmaya karar verdim. Merhaba, Bert."

"Merhaba, Miranda."

Ona incinmiş gibi baktı. Ama Miranda Taggert'a bakıyordu. Taggert'ın ise belli bir yere baktığı yoktu. Bu eşkenar olmayan bir üçgendi.

# 4

Havaalanına doğru şiddetle esen meltem rüzgârına karşı yükselip dağlardaki güney açıklığına doğru tırmanışa geçtik. Santa Teresa, dağın dizlerindeki renkli bir hava haritası, limandaki yelkenliler de çivit teknesindeki beyaz sabun parçalarıydı sanki. Gökyüzü pırıl pırıldı. Dağların sivri tepeleri parmağımı uzatıp dokunabileceğim kartonpiyerleri andırıyorlardı. Yükselip tepeleri geride bıraktık, burada hava daha soğuktu; elli millik ufuk boyunca uzanan dağların ıssızlığına şahit olduk.

Uçak ağır ağır yana yatıp denizin üzerinde dışa doğru bir dönüş yaptı. Bu, gece uçuşu için donatılmış dört kişilik bir uçaktı. Ben arka koltuktaydım. Miranda önde, Taggert'ın sağındaydı; onun manevra kolunun üzerinde itinayla hareket eden eline bakıyordu. Taggert'ın uçağı hareketsiz ve sabit tutmaktan gurur duyar gibi bir hali vardı.

Hava akımına kapılıp bir yüz fit indik. Miranda sol eliyle Taggert'ın bacağını sıktı. Taggert elinin orada kalmasına ses çıkartmadı.

Benim apaçık gördüğüm şeyi Albert Graves de görüyor olsa gerekti. Taggert istese Miranda zihnen ve bedenen onundu. Graves boşa zaman harcıyor, çok kötü bir düşüşe yaklaşıyordu.

Bu durumu anlayabilecek kadar tanıyordum onu. Miranda onun hayalini kurduğu her şey demekti: para, gençlik, dimdik göğüsler, yolda olan bir güzellik. Ona kafayı takmıştı bir kere ve onu elde etmek zorundaydı. Hayatı boyunca kafayı hep bir şeylere takmış ve onları elde etmişti.

Ohio'lu bir çiftçinin oğluydu. O on dört on beş yaşlarındayken babası çiftliğini kaybetmiş, çok geçmeden de ölmüş. Bert altı sene boyunca bir kauçuk fabrikasında lastik tamir ederek annesine bakmış. Annesi ölünce üniversiteye girip Phi Beta Kappa olarak mezun olmuş. Otuzuna gelmeden de Michigan Üniversitesi'nden hukuk diplomasını almış. Bir sene Detroit'te şirket avukatı olarak çalıştıktan sonra batıya gelmeye karar vermiş. Hayatında hiç dağ görmediği ve hiç denize girmediği için Santa Teresa'ya yerleşmiş. Babası hep emekliliğini Kaliforniya'da geçirmeyi tasarlarmış; Bert de işte Teksaslı bir petrol milyarderinin kızını da kapsayan bu Orta Batı rüyasını ondan miras almış.

Rüya devam ediyordu. Kadınlara vakit ayıramayacak kadar çok çalışmıştı. Bölge savcı yardımcılığı, şehir hukuk müşavirliği, bölge savcılığı... Davalarına sanki yeni bir toplumun temellerini atıyormuş gibi hazırlanırdı. Bir eyalet temyiz mahkemesi yargıcı, onun mahkeme salonunda çıkardığı işlerden övgüyle söz etmiştir. Kırk yaşında da akıntıya kürek çekmeye karar vermişti.

Ya akıntıyı alt edecek ya da akıntı kendiliğinden dinecekti. Taggert sinekleri kaçırmaya çalışan bir at gibi bacağını salladı. Uçak aniden yön değiştirdi, sonra tekrar rotasına döndü. Miranda elini çekti.

Sinirden kulakları hafifçe kızaran Taggert kumanda kolunu çekip yükseldi; sanki Miranda'yı arkasında bırakıp gökyüzünde yalnız kalabilirmiş gibi yükseliyordu. Tavandaki termometre kırkın altına düştü. Sekiz bin fitte ta aşağılardaki Catalina'yı görebiliyordum. Birkaç dakika sonra sola dönüp Los Angeles'ın beyaz dumanının içine daldık.

"Burbank'e indirebilir misin?" diye bağırdım. "Birkaç soru sormak istiyorum."

"İndiriyorum."

Daire çizip dönünce bizi vadinin yaz sıcağı karşıladı. Çöplükler, tarlalar ve tamamlanmamış banliyölerin üzerine ince bir kül tabakası gibi inmiş olan sıcak, yollardaki ve bulvarlardaki arabaları yavaşlatıyor, havanın girişini engelliyordu. Ele gelmeyen beyaz toz burun deliklerimi doldurup boğazımı kurutmuştu. Boğazımın kuruluğu her daim, günün yarısından sonra bile, şehre geri döndüğümde hissettiğim duyguya eşlik ediyordu.

Havaalanındaki otopark görevlisinin kırmızı çizgili gömleğinin kollarında çelik telden kolluklar vardı. Sarı bir şapka kır saçlarının gerisinden neredeyse düşey bir şekilde asılıyordu. Güneşli mevsimler ve kendi bakımsızlığı ona kıpkırmızı öfkeli bir surat ve fevkalade bir sükûnet havası vermişti.

Fotoğrafı gösterdiğimde Sampson'ı tanıdı.

"Evet. Dün buradaydı. Onu fark ettim, çünkü kafası bir parça dumanlıydı. Ama öyle körkütük sarhoş da değildi; yoksa nöbetçiyi çağırmıştım. İçkiyi biraz fazla kaçırmıştı, o kadar."

"Tabii," dedim. "Yanında biri var mıydı?"

"Ben görmedim."

Üzerinde sıcak yüzünden ölmüş gibi duran iki tilki kürkü olan kadın kaldırımın kenarında uzanan sıradan çıkıp, "Hemen şehir merkezine gitmeliyim," dedi.

"Kusura bakmayın, bayan. Sıranızı bekleyeceksiniz."

"Acil diyorum."

Adam monoton bir biçimde, "Sıranızı bekleyeceksiniz," dedi. "Taksi sıkıntısı çekiyoruz, anlıyor musunuz?"

Tekrar bana döndü. "Başka bir şey var mı, ahbap? Adamın başı belada falan mı?"

"Bilmiyorum. Nasıl gitti?"

"Arabayla –siyah bir limuzinle. Onu fark ettim, çünkü üzerinde işaret yoktu. Otellerden birinindi belki de."

"İçinde biri var mıydı?"

"Bir tek şoför."

"Onu tanıyor musun?"

"Hayır. Bazı otel şoförlerini tanırım ama ha bire değişiyorlar. Ufak tefek biriydi. Soluk yüzlüydü galiba."

"Ürün ya da ruhsat numarasını hatırlamıyorsun, değil mi?"

"Dikkatli biriyimdir ahbap ama dahi de değilim."

"Teşekkürler." Ona bir papel verdim. "Ben de değilim."

Yukarı, kokteyl barına çıktım. Miranda'yla Taggert kazara bir araya gelmiş yabancılar gibi oturuyorlardı.

"Valerio'yu aradım," dedi Taggert. "Limuzin her an burada olabilir."

Gelen limuzinin direksiyonunda üzerinde mavi yünlü kumaştan bir takım elbise, başında da kumaş bir şapka olan soluk yüzlü ufak tefek bir adam vardı. Otoparkçı onun evvelsi gün Bay Sampson'ı alan adam olmadığını söyledi.

Ben ön koltuğa oturdum. Adam gergin bir çabuklukla bana döndü; gri bir yüzü, içeri gömülmüş bir göğsü ve dışarı fırlamış gözleri vardı. "Evet, efendim?" Soru giderek azalan nazik ve de yaltakçı bir ses tonuyla sorulmuştu.

"Valerio'ya gidiyoruz. Dün öğleden sonra çalışıyor muydun?"

"Evet efendim." Vites değiştirdi.

"Başka çalışan var mıydı?"

"Hayır, efendim. Gece vardiyasında çalışan bir çocuk daha var ama o altıdan önce gelmez."

"Dün öğleden sonra Burbank havaalanından çağrıldın mı?"

"Hayır, efendim." Yavaş yavaş gözlerine doğru inen endişeli ifade onlara yakışmış gibiydi. "Çağrılmadım sanıyorum."

"Ama emin değilsin."

"Evet, eminim efendim. Bu taraflara gelmedim."

"Ralph Sampson'ı tanır mısın?"

"Valerio'dan mı? Evet efendim. Tabii tanırım."

"Bu aralar gördün mü?"

"Hayır, efendim. Birkaç haftadır görmedim."

"Anladım. Söylesene, sana gelen telefonlara kim bakıyor?"

"Santral memuru. Bir terslik yok ya, efendim. Bay Sampson arkadaşınız mı olur?"

"Hayır," dedim. "Ben onun çalışanlarından biriyim."

Yol boyunca ağzını bıçak açmadı; sarf ettiği onca 'efendim' için pişman olmuştu. İnerken mahcup olsun diye bir papel bahşiş verdim; Miranda da yol parasını ödedi.

Miranda'ya lobide, "Bungalova bakmak istiyorum," dedim. "Ama önce santral memuruyla konuşmak istiyorum."

"Anahtarı alıp seni beklerim."

Memure geceleri erkekleri düşleyen gündüzleri de onlardan nefret eden soğuk bir bakireydi. "Evet?"

"Dün öğleden sonra Burbank havaalanından limuzin istemek için aramışlar."

"Bu tip sorulara cevap vermiyoruz."

"Bu bir soru değil, bir beyanattı."

"Çok meşgulüm," dedi. Ses tonu bozuk para şıkırtısını andırıyordu; ters ters bakan küçük gözleri on sentlik demir paralar gibi parıl parıldı.

Masaya, dirseğinin yanına bir dolar koydum. Paraya sanki pis bir şeymiş gibi baktı. "Müdürü aramam gerek."

"Pekâlâ. Ben Bay Sampson için çalışıyorum."

"Bay *Ralph* Sampson için mi?" diye ötüp şakıdı.

"Doğrudur."

"Ama arayan oydu."

"Biliyorum. Sonra ne oldu?"

"Hemen akabinde iptal etti, şoföre söyleyecek fırsatım bile olmadı. Planda bir değişiklik mi yaptı?"

"Öyle görünüyor. İki seferinde de arayanın o olduğundan emin misiniz?"

"Ah, evet," dedi. "Bay Sampson'ı iyi tanırım. Buraya yıllardır gelir."

Masasını kirletmesin diye kirli parayı alıp ucuz plastik bir cüzdana attı. Sonra da üç kırmızı ışığı yanmakta olan santraline döndü.

Ben lobiye dönünce Miranda oturduğu yerden kalktı. Burası leylak rengi ceketler giymiş komilerin hazır olda bekledikleri, halı ve iskemle dolu, sessiz ve hoş bir yerdi. Miranda bir müzedeki hayat dolu bir peri gibi hareket ediyordu. "Ralph bir aydır buraya uğramamış. Müdür yardımcısına sordum."

"Anahtarı verdi mi?"

"Elbette. Alan bungalovu açmaya gitti."

Dövme demirden bir kapıda son bulan koridor boyunca onu takip ettim. Ana binanın arkasındaki bahçeler her iki yanında da bungalovların olduğu, sıra sıra çimlerin ve çiçek tarhlarının arasına kurulmuş küçük sokaklara bölünmüştü. Bungalovlar hapishane gibi duvarlarla çevrelenmişlerdi. Ama bu duvarların ardındaki mahkûmlar dolu dolu bir hayat yaşayabilirlerdi. Burada tenis kortları, yüzme havuzu, restoran, bar, gece kulübü vardı. Tek ihtiyaç duyacakları şey dolu bir cüzdan ya da çek defteriydi.

Sampson'ın bungalovu diğerlerinin çoğundan daha büyüktü ve daha geniş bir terası vardı. Yan kapı açıktı. Pek rahat görünmeyen İspanyol iskemleleriyle dolu holden geçip tavanı kızıl meşe kaplama geniş bir odaya girdik.

Sönmüş şöminenin önündeki bir kanepede oturan Taggert bir telefon defterinin üzerine eğilmişti. "Bir arkadaşı ararım demiştim," dedi. Başını kaldırıp yarım yamalak bir gülümsemeyle Miranda'ya baktı. "Sonuçta aylak aylak dolaşmam gerekecek."

"Benimle kalacaksın sanıyordum." Kızın sesi yüksek ve muallâktı.

"Öyle mi?"

Diğer tüm otel odaları gibi şahsiyeti olmayan seri üretim odaya göz gezdirdim. "Baban özel eşyalarını nerede saklar?"

"Odasında herhalde. Burada pek bir şeyi yoktur. Üzerini değiştirmek için birkaç parça giysi, o kadar."

Holün ucundaki yatak odasının kapısını gösterip ışığı açtı.

"Buraya ne yapmış böyle?"

Oda çokgen ve penceresizdi. Yansıtmalı lambalar kırmızı renkteydi. Duvarlar çatıdan duvara kadar kıvrıla kıvrıla inen kalın bir kumaşla kaplanmıştı. Ağır bir koltuk ve odanın ortasındaki yatak da aynı koyu kırmızı renkle kaplıydı. Ama olaya asıl son noktayı koyan tavandaki, odayı tersten yansıtan aynaydı. Belleğim bu kırmızı karanlığın içinde çabalayıp aradığı kıyaslamayı bulmuştu: Mexico City'de –bir dava için– gittiğim Napoliten tarz bir genelev.

"Burada uyumak zorunda olan birinin içmesine şaşmamalı."

"Önceden böyle değildi burası," dedi Miranda. "Elden geçirtmiş herhalde."

Odada gezindim. On iki aynanın her birine burçlar kuşağındaki on iki sembol altınla işlenmişti: Yay, boğa, ikizler ve diğer dokuzu.

"Baban astrolojiyle ilgilenir miydi?"

"Evet, ilgilenirdi." Bunu mahcup bir ifadeyle söylemişti. "Bunu onunla tartışmayı denedim ama bir işe yaramadı. Bob öldüğünde dibe vurmuştu. Ama işi bu kadar ileriye götüreceğini düşünmemiştim."

"Gittiği belli bir astrolog var mı? Her yer onlarla dolu."

"Bilmiyorum."

Hareketli bir perdenin arkasındaki dolabın girişini buldum. Dolap golf kıyafetlerinden smokinlere kadar bir sürü takım elbise, gömlek ve ayakkabıyla tıka basa doluydu. Sistematik bir şekilde cepleri aradım. Ceketlerden birinin göğüs cebinde bir cüzdan buldum. İçinde bir deste yirmilik ve bir fotoğraf vardı.

Fotoğrafı dolabı aydınlatan lambaya doğru tuttum. Kederli kederli bakan kara gözleri ve aşağı doğru sarkmış dolgun dudaklarıyla bir kâhin yüzüydü bu. Yüzün her iki yanından resmin dibindeki artistik gölgelerle birleşen siyah elbisenin yakasına doğru siyah saçlar dökülüyordu. Gölgelerin üzerine beyaz mürekkeple kadınsı bir el yazısıyla 'Fay'den Ralph'e sevgilerle' yazıyordu.

Bu bilmem gereken bir yüzdü. Hüzünlü gözleri bir yerden hatırlıyordum ama o kadar. Cüzdanı tekrar Sampson'ın cebine koydum, resmi de bir fotoğraflık koleksiyonuma ekledim.

Odaya döndüğümde Miranda, "Bak," dedi. Yatağa uzanmıştı, eteği dizlerinin üzerine kadar çıkmıştı. Pembe ışığın altında vücudu sanki yanıyormuş gibiydi. Gözlerini kapadı. "Bu manyak oda sana neyi çağrıştırıyor?"

Saçları alev alevdi. Ters dönmüş yüzü hareketsiz ve solgundu. İncecik vücudu bir sunaktaki kurban gibi yanıyordu.

Yanına gidip elimi omzuna koydum. Elime vuran kırmızımtırak ışık bana bir iskeletim olduğunu hatırlattı. "Gözlerini aç."

Gözlerini gülümseyerek açtı. "Onu gördün, değil mi? Putperest sunağındaki kurbanı –Salammbô gibi."

"Biraz fazla kitap okuyorsun," dedim.

Elim hâlâ omzunda, yanık teninin ayırdındaydı. Dönüp beni aşağı çekti. Sıcacık dudakları yanağımdaydı.

Taggert kapı girişinden, "Ne oluyor?" diye sordu. Yüzündeki kırmızı ışık onu sinirli gösterse de o çarpık gülümsemesi yine yerindeydi. Olay onu şaşırtmıştı.

Kalkıp ceketimi düzelttim. Ben şaşırmamıştım. Miranda günlerdir dokunduğum en taze şeydi. Sayesinde kanım damarlarımda yarış atları gibi dolaşmaya başlamıştı.

Miranda ulu orta, "Ceketinin cebindeki o sert şey de ne öyle?" diye sordu.

"Silah taşıyorum."

Esrarlı kadının fotoğrafını çıkartıp her ikisine de gösterdim. "Onu daha önce gördünüz mü? Resmi 'Fay' diye imzalamış."

"Ben hiç görmedim," dedi Taggert.

Miranda da hayır dedi. Sayı kazanmış gibi yan yan Taggert'a bakıp gizlice gülümsedi.

Onu azdırmak için beni kullanıyordu ve bu canımı sıkmıştı. Kırmızı oda da canımı sıkmıştı. Dışarıya bakacak gözleri ve içinde kendisinin baş aşağı yansımasından başka görecek bir şey olmayan hasta bir beynin içini andırıyordu. Dışarı çıktım.

# 5

Zile bastım; bir dakika sonra diyafondan gür bir kadın sesi yükseldi. "Kim o?"

"Lew Archer. Morris evde mi?"

"Tabii. Yukarı gel." Kadın apartman girişinin kapısını açan otomatiği bağırttı.

Merdivenin başına vardığımda kapıda bekliyordu: Mutlu bir evliliği olan, şişman, solmaya yüz tutmuş bir sarışın. "Yüzünü gören cennetlik." İrkildim ama o fark etmedi. "Morris bu sabah uyuyakaldı. Hâlâ kahvaltı ediyor."

Saatime baktım. Üç buçuktu. Morris Cramm akşamın yedisinden sabahın beşine dek bir köşe yazarı için çalışan gececi bir muhabirdi.

Karısı beni kâğıt, kitap ve düzeltilmemiş bir stüdyo yataktan oluşan, oturma odasıyla yatak odası arası bir odaya götürdü. Morris bornozuyla kahvaltı masasına oturmuş, gözlerini kendisine bakan iki adet sahanda yumurtaya dikmişti. Ufak tefek siyahî bir adamdı; kalın camlı gözlüklerinin ardındaki kara gözlerinden zekâ fışkırırdı. Kara gözlerinin ardında ise Los Angeles'ın nüfus istatistiklerini içeren kartotek bir beyin vardı.

Oturduğu yerden, "Günaydın, Lew," dedi.

Karşısına oturdum. "İkindi oldu."

"Bana göre sabah. Zaman göreceli bir kavramdır. *Yazın yatmaya gittiğimde sarı güneş tepemde parıldar.* –Robert Louis Stevenson. Beynimin hangi lobunu kullanmak istersin bu *sabah*?"

En son kelimeyi üzerine basa basa söylemiş; Bayan Cramm da bana bir fincan kahve doldurarak noktayı koymuştu. Beni Sampson'ları gördüğüm bir rüyadan az evvel uyandığıma neredeyse ikna etmişlerdi. Sampson'ların bir rüya olduğuna ikna olmaya itirazım olmazdı.

Ona imzalı fotoğrafı gösterdim: 'Fay.' "Yüzü tanıdın mı? Sanki daha önce görmüş gibiyim ve bu filmlerde oynamış olabileceği anlamına gelebilir. Şu sahneye çıkan tiplerden."

Kartonu inceledi. "Emekli vampir. Kırklı yaşlarını sürüyor, ama resim belki de on senelik. Fay Estabrook."

Yumurtalardan birine çatalını geçirip tabağına yayılan sarılığı seyretti. "Orada burada görmüşlüğüm var. Pearl White döneminde bir yıldızdı."

"Ne iş yapar."

"Pek bir şey yaptığı yok. Sessiz sedasız yaşayıp gidiyor. Bir iki kez evlenmişti." İştahsızlığını yenip yumurtasını yemeye koyuldu.

"Şu anda evli mi, peki?"

"Bilemem. Sonuncusunun yürüdüğünü sanmıyorum. Ufak rollerde oynayarak biraz para kazanıyor. Sim Kuntz filmlerinde ona rol veriyor. Bir zamanlar onun yönetmeniydi."

"Astrolog olma ihtimali de var mı?"

"Olabilir." İkinci yumurtasına da sert bir darbe indirdi. Bir sorunun cevabını bilememek onun için utanç verici bir şeydi. "Bende dosyası yok ya Lew. Artık o kadar önemli biri değil. Ama bir yerlerden bir geliri olsa gerek. Ufak çapta sansasyonları var. Onu Chasen'ın yerinde görmüştüm."

"Tek başına, herhalde."

Ufak, ciddi suratını buruşturdu; deve gibi yan yan çiğniyordu. "Her iki lobumu da didikliyorsun; seni hıyar herif seni. Loblarımı yorduğum için bana bir ödeme yapılacak mı acaba?"

"Beş papel," dedim. "Harcamalarımı gider hesabına yazıyorum." Bayan Cramm göğüsleriyle üzerime abanıp bana bir fincan kahve daha koydu.

"Onu İngiliz rantiye tipli biriyle gördüm."

"Tarif etsene."

"Erken ağarmış saçlar; gözleri mavi ya da griydi. Orta boylu ve ince yapılıydı. İyi giyimliydi. Yakışıklıydı; eğer şarkı söyleyip dans eden kocamış oğlanlardan hoşlanıyorsan."

"Hoşlandığımı biliyorsun. Başka kimse var mıydı?" Ona ne Sampson'ın resmini gösterebilir ne de ismini telaffuz edebilirdim. O ikili gruplardaki isimleri toplamak için para alıyordu. Çok düşük bir para.

"En az bir kişi. Turist kılıklı bir adamla yemek yiyordu. Adam öyle çakırkeyif olmuştu ki kapıya kadar birilerinin yardımıyla gidebildi. Bu birkaç ay önceydi. O zamandan beri de onu görmedim."

"Nerede yaşadığını bilmiyor musun?"

"Şehir dışında bir yerde. O kadarı beni aşar. Hem sana beş dolarlık bilgiyi verdim."

"İnkâr edecek değilim, ama bir şey daha var. Simeon Kuntz şu anda çalışıyor mu?"

"Telepictures Stüdyosu'nda bağımsız çalışıyor. Kadın orada olabilir. Film çektiklerini duymuştum."

Ona parasını verdim. Parayı öpüp sigarasını yakmak için kullanıyormuş gibi yaptı. Karısı parayı elinden çekip aldı. Ben çıkarken iki tatlı kaçık gibi kahkahalar atıp mutfakta birbirlerini kovalıyorlardı.

Taksim apartmanın önünde beni bekliyordu. Eve gidip Los Angeles ve civarı için telefon defterlerini incelemeye başladım. Rehberde Fay Estabrook ismi yoktu.

Universal City'deki Telepictures'ı arayıp Fay Estabrook'u sordum. Telefondaki görevli stüdyoda olup olmadığını bilmiyordu; bir sorması gerekiyormuş. Küçük bir stüdyoda bunun anlamı sinema filmi mevzubahis olduğunda Fay'in artık bir hükmünün kalmamış olduğuydu.

Görevli geri geldi: "Bayan Estabrook buradalar ama şu anda çalışıyorlar. Bir mesajınız var mıydı?"

"Ben oraya gelirim. Hangi sahnede çalışıyordu?"

"Üç numara."

"Yönetmen Simeon Kuntz mu?"

"Evet. Giriş izninizin olması gerek, biliyorsunuz değil mi?"

"İznim var," diye attım.

Evden çıkmadan önce silahımı çıkartıp holdeki dolaba asmak gibi bir hata yaptım. Kayışı o sıcakta rahatsız ediyordu ve kullanacağımı da zannetmiyordum. Dolapta yıpranmış bir golf çantası vardı. Sopaları çıkartıp garaja götürdüm ve arabamın bagajına attım.

Universal City'nin dış cepheleri sararmış kâğıt yakalar gibi yıpranmıştı. Telepictures binaları diğerlerinden daha yeniydi, ama bulvara sıralanmış köhne barlar ve pejmürde restoranlar arasından sıyrılır bir yanı da yoktu. Ana duvarlarının derme çatma bir görüntüsü vardı; sanki ayakta kalmayı ummuyor gibiydiler.

Bir yerleşim bölümünün köşesine park edip golf sopalarının olduğu çantayı çeke çeke stüdyonun girişine gittim. Oyuncu seçme bürosunun önünde on on iki kişi düz arkalıklı sandalyelerde oturmuş, aranan ve rahat biri gibi görünmeye çalışıyordu. Fırçalana fırçalana tiftiklenmiş, siyah sade bir takım giyen bir kız eldivenlerini bir takıp bir çıkartıyordu. Suratsız bir kadın, dizinde pembe ipek elbiseli, ağlayan ve yine kendisi kadar suratsız olan küçük bir kızla oturuyordu. Yersiz yurtsuz oyuncular olağan çeşitlilikleriyle –şişman, zayıf, sakallı, tıraşlı, smokinli, şapkalı, hasta, alkolik ve bunak– bekledikleri bir şey olmadan, orada krallara yaraşır bir asaletle oturuyorlardı.

Kendimi bu sahte parıltıdan kurtarıp kanatlı kapılara uzanan izbe koridora indim. Jambonun kıç tarafı gibi bir çenesi olan orta yaşlı bir adam mavi bir nöbetçi üniformasıyla kapının yanında oturuyordu; başında siyah siperli bir şapka ve kalçasının üzerinde siyah bir tabanca kılıfı vardı. Kapının önünde durdum, sanki benim için çok önemli bir şeymiş gibi golf çantasını kucakladım. Nöbetçi gözlerini aralayıp beni çıkartmaya çalıştı.

Onun şüphe yaratabilecek bir şey sormasına fırsat vermeden, "Bay Kuntz derhal bunları istiyor," dedim.

Daha büyük yerlerdeki nöbetçiler pasaport ve vize isteyip saklı bir el bombasını bulmak için vücut boşluklarınızı incelemek dışında her şeyi yaparlar. Ama bağımsız stüdyolar daha gevşekti ve ben de şansımı deneyecektim.

Kapıyı iterek açtı ve eliyle girmemi işaret etti. Labirent girişi gibi akkor beton bir geçide girdim ve isimsiz binaların arasında kayboldum. 'Batı Ana Yolu' levhalı toprak bir yola saptım ve kanatlı kapıları olan, iç kısmı bulunmayan bir barın, rüzgârın eğdiği cephesini boyayan iki boyacıya rastladım.

"Sahne üç?" diye sordum.

"Önce sağa sonra ilk sola dön. New York Apartmanının karşısındaki caddedeki işareti göreceksin."

Sağa dönüp Londra Caddesi'ni ve Pioneer Log Cabin'i geçtim, sonra da Continental Otel'den sola döndüm. Taklit cepheler uzaktan ne kadar gerçek görünüyorsa yakınlarına gidince de bir o kadar çirkin ve adi görünüyorlardı; öyle ki kendi gerçekliğimden bile şüpheye düşmeme neden olmuşlardı. Golf çantasını fırlatıp atmak ve diğer hayaletlerle birlikte sahte bir içki içmek için Continental Otel'e girmek istiyordum. Ama hayaletlerin ter bezleri yoktur, bense deli gibi terliyordum. Daha hafif bir şey almalıydım, badminton raketi mesela.

Sahne üçe vardığımda kırmızı ışık yanıyordu ve ses geçirmez kapılar kapalıydı. Golf çantasını duvara yaslayıp beklemeye koyuldum. Bir süre sonra ışık söndü. Kapı açıldı ve tavşan kıyafetli dansçı kızlardan oluşan bir sürü dışarı çıkıp caddeye doğru aktı. Son çifte de kapıyı tuttuktan sonra içeri girdim.

Ses sahnesinin iç kısmı oturakları, locaları ve yaldızlı rokoko süslemeleri ile bir tiyatronun röprodüksiyonuydu. Orkestra çukuru boş, sahne süslemesizdi. Ancak ilk birkaç sırada toplaşmış az sayıda seyirci vardı. Gömlek kollarını yukarı kıvırmış genç bir adam yukarıdaki minik spotları ayarlıyordu. Işıklar deyince minik spot lambası, yüzü kameraya dönük bir halde ilk sıranın ortasında oturan bir kadının başını aydınlattı. Koltukların arasından geçtim ve ışık sönmeden önce Fay'i tanıdım.

Işık tekrar yandı, bir zil sesi geldi ve oda derin bir sessizliğe gömüldü. Sessizliği kadının kalın sesi böldü:

"Harikulade, değil mi?"

Dönüp yanındaki kır bıyıklı adamın omzunu nazikçe dürttü. Adam başıyla onaylayıp gülümsedi.

"Kes!" Uçuk mavi gabardinlerin içindeki iki dirhem bir çekirdek, kel kafalı, ufak tefek, yorgun görünüşlü adam kameranın arkasından kalkıp Fay Estabrook'a doğru uzandı. "Bak Fay, sen onun annesisin. Çocuk yukarıda, sahnede, senin için içli içli şarkı söylüyor. Bu onun yakaladığı ilk büyük fırsat; bu senin yıllardır beklediğin ve gerçekleşmesi için dua ettiğin şey."

Adamın dokunaklı Orta Avrupalı sesi öylesine zorlayıcıydı ki gayriihtiyarî sahneye baktım: Hâlâ boştu.

Kadın gayretle, "Harikulade, değil mi?" dedi.

"Daha iyi. Daha iyi. Ama sorunun gerçek bir soru olmadığını unutma. Bu yanıtı beklenmeyen bir soru. 'Harikulade'ye vurgu yapacaksın."

Kadın, "Harikulade, değil mi?" diye haykırdı.

"Daha fazla vurgu. Daha fazla duygu, benim tatlı Fay'im. Orada, sahne ışıklarının arkasında takdire şayan bir şekilde şarkı söyleyen oğluna sahip olduğun anne sevgisini gönder. Tekrar dene."

Kadın *"Harikulade*, değil mi?" diye acı acı ciyakladı.

"Hayır! Çokbilmişlikle işimiz yok. Zekânı bu işe karıştırmayacaksın. Sadelik. Sıcak, sevecen sadelik. Anladın mı, benim tatlı Fay'im?"

Kadın sinirlenmiş, çılgına dönmüş gibiydi. Yardımcı yönetmenden dekorcuya kadar herkes ümitle onu seyrediyordu. Genizden gelen bir sesle, "Harikulade, değil mi?" dedi.

"Çok çok daha iyi," dedi minik adam. Işıklar ve motor diye bağırdı.

Kadın tekrar, "Harikulade, değil mi?" dedi. Kırlaşmış bıyıklı adam gülümseyip bir kez daha başıyla onayladı. Elini kadının omzuna koydu ve birbirlerinin gözlerinin içine bakarak gülümsediler.

"Kes!"

Tebessümler bezginliğe dönüştü. Işıklar söndü. Minik yönetmen numara yetmiş yediyi istedi. "Sen gidebilirsin, Fay. Yarın sekizde. İyi bir uyku çekmeye bak, tatlım." Bunu söyleme şekli hiç de hoş değildi.

Kadın cevap vermedi. Kamera, sahnenin kulisinde toplaşan yeni bir grup oyuncuya çevrilirken o kalkıp koltukların arasından geçti. Ben de onun peşine takılıp ardiyeyi andıran iç karartıcı binadan gün ışığına çıktım.

O hızlı değil, bir parça körleme ve amaçsız manevralarla yürüyüp giderken ben kapı girişinde dikiliyordum. Kocaman, tüllü siyah bir şapka ve sade siyah pardösüden oluşan demode kıyafetlerin içinde, etli butlu güzelim vücudu hantal ve biçimsiz görünüyordu. Nedeni gözümü alan güneş ya da yalın romantizmdir belki ama kokusuz bir gaz gibi stüdyoyu kaplayan kötülüğün, boş, hayalî sokağı arşınlayan bu sakil siyah figürün üzerinde toplandığı hissine kapılmıştım.

Kadın Continental Otel'in köşesinde gözden kaybolunca ben de golf çantasını alıp peşinden gittim. Yine terlemeye başlamıştım; kendimi ihtiyarlayan, hiçbir zaman bir profesyonel olamayacak çanta taşıyıcısı gibi hissediyordum.

Kadın her yaştan ve şekilden yarım düzine kadının olduğu ana girişe doğru ilerleyen bir gruba katıldı. Girişe varmadan bir geçide saptılar. Ben de arkalarından koşturdum ve üzerinde 'SOYUNMA ODASI' yazılı alçı kaplama bir kemerin altında gözden kaybolduklarını gördüm.

Bekçinin yanındaki kanatlı kapıları iterek açıp dışarı çıktım. Bekçi beni ve golf sopalarını hatırlamıştı.

"Sopaları istemedi mi?"

"Badminton oynayacakmış."

# 6

Kadın dışarı çıktığında girişin yanındaki sarı kaldırım taşının orada motorum rölantide bekliyordum. Diğer yöne giden kaldırıma saptı. İyi kesimli siyah bir takım giymiş ve yana eğik bir şapka takmıştı. Vücudu kendi iradesi ya da korse sayesinde dikleşmişti. Arkadan on yaş genç görünüyordu.

Benden yarım blok ötede, bir sedanın önünde durdu, kapısını açtı ve bindi. Ağır ağır trafiğe karıştım. Kadının önümdeki yola kaymasına izin verdim. Sedanı yeni bir Buick'ti. Arabamı fark etmesini umursamıyordum. Los Angeles Vilayeti üstü açık mavi spor arabalarla doluydu ve bulvar trafiği sallanan bir çiçek dürbünü andırıyordu.

Kadın, diğer arabaları sollayıp şerit değiştirerek mevcut desene kendinden de bir şeyler katıyordu. Deli gibi ama iyi araba kullanıyordu. Üst geçitte onu gözden kaybetmemek için yetmişe çıkmak zorunda kaldım. Beni fark ettiğini sanmıyordum; eğlence olsun diye yapıyordu. Elliyle, sahile doğru, Sunset'e indi. Beverly Hills dönemeçlerinde elli beş-altmışa çıktı. Ağır arabası uçar gibi gidiyordu. Ben ise daha hafif olan arabamda merkezkaç kuvvetiyle eşit şansla kumar oynuyordum. Lastiklerim ciyak ciyak bağırıyordu.

Pasifik Kayalıkları'na doğru inen son uzun kavisli yokuşta uzaklaşmasına müsaade ettim ama neredeyse onu gözden kaybediyordum. Onu sağa dönmeden hemen önce tekrar yakaladım.

'Woodlawen Geçidi' diye işaretlenmiş, yamaç boyunca kıvrıla kıvrıla uzanan bir yola kadar onu takip ettim. Bir dönemeci aldığımda benden yaklaşık yüz metre öndeydi; geniş bir yay çizip özel bir yola saptı. Arabamı bir okaliptüsün altına park edip durdurdum.

Kaldırım boyunca sıralanmış Japon çalısının arkasından beyaz bir evin merdivenlerini çıktığını gördüm. Kapıyı açıp içeri girdi. Caddeden uzakta ağaçların arasına kurulmuş iki katlı bir evdi bu. Bitişiğinde, yokuşun kenarına inşa edilmiş bir de garajı vardı. Gözden düşmüş bir kadın için oldukça güzel bir evdi.

Bir süre sonra bir türlü açılmayan kapıyı izlemekten yoruldum. Ceketimle kravatımı çıkartıp arka koltuğa koydum, kollarımı yukarı doğru kıvırdım. Bagajdaki yağdanlığı da yanıma aldım. Doğruca araba yoluna doğru yürüdüm, Buick'i geçip garajın açık olan kapısına yöneldim.

Garaj kocamandı; Buick'le birlikte iki tonluk iki adet kamyonu alacak büyüklükteydi. İşin tuhafı sanki gerçekten de yakın bir zamanda oradan ağır bir kamyon geçmişti. Beton zeminde geniş tekerlek izleri ve iri benzin damlaları vardı.

Garajın arka duvarındaki pencere yerden biraz yüksekteki arka bahçeye bakıyordu. İpek, kırmızı renkli spor bir gömlek giyen geniş omuzlu bir adam sırtı bana dönük halde çadır bezinden bir şezlongda oturuyordu. Kısa kesimli saçları Ralph Sampson'ınkilerden daha sık ve koyu renkliydi. Parmak uçlarımda

yükselip yüzümü cama yasladım. Camın kirli yüze-
yinden bakıldığında bile manzara bir tablo kadar renk-
liydi: Kırmızı gömlekli adamın geniş, hissiz sırtı, ya-
nındaki çimlerin üzerinde duran kahverengi bira şişe-
si ve tuzlu fıstık dolu kâse, başının üzerindeki, dalla-
rında koyu yeşil golf toplarını andıran olgunlaşmamış
portakallar asılı olan portakal ağacı...

Yana eğilip eğri büğrü parmaklarıyla fıstık kâsesini
arandı. Kâseyi ıskalayan eli sakat bir ıstakoz gibi çim-
leri eşeledi. Derken kafasını çevirdi. Yüzünün bir tara-
fını gördüm. Bu, Ralph Sampson'ın yüzü değildi; ama
kırmızı gömlekli adamın başlangıçtaki yüzü de değildi;
bu ilkel bir heykeltıraşın yonttuğu taştan bir yüzdü ve
çok bildik bir yirminci yüzyıl hikâyesini anlatıyordu:
Bir sürü kavga, bir sürü sakatat ve yetersiz beyin.

Tekerlek izlerine geri dönüp izleri incelemek için
dizlerimin üzerine çöktüm. Çok geçti, olduğum yerde
kalmaktan başka yapacak bir şey yoktu; araba yolu-
nun o taraftan gelen ayak seslerini duyuyordum.

Kırmızı gömlekli adam kapının oradan, "Burada
ne işler karıştırıyorsun sen? Buralarda karıştıracak bir
işin yok senin!"

Yağdanlığı baş aşağı tutup duvara bir parça yağ
püskürttüm. "Işığımdan çekil, lütfen."

Zahmet edip, "Bu da ne?" diye sordu. Üst dudağı
ağzında ağızlık varmış gibi şişkindi.

Benden uzun değildi, ayrıca kapı kadar da geniş
değildi ama sanki öyleymiş gibi bir izlenim veriyordu.
Canımı sıkıyordu; sahipli yabancı bir buldokla konu-
şuyormuş gibiydim. Ayağa kalktım.

"Evet," dedim, "sizde kesinlikle onlardan var."

Bana doğru gelişini sevmemiştim. Sanki gününün her saati üç dakikalık rauntlara bölünmüş gibi sol omzu önde, çenesi aşağıda geliyordu.

"Ne demek, bizde onlardan var? Bizde bir şey olduğu yok ama gelip buralarda martaval okuduğun için sen başını bir parça belaya sokmuş durumdasın."

"Termit," deyiverdim. Nefesinin kokusunu alabileceğim kadar yakınımdaydı. Bira, tuzlu fıstık ve çürük dişler. "Bayan Goldsmith'e burada kesinkes onlardan olduğunu söyle."

"Termit mi?" Topuklarının üzerinde dümdüz duruyordu. Onu yere serebilirdim ama yerde kalmazdı.

"Ahşap yiyen minik hayvanlar." Duvara biraz daha yağ püskürttüm. "Küçük pislikler."

"Şu tenekede ne var? Şuradaki tenekede?"

"Buradaki tenekede mi?"

"Evet." Yakınlık kurmuştum.

"Bu termit öldürücü," dedim. "Bunu yiyip ölüyorlar. Bayan Goldsmith'e kontrol altına alındıklarını söyle."

"Ben Bayan Goldsmith diye birini tanımıyorum."

"Bu evin hanımı. İnceleme için genel merkezi aramıştı."

"Genel merkez mi?" diye sordu. İşkillenmişti. Yara bere içindeki kaşları kepenk gibi minik boş gözlerinin üzerine iniyordu.

"Termit kontrol genel merkezi. Killabug Güney Kaliforniya bölgesinin termit kontrol genel merkezidir."

"Yaa!" bu laflar kafasını karıştırmıştı. "İyi ama burada Bayan Goldsmith diye biri yok."

"Burası Okaliptüs Sokağı değil mi?"

"Yok, burası Woodlawn Sokağı. Yanlış adres dostum."

"Çok affedersiniz," dedim. "Ben burayı Okaliptüs Sokağı sanıyordum."

"Değil, Woodlawn Sokağı." Benim bu gülünç hatama kocaman bir gülümsemeyle karşılık verdi.

"İyisi mi ben gideyim o zaman. Bayan Goldsmith beni bekler."

"Evet. Ama bir dakika bekle."

Sol kolu hızla uzanıp yakama yapıştı. Sağ eli de havadaydı. "Buralarda daha fazla bir şeyler karıştırma! Buralarda karıştıracak bir işin yok senin!"

Yüzü öfkeden kıpkırmızı kesilmişti. Gözleri çakmak çakmaktı. Pütür pütür ve kıvrımlı ağız kenarlarında parlak bir salya sızıntısı vardı. Öfkeli bir dövüşçünün ne yapacağını önceden kestirmek bir buldoğun ne yapacağını önceden kestirmekten daha zordur ve o bir buldoktan iki kat daha tehlikelidir.

Tenekeyi kaldırarak, "Bak," dedim, "bu şey seni kör eder."

Yağı gözlerine püskürttüm. Hayalî bir acıyla bir inilti koyuverdi. Yana eğildim. Kulağımın yanından geçen sağ eli kulağımı yakmıştı. Gömlek yakam sökülmüş, yakama sımsıkı yapışmış olan elinden sarkıyordu. Sağ elini yağlanmış gözlerinin üzerine kapatıp bebek gibi sızlanmaya başladı. Kör olmaktan korkuyordu.

Yolun yarısına gelmiştim ki arkamdan bir kapı açıldı, ama dönüp yüzümü göstermedim. Eğilerek çitin köşesinden döndüm. Koşmaya devam ettim —arabamdan uzağa. Blokun etrafını yayan dolaştım.

Üstü açık arabamın yanına döndüğümde yol bomboştu. Garaj kapıları kapatılmıştı, ama Buick hâlâ araba yolundaydı. Ağaçların arasındaki beyaz ev ikindi güneşinin altında huzur dolu ve günahsız görünüyordu.

Evin hanımı üzerinde kaplan desenli bir ceketle dışarı çıktığında hava kararmak üzereydi. Buick geri geri dışarı çıkmadan önce araba yolunun girişini geçip onu Sunset Bulvarı'nda beklemeye koyuldum. Westwood, Bel-Air, Beverly Hills'i geçip gerisin geri Hollywood'a giderken arabayı daha da bir hışımla ve daha dikkatsizce kullanıyordu. Onu gözümün önünden ayırmadım.

Her şeyin bitip bir sürü başka şeyin başladığı Hollywood ve Vine'ın köşesinde özel bir otoparka girip arabadan indi. Arabamı çift sıra park ettim, derken onu Swift'in Yeri'ne girerken gördüm; hafif çakırkeyif bir hanım gibi yürüyen kokoş bir figür. Eve gidip gömleğimi değiştirdim.

Dolabımdaki silahım beni çağırır gibiydi ama onu üzerime almadım. Kılıfından çıkartıp torpido gözüne koyarak bir uzlaşmaya vardım.

## 7

Swift'in Yeri'nin arka odası, parlatılmış pirinç avizenin altında hafifçe parlayan kara meşeyle kaplanmıştı. Her iki tarafında deri dolgulu bölmeler vardı. Zeminin geri kalanı masalarla kaplanmıştı. Bölmelerin hepsi ve masaların çoğu yemeklerini yiyen ya da doyurulmayı bekleyen iki dirhem bir çekirdek insanlarla doluydu. Kadınların çoğu gergin ciltli ve bir deri bir kemikti. Erkeklerin çoğu ise tarifi pek kolay olmayan erkeksi Hollywood görüntüsüne sahipti. Şatafatlı sözcüklerinde ve abartılı jestlerinde sanki Tanrı onlara göz kulak olmak için milyon dolarlık bir kontrat imzalamış gibi ısrarcı bir kendini bilmişlik vardı.

Fay Estabrook arka bölmelerden birindeydi; karşısındaki masada da mavi flanel bir dirsek vardı. Tahta perde arkadaşının geri kalanını örtmüştü.

Üçüncü duvarın karşısındaki bara gidip bir bira söyledim.

"Bass bira, Black Horse, Carta Blanca ya da Guinness siyah bira? Saat altıdan sonra yerli bira satmıyoruz."

Bass söyleyip barmene bir papel verdim ve üstü kalsın dedim. Paranın üstü yoktu. Çekip gitti.

Barın arkasındaki aynaya bakmak için eğilince Fay Estabrook'un yüzünün hafif yana dönmüş görüntüsünü yakaladım. Ciddi ve dikkatliydi. Ağzı hızlı hızlı hareket ediyordu. Tam o anda adam ayağa kalktı.

Daha genç kadınlarla takılan türden biriydi, yıllarca bir doları kimsenin ne olduğunu bilmediği bir şeylere çeviren zarif, yaşlanmayan türden biri. Cramm'ın tarif etmiş olduğu yaşlanan gösterici çocuktu. Mavi ceketi üzerine tam oturmuştu. Boynundaki beyaz ipek fular kır saçlarını daha bir belirginleştirmişti.

Bölmenin orada dikilen kızıl saçlı bir adamla el sıkışıyordu. Dönüp odanın ortasındaki masasına gittiği zaman adamı tanıdım. Metro'nun Russell Hunt adındaki sözleşmecisi.

Kır saçlı adam Fay Estabrook'a el sallayıp kapıya yöneldi. Aynadan onu seyrettim. Etkileyici ve zarif bir şekilde yürüyor; etrafta kimsecikler yokmuş gibi doğruca önüne bakıyordu. O söz konusu olduğunda kimsecikler yoktu da. Kimse ne elini kaldırdı ne de dilini dişlerinin üzerinde gezdirdi. O çıkınca birkaç kafa döndü, birkaç kaş kaldırıldı. Fay Estabrook sanki ondan enfeksiyon kapmış da birilerine bulaştırabilirmiş gibi bölmesinde bir başına kalmıştı.

Bardağımı alıp Russell Hunt'ın masasına gittim. Ucu kalkık, yuvarlak, çirkin bir burnu ve minik, parlak, simsar gözleri olan şişman bir adamla oturuyordu.

"Kelime ticareti nasıl, Russell?"

"Merhaba, Lew?"

Beni gördüğüne memnun olmamıştı. Çalıştığım zamanlarda haftada üç yüz papel kazanırdım ve bu da beni bir köylü yapardı. O bin beş yüz kazanıyordu. İlk kitabını Metro'ya satmış ve bir daha da kitap yazmamış eski bir muhabir olan Hunt, umut vadeden bir delikanlıdan, migreni ve sudan korktuğu için giremediği bir yüzme havuzu olan iğrenç bir ihtiyara dönüşüyordu. İkinci karısından kurtulmasına yardımcı olmuş, ondan bir farkı olmayan üçüncüsüyle evlenmesinin yolunu açmıştım.

Ben gitmeyince, "Otur, otur," dedi. "Bir içki al. Baş ağrısını yok eder. Kendimi değil baş ağrımı yok etmek için içiyorum."

Simsar gözler, "Dur bakalım," dedi. "Eğer yetenekli bir sanatçıysan oturabilirsin; değilsen seninle vakit kaybetmemi bekleme."

"Timothy benim simsarım," dedi Russell. "Ben altın yumurtlayan kazım. Biftek çatalıyla oynayan sinirli parmaklarına bak; gözlerini istekle boğazıma dikmiş. Hayra alamet değil, zannedersem."

"Zannederseymiş," dedi Timothy. "Sen sanatçı mısın?"

Bir sandalyeye ve onun jargonuna geçtim. "Ben aksiyon adamıyım. Bir polis köpeği, yani."

Russell, "Lew dedektif," dedi. "İnsanların kirli çamaşırlarını ortaya çıkartıp skandallarla dolu bir dünyanın gözlerinin önüne serer."

Timothy keyifle, "Peki, ne kadar düşebilirsin?" diye sordu.

İğnelemeden hoşlanmamıştım, ama buraya bilgi için gelmiştim egzersiz için değil. Yüzümdeki ifadeyi görünce sandalyesinin yanında dikilen garsona döndü.

Russell'a, "Şu el sıkıştığın adam kimdi?" diye sordum.

Fularlı şık delikanlı mı? Fay, adının Troy olduğunu söyledi. Bir ara evliydiler; bilmesi normal."

"Ne iş yapar?"

"Emin değilim. Orada burada görmüşlüğüm var: Palm Springs, Las Vegas, Tia Juana."

"Las Vegas mı?"

"Galiba. Fay yatırımcı olduğunu söylüyor, ama o yatırımcıysa ben de bir maymunun amcasıyım." Kendi sıfatını hatırladı. "İşin garibi ben bir maymunun amcasıyım, ama şunu itiraf etmeliyim ki küçük kız kardeşim, şu üç memesi olan, son Whitsuntide'ı, görüp göreceğin en tatlı minik şempanzeyi doğurduğunda kimse benden fazla şaşırmamıştır. İlk evliliğinden olan Leydi Greystoke'tan bahsediyorum, biliyorsun."

Hızlı hızlı konuşması aniden durdu. Yüzü yeniden ümitsiz, perişan bir hal aldı. Garsona, "Bir içki daha," dedi. "Bir duble Scotch. Tıpkısının aynısı olsun."

"Bir dakika, beyefendi." Garson siyah raptiye gözlü buruş buruş bir ihtiyardı. "Bu beyefendinin siparişini alıyorum."

Russell kollarını çaresizlik ifade eden gülünç bir jestle savurup, "Bana servis yapmıyor," dedi. "Yine servis yapılmayan müşteri oldum."

Garson Timothy'nin söylediklerine dalmış gibi görünmeye çalışıyordu.

"Ben patates tava istemiyorum. Ben au gratin[1] patates istiyorum."

"Bizde au gratin yok, beyefendi."

"Yapabilirsiniz ama değil mi?" dedi Timothy. Retrousse[2] burun delikleri parlıyordu.

"Otuz beş kırk dakika sürer, beyefendi."

"Aman Tanrım!" dedi Timothy. Nasıl ucuz bir restoran burası. Kalk Chasen'ın Yeri'ne gidelim, Russell. Benim au gratin patates yemem gerek."

---

1  Ograten. Üzeri galeta unu veya rendelenmiş peynirle kaplanarak fırına verilen yemek.

2  Fr. Kalkık.

Garson dikilmiş, sanki çok uzak bir mesafeden onu seyrediyordu. Onun yanından etrafa göz gezdirirken Fay Estabrook'un hâlâ masasında oturduğunu gördüm; bir şişe şarabı içmekle meşguldü.

Russell, "Beni artık Chasen'ın Yeri'ne almıyorlar," dedi. "Cominform'un simsarı olduğum için. Kötü adamın Nazi olduğu bir senaryo yazdım; böylece Cominform'un simsarı olmuş oldum. Benim paramın geldiği yer orası, dostlar. Kokuşmuş Moskova altınının."

"Kes şunu," dedim. "Fay Estabrook'u tanıyor musun?"

"Biraz. Birkaç sene evvel onu geçip kariyerimde yükselmiştim; birkaç sene sonra da onu geçip aşağı ineceğim."

"Beni onunla tanıştırsana."

"Nedenmiş o?"

"Onunla hep tanışmak istemişimdir."

"Yemezler, Lew. Karın olamayacak kadar yaşlı."

Onun anlayacağı dilden konuştum: Bir daha geri gelmeyecek eski güzel günlerin hatırına ona karşı duygusal bir hürmet besliyorum."

"İstiyorsa tanıştır," dedi Timothy. "Polis köpeği sinirimi bozuyor. Daha sonra da au gratin patateslerimi huzur içinde yiyebilirim."

Russell güç bela yerinden kalktı; sanki çatının yükü onun kırmızı tepesindeydi.

Timothy'ye "İyi geceler," dedim. "Birileri seni yağlı gerdanından tutup atmadan önce servisin tadını çıkart. "

İçkimi alıp Russell'ı salonun diğer tarafına doğru yönlendirdim. Kulağına, "Ona ne iş yaptığımı söyleme," dedim.

"Ben kimim ki senin kirli çamaşırlarını ortaya dökeyim? Yalnızken başka. Yalnızken seve seve kirli çamaşırlarını ortaya dökerim. O benim fetişim."

"Kirlenen çamaşırlarımı atarım ben."

"Amma da savurgansın. Bir dahaki sefere benim için sakla lütfen. Kraft-Ebing eliyle kliniğe gönder yeter."

Bayan Estabrook başını kaldırıp siyah projektörleri andıran gözleriyle bize baktı.

"Bu Lew Archer, Fay. Simsar. Komünist Enternasyonal'den. Senin eski bir hayranınmış meğer."

Anne rolleriyle yıpranmış bir ses tonuyla, "Ne güzel," dedi. "Oturmaz mısınız?"

"Teşekkür ederim." Karşısındaki deri koltuğa oturdum.

"Kusura bakma," dedi Russell. "Benim Timothy'le ilgilenmem gerek; garsonla sınıf çatışmasına girişti de. Yarın gece de o benimle ilgilenecek. Şeker şey!" Çekip gitti; kendi kelime labirentinde kayboldu.

"Ara sıra da olsa hatırlanmak güzel," dedi kadın. "Arkadaşlarımın çoğu öldü; hepsi de unutulup gitti. Helene, Florence, Mae –hepsi de öldü ve unutuldu.

Yarı yalan yarı gerçek sarhoş duygusallığı Russell'ın korkunç laf salatasından sonra hoş bir değişiklik olmuştu. Başlama işaretimi almıştım.

"*Sic transit gloria mundi.*[3] Helena Chadwick zamanında harikulade bir oyuncuydu ama siz hâlâ işinize devam ediyorsunuz."

"Formumu korumaya çalışıyorum, Archer. Hayat bu şehri terk etse bile. Eskiden tek umursadığımız film yapmaktı –gerçekten. Kariyerimin zirvesindeyken

3 Lat. İşte dünyanın ihtişamı böyle geçiyor.

haftada üç binlik kazanırdım, ama biz para için çalış-
mazdık."

"Aslolan oyundur." Alıntı yapmak daha az rahatsız
ediciydi.

"Öyleydi, ama artık değil. Şehir dürüstlüğünü yi-
tirdi. İçinde hayat kalmadı. Ne onun içinde hayat kal-
dı ne benim içimde."

Yarım şişe *sherry*sinden son bir yudum alıp hü-
zünlü bir yutkunmayla boğazından aşağı gönderdi.
Ben içkimi idareli kullanıyordum.

"İyi görünüyorsunuz." Bakışlarımı açık kürk ceke-
tinden bir parça görünen dolgun vücudundan aşağıla-
ra kaydırdım. Vücudu, sıkı beli, dik göğüsleri, testiyi
andıran girinti ve çıkıntılarıyla yaşına göre iyi durum-
daydı. Üstelik inceden inceye ısrarlı kadınsı gücü ve
kedininki gibi hayvani kibriyle canlıydı da.

"Senden hoşlandım, Archer. Halden anlıyorsun.
Söylesene ne zaman doğdun?"

"Hangi yıl mı demek istiyorsunuz?"

"Gün."

"Haziranın ikisi."

"Cidden mi?"

"İkizler olabileceğin hiç aklıma gelmemişti. İkizler
kalpsizdir. Gerçek ikizler gibi çift ruhludurlar ve çift
hayat yaşarlar. Soğukkanlı mısındır, Archer?"

Eğilip, kocaman açılmış, herhangi bir yere odak-
lanmamış gözleriyle bana baktı. Benimle mi dalga ge-
çiyordu yoksa kendisiyle mi, anlamamıştım.

Büyüyü bozmak için, "Ben herkesle dostum," de-
dim. "Çocuklar da köpekler de bana bayılır. Çiçek ye-
tiştiririm ve bu işte iyiyimdir."

Suratını asıp, "Alay ediyorsun," dedi. "Halden anlayan biri olabileceğini düşünmüştüm, ama sen Hava grubundansın, ben Su."

"Bizden iyi hava-su kurtarma takımı olur."

Gülümseyip azarlar gibi, "Sen yıldızlara inanmaz mısın?" diye sordu.

"Sen inanır mısın?"

"Tabii ki inanırım –katıksız bilimsellikle. Kanıtları görünce inanmadan edemiyorsun. Mesela ben Yengecim ve herkes benim yengeç tipi olduğumu görebilir. Duygusal ve yaratıcıyım; aşksız yapamam. Sevdiklerim beni parmaklarında oynatırlar ama inadım tuttu mu tutar. Evlilikten yana şanssızım; diğer yengeçler gibi. Sen evli misin, Archer?"

"Artık değilim."

"Demek ki evliydin. Yine evleneceksin. İkizler boyuna evlenir. Hem de kendilerinden yaşlı kadınlarla. Bunu biliyor muydun?"

"Hayır." Israrlı ses tonu hafiften dengemi bozup sohbete ve bana hakim olacağı sinyallerini veriyordu. "Çok ikna edicisin," dedim.

"Söylediklerim doğru."

"Bu işi profesyonel olarak yapsana. Ağzı iyi laf yapan birine iyi para var bu işte."

Saf saf bakan gözleri kısılıp gözetleme deliği gibi iki siyah çizgiye dönüştü. Deliklerin arkasından beni süzerek taktiksel bir karar verdi ve gözlerini, zehirlenmiş kuyulara benzeyen karanlık masumiyet havuzlarını, tekrar kocaman açtı.

"Ah, olmaz," dedi. "Bunu asla profesyonel olarak yapamam. Bu benim sahip olduğum bir yetenek, bir hediye —Yengeçlerin çoğunun altıncı hisleri gelişkindir— ben de bu yeteneği kullanmayı kendime görev biliyorum. Para için değil ama —sadece arkadaşlarım için."

"Özel bir gelirin olduğu için şanslısın."

İnce saplı bardağı elinden fırlayıp düştü ve masanın üzerinde ikiye ayrıldı. "Siz İkizler yok musunuz," dedi, "her daim gerçeğin peşindesiniz."

İçime bir kurt düşmüştü ama önemsemedim.

Hesapsız kitapsız ateşlenmiş, hedefi kazara vurmuştu. "Burnumu sokmak istememiştim," dedim.

"Ah, biliyorum," dedi ve birden ayağa kalktı. Önümde yükselen vücudunun ağırlığını hissediyordum. "Hadi çıkalım buradan, Archer. Bir şeyleri kırıp dökmeye başladım yine. Konuşabileceğimiz bir yerlere gidelim."

"Neden olmasın."

Bütün bir parayı masanın üzerine bırakıp ezici bir çalımla dışarı çıktı. Ben de arkasından gittim. Şaşırtıcı başarımdan memnundum ama kendimi dişi örümcek tarafından yenilmek üzere olan erkek örümcek gibi hissediyordum.

Russell başı kollarının arasında masasında oturuyordu. Timothy şef garsona, savunmasız bir hayvanı köşeye sıkıştırmış bir terrier gibi, ciyak ciyak bağırıyordu. Şef garson da au gratin patateslerin on beş dakikaya hazır olacağını anlatmaya çalışıyordu.

# 8

Hollywood Roosevelt Bar'ın atmosferinden yakınıp kendini yaşlı ve yorgun hissettiğini söyledi. Bunun saçma olduğunu söylesem de Zebra Room'a taşındık. Sek İrlanda viskisine geçmişti. Zebra Room'da yan masadaki bir adamı kendisine küçümseyerek bakmakla suçladı. Biraz hava almayı teklif ettim. Wilshire'a doğru sanki başka bir boyuta geçmeye çalışıyormuş gibi sürüyordu. Ambassador'da Buick'i onun yerine park etmek zorunda kaldım. Kendi arabamı Swift'in Yeri'nde bırakmıştım.

Ambassador'daki barmenle de arkasını dönüp ona gülüyor diye kavga etti. Onu Huntoon Park'ın aşağı katındaki genellikle kalabalık olmayan bara götürdüm. Nereye gitsek onu tanıyan birileri çıkıyordu ama ne yanımıza geliyorlar ne de ayağa kalkıyorlardı. Garsonların bile ona aldırış ettiği yoktu. Artık çaptan düşmüştü.

Barın diğer ucundaki birbirine yaslanmış çift dışında Huntoon Park'ta bir Allah'ın kulu yoktu. Duvardan duvara halı kaplanmış, loş ışıklı zemin kat öldürdüğümüz akşamın gömülmeye hazırlandığı cenaze odasıydı. Bayan Estabrook ölü gibi bembeyazdı ama hâlâ dikey durumdaydı; görebiliyor, konuşabiliyor, içebiliyor ve hatta muhtemelen düşünebiliyordu da.

Adını zikretmesini umarak onu Valerio istikametine doğru götürüyordum. Birkaç içkiden sonra bunu kendim teklif etmeyi göze alabilirdim. Ben de onunla birlikte içiyordum ama sarhoş olacak kadar değil. Boş boş konuşuyordum, o da aradaki farkı anlamıyordu. Bekliyordum. Aklına gelen her şeyi söyleyecek kıvama gelmesini istiyordum. Cennetlik ikiz Archer ve unutulmuş yardımcı oyuncu.

Barın arkasındaki aynada yüzüme baktım ve gördüğüm şeyi pek beğenmedim. Gittikçe ince ve yırtıcı görünmeye başlamıştı. Burnum çok dar, kulaklarım kafama gereğinden fazla yapışıktı. Göz kapaklarım köşelerden aşağı doğru sarkan türdendi ve bu da gözlerimi hoşlandığım şekilde üçgen gösteriyordu. Bu gece gözlerim göz kapaklarımın arasına çakılmış minik beton çivilerini andırıyordu.

Elleri çenesinde bara doğru eğildi, gözleri yarısı boşalmış olan likör bardağındaydı. Vücudunu dik tutup yüzüne gözüne çekidüzen veren kibri akıp gitmişti. Oracıkta kamburunu çıkartıp oturmuş, hayatının son dönemecinde ağzında acı bir tatla ağıtlar mırıldanıyordu:

"Kendine hiç bakmazdı ama bir güreşçi vücuduna ve bir Kızılderili reisi başına sahipti. Yarı Kızılderili'ydi. Hiçbir kötü huyu yoktu ama. Şeker gibi çocuktu. Sessiz, kendi halinde biriydi; fazla konuşmazdı. Ama tutkuluydu da. Tanıdığım son tek eşli erkeklerdendi. Veremdi. Bir yaz ölüp gitti. Darmadağın oldum. O zamandan beridir de toparlanamadım. O şimdiye dek sevdiğim tek erkekti."

"Adı ne demiştiniz?"

"Bill." Sinsi sinsi bana baktı. "Adını söylememiştim. Benim için çalışan bir işçiydi. Vadideki ilk büyük yerlerden biri benimdi. Bir yıl birlikte olduk, sonra o öldü. Bu yirmi beş sene önceydi. O zamandan beridir ben de ölseymişim daha iyi olacakmış diye düşünür dururum."

Kocaman yaşsız gözlerini kaldırınca aynadaki bakışlarımı yakaladı. Hüzünlü bakışlarına karşılık vermek istedim ama suratıma nasıl bir ifade vereceğimi bilemedim.

Kendi kendimi cesaretlendirmek için gülümsemeye çalıştım. Ne de olsa ben iyi bir heriftim. Kabadayıların, fahişelerin, umutsuz vakaların ve ahmakların yoldaşı, günah yuvası yatak odalarının kapı deliklerinden bakan özel dedektif; kıskançlıklarından çatlayanların, duvarların arkasındaki farelerin muhbiri; günlüğüme elli papel ödeyebilecek herkesin tetikçisiydim ama yine de iyi bir heriftim. Gözlerimin ve burun deliklerimin kenarları kırıştı, dudaklarım dişlerimden geriye doğru çekildi, ama hâlâ gülümseme yoktu. Çakalların alaycı sırıtışlarını andıran çarpık, aç bir bakıştan başka bir şey yoktu. Bu yüz kaç bar, izbe otel, köhne aşk yuvası; kaç mahkeme, hapishane, otopsi, polis sırası ve kaç eziyet edilen solucanlara benzeyen sinir ucu görmüştü. Bu yüzü bir başkasında görsem güvenmezdim. Kendimi yüzümün Miranda Sampson'a nasıl göründüğünü merak ederken buldum.

"Üç gün üç gecelik partilerin canı cehenneme," dedi Bayan Estabrook. "Atların, katların, yatların canı cehenneme. İyi bir dost bunların hepsinden iyidir, ama benim iyi bir dostum yok. Sim Kuntz bana arkadaşım olduğunu söylemişti, şimdi de son filmimi çevirdiğimi söylüyor. Hayatımı yirmi beş yıl evvel yaşadım ve artık tükendim. Bana bulaşmak istemezsin, Archer."

Haklıydı ama işi bir yana bırakırsak ilgimi de çekmiyor değildi. En tepelerden aşağıya doğru uzunca bir yol katetmişti ve acı çekmenin ne olduğunu biliyordu. Sesindeki yapmacık doğruluk ve stüdyo koçlarından öğrendiği diğer her şey kaybolup gitmişti. Artık kaba ve kulağa hoş gelen bir sertlikteydi. Sesinden çocukluğunun bu yüzyılın başında Detroit'te, Şikago'da ya da Indianapolis'te, kasabanın yanlış tarafında geçtiğini anlayabilirdiniz.

İçkisini son damlasına kadar içip ayağa kalktı. "Beni eve götür, Archer."

Taburemden bir jigolo çevikliğiyle kayıp onu kolundan yakaladım. "Bu halde eve gidemezsin. Seni kendine getirecek bir içkiye daha ihtiyacın var."

"Çok hoşsun." İroniyi hissedecek kadar duyarlıydım. "Ama bu yere dayanamıyorum. Morga benziyor. Tanrı aşkına." Barmene bağırdı, "Şenlikçiler nerede?"

"Siz şenlikçi değil miydiniz, hanımefendi?"

Yeni bir tartışma başlamadan onu çekip önce merdivenlere sonra da dışarı çıkarttım. Havada hafif bir sis tabakası vardı, neonlar bulanıklaşmıştı. Binaların tepesindeki yıldızsız gök durgun ve sıkıntılıydı. Ürperdi. Kolundaki titremeyi hissettim.

"Yukarı caddede iyi bir bar var," dedim.

"Valerio mu?"

"Galiba."

"Pekâlâ. Bir içki daha içerim ama sonra eve gitmem gerek."

Arabasının kapısını açıp binmesine yardım ettim. Göğsünü omzuma sıkı sıkı yapıştırmıştı. Geri çekildim. Daha çetrefilsiz bir yastığı tercih ederdim, içi anılarla ve hayal kırıklıklarıyla değil kuş tüyüyle dolu olan...

Valerio'nun büfesindeki bayan garson ona ismiyle hitap ediyordu; bizi bir bölmeye kadar geçirip zaten boş olan kül tablasını boşalttı. Güleç yüzlü genç bir Yunan olan barmen barın arkasındaki yerinden çıkıp ona bir merhaba demek ve Bay Sampson'ı sormak için onca yolu yürüdü.

"Hâlâ Nevada'da," dedi. Yüzüne bakıyordum. Bakışlarımı yakalamıştı. "Çok iyi bir dostum. Şehre gelince buraya uğrar."

İki blokluk araba yolculuğu ya da burada hoş karşılanması ona iyi gelmişti. Hatta neredeyse neşelenmişti. Belki de ben yanılmıştım.

"Harika bir ihtiyar," dedi barmen. "Onu özledik."

"Ralph muhteşem, muhteşem bir adamdır," dedi Bayan Estabrook. "Şeker gibi adamdır."

Barmen siparişimizi alıp gitti.

"Onun da falına baktın mı?" dedim. "Şu arkadaşının?"

"Nerden bildin? O oğlak. Şeker gibi bir adam, ama çok baskın türden. Gerçi trajik bir olay yaşamış. Tek oğlu savaşta ölmüş. Ralph'in güneşi Uranüs'le dik açı oluşturuyor. Bunun bir oğlak için ne demek olduğunu bilemezsin."

"Hayır, bilemem. Çok şey mi demek?"

"Evet, öyle. Ralph manevcıyatını güçlendiriyordu. Uranüs ona karşıydı, ama diğer gezegenler onun yanındaydı. Bu ona bunu bilecek cesareti verdi." Kendinden emin bir tavırla bana doğru eğildi. "Keşke onun için yeniden dekore ettiğim odayı sana gösterebilseydim. Buradaki bungalovlardan birinde ama bizi içeri sokmazlar."

"Şu anda burada mı kalıyor?"

"Hayır, Nevada'da. Çölde çok şirin bir evi var."

"Sen oraya hiç gittin mi?"

"Çok soru soruyorsun." Zoraki bir cilvebazlıkla göz süzüp gülümsedi. "Kıskandın mı, yoksa?"

"Bana hiç dostun olmadığını söylemiştin ya?"

"Öyle mi dedim. Ralph'i unutmuşum."

Barmen içkilerimizi getirdi. Ben benimkinden bir yudum aldım. Yüzüm odanın arka tarafına dönüktü. Sesi çıkmayan eski piyanonun yanındaki duvardaki kapı Valerio'nun lobisine açılıyordu. Alan Taggert ve Miranda birlikte kapıdan içeri girdiler.

Bayan Estabrook'a, "Müsaadenizle," dedim.

Ayağa kalktığımda Miranda beni görmüştü. Yürümeye başladım. Parmaklarımdan birini dudaklarıma götürdüm diğer elimle de uzak durmasını işaret ettim. Ağzı bir karış açık, yüzünde şaşkın bir ifadeyle uzaklaştı.

Alan daha hızlıydı. Onu kolundan tutup kapıdan dışarıya çıkardı. Ben de arkalarından gittim. Barmen bir içki karıştırıyordu. Bayan garson müşterilerden biriyle ilgileniyordu. Bayan Estabrook başını kaldırıp bakmamıştı. Kapı arkamdan kapandı.

Miranda bana döndü. "Anlamıyorum. Senin Ralph'i arıyor olman gerekiyordu."

"Bir bağlantı üzerinde çalışıyorum. Gidin, lütfen."

"Ama ben sana ulaşmaya çalışıyordum." Ağladı ağlayacaktı.

Taggert'a, "İşimi bozmadan onu buradan götür," dedim. "Mümkünse şehir dışına." Fay'le geçirdiğim üç saat sinirlerimi zıplatmıştı.

"Ama Bayan Sampson seni arıyormuş?"

Filipinli komi duvarın önünde durmuş konuştuğumuz her şeyi duyuyordu. Onları yarı aydınlatılmış lobiye götürdüm. "Ne için?"

"Ralph'ten haber almış." Miranda'nın gözleri ceylanlarınki gibi kehribar rengine döndü. "Özel ulak bir mektup. Ona para göndermesini istiyormuş. Hemen göndermeyecekmiş de onun için hazır tutacakmış."

"Ne kadar bir para?"

"Yüz bin papel."

"Bir daha söylesene."

"Yüz bin papellik bonoyu nakde çevirmesini söylemiş."

"Bayan Sampson'ın o kadar parası var mı?"

"Yok, ama bulabilir. Bert Graves'de Ralph'in vekâletnamesi var."

"Bayan Sampson'ın parayı ne yapmasını istiyor?"

"Kendisinden tekrar haber alacağımızı söylemiş ya da mesaj gönderecekmiş."

"Mektubun ondan olduğundan emin misiniz?"

"Elaine onun el yazısı olduğunu söyledi."

"Nerede olduğunu yazmış mı?"

"Hayır, ama mektupta Santa Maria damgası vardı. Bugün oradaydı herhalde."

"Olmayabilir de. Bayan Sampson benden ne yapmamı istiyor?"

"Bir şey söylemedi. Galiba senden akıl istiyor."

"Pekâlâ, işte başlıyoruz. Ona söyleyin parayı hazır etsin ama babanın hayatta olduğuna dair bir kanıt göstermeyen hiç kimseye vermesin."

"Onun öldüğünü mü düşünüyorsunuz?" Eli elbisesinin yakasını çekiştirdi.

"Bilemem." Taggert'a döndüm. "Miranda'yı bu gece uçurabilir misin?"

"Santa Teresa'yı yeni aradım. Havaalanı sisliymiş. Ama sabah ilk iş."

"O zaman Bayan Sampson'a telefonda söyle. Olası bir ipucunun peşindeyim. Graves iyisi mi usulca polisle irtibata geçsin. Yerel polis ve Los Angeles Polisi'yle. Bir de FBI'la."

Miranda fısıltıyla, "FBI mı?" dedi.

"Evet," dedim. "Adam kaçırma federal bir suçtur."

# 9

Bara döndüğümde smokinli bir Meksikalı elinde bir gitarla piyanoya yaslanmıştı. Ta derinlerden gelen ağlamaklı, incecik sesiyle boğa güreşinden bahseden İspanyolca bir şarkı söylüyordu. Parmakları büyük bir gürültüyle tellerin üzerinde geziniyordu. Bayan Estabrook da onu seyrediyordu, neredeyse oturduğumun bile farkına varmayacaktı.

Şarkı bitince gürültüyle alkışlayıp onu bizim bölmeye çağırdı. "Babalu. *Pretty* lütfen." Ona bir papel verdi.

Çocuk başını eğip gülümsedi ve tekrar şarkı söylemeye başladı.

Bayan Estabrook, "Bu Ralph'in en sevdiği şarkıdır," dedi. "Domingo çok güzel söyler. Damarlarında gerçek İspanyol kanı dolaşıyor."

"Şu arkadaşın Ralph var ya."

"Ee ne olmuş ona?"

"Burada benimle birlikte olmana bir şey demez mi?"

"Saçmalama. Bir ara tanışmanızı istiyorum. Onu seveceğinden eminim."

"Ne iş yapar?"

"Emekli gibi bir şey. Parası var."

"Neden onunla evlenmiyorsun?"

Kaba bir şekilde güldü. "Sana zaten bir kocam olduğunu söylemedim mi ben? Ama *onu* dert etmenize gerek yok. O sadece bir iş teklifiydi."

"İşle ilgilendiğini bilmiyordum."

"İlgileniyorum mu dedim?" Tekrar güldü; tetikteydi, konuyu değiştirdi. "Ralph'le evlenmemi önermen çok komik. İkimiz de başkalarıyla evliyiz. Hem bizim ilişkimiz başka bir düzeyde. Daha çok ruhsal yani, anlarsın ya."

Ayılmaya başlamıştı. Kadehimi kaldırdım. "Dostluğa. Başka bir düzeydeki."

O içerken ben de garsona iki parmağımla işaret ettim. İkinci içki onu yola getirmişti.

Yüzü sanki kendi ağırlığıyla parçalara ayrılıyordu. Gözleri boş boş bakıyor ve kırpılmıyordu. Ağzı sabit bir esnemeyle açık kalmıştı; kırmızı dudakları ağzının pembe beyaz iç tarafıyla tezat oluşturuyordu. Ağzını uyuşuk uyuşuk kapatıp fısıldadı: "Kendimi pek iyi hissetmiyorum."

"Seni eve götüreyim."

"Ne kadar iyisin."

Ayağa kalkmasına yardım ettim. Kadın garson Bayan Estabrook'a üzüntüsünü belli eden bir gülümseme ve bana da sert bir bakış fırlatarak kapıyı tuttu. Bayan Estabrook olmayan bir bastona yaslanmaya çalışan yaşlı bir kadın gibi kaldırıma doğru sendeledi. Onu uyuşmuş bacaklarının üzerine diktim ve birlikte arabaya kadar gitmeyi başardık.

Onu içeri sokmak arabaya kömür çuvalı yüklemekten farksızdı. Kafası kapıyla koltuğun arkasındaki köşeye düştü. Arabayı çalıştırıp Pasifik Kayalıkları'na doğru yola koyuldum.

Arabanın hareketi onu bir süre sonra kendine getirdi. Ağır ağır, "Eve gitmem lazım," dedi. "Nerede oturduğumu biliyor musun?"

"Söylemiştin."

"Sabah koşu bandına binmem gerek. Sıçtım! Beni sinemadan kovarsa ağlarım. Maddi bağımsızlığım gider."

Gaz vermek için, "İş kadınına benziyorsun," dedim.

"Ne kadar iyisin, Archer." Yol beni yutmaya başlamıştı. "Benim gibi yaşlı bir kocakarıyla uğraşıyorsun. Parayı nerden bulduğumu söylesem beni sevmezdin ama."

"Bir dene bakalım."

"Söylemem." Alçak tondaki gülüşü çirkin ve kabaydı. İçinde bir alaycılık yakaladım sanki ama belki de ben uyduruyordum. "Çok iyi bir çocuksun sen."

Evet, dedim kendi kendime; temiz pak bir Amerikan modeli. Mazgala kapaklanan yaşlı bir hanıma yardım elini uzatmaya her daim hazır.

Kadın tekrar kendinden geçti. Hiç değilse artık bir şey söylemiyordu. Onun yarı baygın bedeniyle gece yarısı bulvara doğru yalnız başıma yol alıyordum. Benekli mantosunun içinde yan tarafımdaki koltukta uyuyan bir hayvanı andırıyordu; bir leopar ya da yaşı itibariyle hantallaşmış vahşi bir kedi. Öyle aman aman yaşlı değildi, en fazla elli, ama dolu dolu, kötü anılarla dolup mayalanmış bir elli yıldı bu. Bana kendisiyle ilgili bir dolu şey anlatmıştı ama hiçbiri de benim öğrenmek istediğim şeyler değildi. Hem derinlemesine inceleme yapamayacak kadar bıkmıştım ondan. Hakkında emin olduğum bir şey varsa o da Sampson ya da herhangi ihtiyatsız bir adam için kötü bir refakatçi olduğuydu. Oyun arkadaşları tehlikeliydi; biri sert biri yumuşak. Sampson'a bir şey olmuş olsa bilir ya da öğrenirdi.

Evinin önüne park ettiğimde uyandı. "Arabayı yola park et, olur mu tatlım?"

Geri geri yolun karşı tarafına geçip arabayı yola bıraktım. Kapıya doğru uzanan basamakları çıkması için ona yardım etmem gerekti. Kapıyı açmam için bana anahtarları verdi. "İçeri girsene. Ne içsem acaba diye düşünmeye çalışıyordum."

"Sorun olmayacağından emin misin? Kocanın yani?"

Boğazından bir kahkaha hırıltısı yükseldi. "Yıllardır birlikte yaşamıyoruz biz."

Arkasından hole girdim. Karanlıkla birlikte misk ve alkol kokusu içeriyi doldurmuştu. Ayaklarımın altındaki cilalı kaygan döşemeyi fark edince düşüp düşmeyeceğini merak ettim. Kendi evinde uyurgezerler gibi körlemesine hareket ediyordu. Peşinden el yordamıyla sol taraftaki bir odaya girdim. Işığı yaktı.

Karanlıktan kurtardığı odanın Ralph Sampson için dekore ettiği akıllara zarar kırmızı odayla uzaktan yakından bir ilgisi yoktu. Gece gece, şerit perdeler kapalıyken bile, geniş ve de cıvıl cıvıl görünüyordu. Burası, duvarlardaki post-empresyonist kopyalar, gömme raflar ve bu rafları dolduran kitaplar, bir gramofon ve bir plak dolabı ve tuğladan bir şömineyle önünde kıvrılmış sökülür takılır bir koltukla tam bir orta sınıf eviydi. Garip olan tek şey kanepenin ve lambanın altındaki koltuğun üzerindeki örtünün deseniydi: Beyaz bir çöl göğünün altında uzanan parlak yeşil tropik bitkilerle eğrelti otlarının arasından bakan gözler. Desen tekrar baktığımda değişmişti. Gözler kaybolup ardından tekrar belirdi. Üzerlerine oturdum.

Şöminenin yanındaki köşede duran portatif bardaydı. "Ne içersin?"

"Viski ve su."

Bardağımı getirdi. İçindekilerin yarısı açık yeşil halıda koyu renk lekeler bırakarak yolda dökülmüştü. Koltuğun yaylarını zorlayarak yanıma oturdu. Koyu renk başı omzuma doğru eğilip oraya yerleşti. Kuaförün boyalı gibi görünmesin diye bıraktığı birkaç gümüş saç telini görebiliyordum.

"Aklıma içecek bir şey gelmiyor," diye inledi. "Düşmeme izin verme."

Elimi neredeyse benimki kadar geniş omzuna koydum. Bütün ağırlığıyla bana yaslandı. Gittikçe ağırlaşan nefes alış verişlerini hissediyordum.

"Bana bir şey yapmaya kalkışma, tatlım. Bu gece benden iş çıkmaz. Başka zaman…" Sesi yumuşak ve genç kız sesi gibi ama bulanıktı. Gözlerindeki gençliğin su altı ışıltısı gibi bulanık…

Gözleri kapandı. Solgun göz kapaklarındaki damarlarda kalp atışlarının neden olduğu zayıf titremeleri görebiliyordum. Kıvrık koyu renk kirpiklerinin uzandığı saçaklar, perişanlığını daha da bir kati ve çirkin gösteren gençlik ve güzelliğin izlerini taşıyordu. Uyuduğu zaman onun için üzülmek daha kolaydı.

Uyuduğundan emin olmak için göz kapaklarından birini nazikçe kaldırdım. Mermer gibi damarlı beyaz göz küreleri boşluğa bakıyordu. Kolumu çekip onu minderlerin üzerine yatırdım. Göğüsleri yamulmuş, çorapları dönmüştü. Horlamaya başladı.

Yan odaya geçip kapıyı arkamdan kapattım. Işığı açtım. Işık tavandan ortasında yapma çiçeklerin olduğu ağartılmış maun ağacından bir yemek masasını, odanın bir tarafındaki bir vitrin ile diğer tarafındaki gömme bir büfenin ve duvarın etrafına dizilmiş gösterişli sandalyeleri aydınlattı. Işığı kapatıp mutfağa gittim. Burası derli toplu ve tam donanımlıydı.

Bir an için acaba kadın hakkında yanlış bir hüküm mü verdim diye düşündüm. Dürüst astrologlar da vardı –ve bir sürü zararsız ayyaş. Evinin Los Angeles'taki yüz binlerce evden bir farkı yoktu, neredeyse gerçek olamayacak kadar sıradandı. Koca garajı ve oraya bekçilik eden buldoğu saymazsak.

Banyonun mavi çinilerle kaplı duvarları ve kare şeklinde mavi bir küveti vardı. Lavabonun üzerindeki dolap toniklerle ve patentli ilaçlarla dolup taşıyordu: kremler, makyaj malzemeleri, pudralar, luminol, nembutal, veronal... Lavabonun arkası, kirli sepetinin ve tuvaletin üstü, hastalık hastası birine ait şişelerden ve kutulardan geçilmiyordu. Kirli sepetindeki giysiler kadın giysileriydi. Bardakta bir tane diş fırçası vardı. Jilet vardı ama tıraş köpüğü ya da bir erkeğe ait herhangi bir iz yoktu.

Banyonun bitişiğindeki yatak odası çiçeklerle donatılmış, savaş öncesine ait duygusal umut tadında pembelerle süslenmişti. Yatağın yanındaki komodinin üzerinde yıldızlarla ilgili bir kitap vardı. Gardıroptaki giysiler kadın giysileriydi ve bir sürüydüler. Saks ve Magnin markalı. Çekmecedeki iç çamaşırları ve gecelikler ya parlak mavi ya bebek mavisi renginde ya da siyah dantelliydi.

İkinci çekmecedeki kıvrılmış çorap yığınlarının altına bakınca evdeki garabetin merkezini bulmuş oldum. Plastik bantla birbirine tutturulmuş paketler sıra sıra dizilmişti. Paketlerde para vardı; hepsi de birlik, beşlik ve onluk kâğıt paralardan oluşuyordu. Çoğu eski ve yağlanmıştı. Paketlerin hepsinde benim incelediğim paketteki kadar para varsa çekmecenin dibinde sekiz-on bin papel vardı.

Ökçelerimin üzerine oturup paralara baktım. Yatak odası çekmecesi para saklamak için pek uygun bir yer değildir. Ama gelir kaynaklarını açıklayamayan insanlar için bankalardan daha güvenlidirler.

Telefonun zırıltısı sessizliği dişçi matkabı gibi delip geçti. Sinirlerim oynadı, yerimden sıçradım, ama telefonun olduğu hole geçmeden önce çekmeceyi kapattım. Oturma odasındaki kadından çıt çıkmıyordu.

Kravatımla sesimi değiştirdim. "Efendim."

"Bay Troy?" Kadındı.

"Evet."

"Fay orada mı?" Konuşması hızlı ve kesik kesikti. "Ben Betty."

"Hayır."

"Bakın, Bay Troy. Fay bir saat önce Valerio'da kafayı bulmuş haldeydi. Yanındaki adam sivil polis olabilir. Onu eve götürdüğünü söyledi. Kamyonet yoldayken onun etrafta olmasını istemezsiniz. Hem kafası güzelken Fay'in nasıl olduğunu biliyorsunuz."

"Evet," dedim ve risk alıp, "Şimdi nerdesin?" diye sordum.

"Piyano'da tabii ki."

"Ralph Simpson orada mı?"

Cevabı şaşkınlığının yarattığı bir hıçkırık oldu. Kısa bir süre sesini çıkartmadı. Hattın diğer tarafından gelen mırıltıları ve tabak çanak gürültüsünü duyabiliyordum.

Tekrardan dile geldi. "Ne diye bana soruyorsunuz ki? Onu bu aralar görmedim."

"Nerede peki?"

"Bilmiyorum. Bay Troy'la mı görüşüyorum? Bay Troy?"

"Evet. Ben Fay'le ilgilenirim." Kapattım.

Arkamdaki kapının tokmağı belli belirsiz tıkırdadı. Elimde telefon donakalmış, oturma odasından gelen ışıkla parıldayan kesme camdan tokmağın yavaş yavaş dönüşünü seyrediyordum. Derken kapı aniden açıldı. İnce pardösülü bir adam kapının girişinde dikiliyordu. Kır saçlı başında şapka yoktu. İçeri sahneye çıkan bir aktör edasıyla girip sol eliyle kapıyı zarifçe kapadı. Sağ eli pardösünün cebindeydi. Cep bana dönüktü.

Yüzüne baktım. "Kimsin sen?"

"Soruya soruyla karşılık vermenin nazik bir davranış olmadığını bilirim." Güney İngiltere aksanı izleri sesini yumuşatmıştı. "Ama siz kimsiniz?"

"Bu bir silahlı soygun ise…"

Cebindeki ağırlık bana doğru aptal aptal sallanıyordu. Adam daha buyurgan oluvermişti. "Sana basit bir soru sordum, moruk. Sen de bana basit bir cevap ver."

"Adım Archer," dedim. "Saçlarınızı çivitle mi yıkıyorsunuz? Benim bir halam vardı, çok faydalı olduğunu söylerdi."

Yüzünde bir değişiklik olmadı. Öfkesini kati konuşmasıyla belli etti. "Gereksiz şiddetten hazzetmem. Beni mecbur etme, lütfen."

Tepesine yukarıdan bakabildiğim için özenle ayrılmış saçlarının arasından parlayan kafa derisini görebiliyordum. "Beni korkutuyorsunuz," dedim. "İtalyan tarzında bir İngiliz, şeytanın ta kendisidir."

Ama cebindeki tabanca, girişi soğutan küçük, yoğun bir soğutma ünitesi gibiydi. Bakışları çoktan buza dönüşmüştü.

"Peki, ne iş yaparsınız, Bay Archer?"

"Sigortacılık. Gangsterlere yardakçılık yapmak benim hobimdir." Ona 'her türden sigorta' kartımı göstermek için cüzdanıma uzandım.

"Hayır. Ellerini görebileceğim bir yerde tut. Diline de hâkim ol, tamam mı?"

"Seve seve. Seni sigortalamamı bekleme benden. L.A.de silah taşıyorsun, iyi bir müşteri değilsin."

Sözlerim geride hiçbir iz bırakmadan başının üzerinden geçip gitti. "Burada ne işiniz var, Bay Archer?"

"Fay'i eve getirdim."

"Arkadaşı mısınız?"

"Öyle ya. Siz?"

"Soruları ben sorarım. Daha sonra ne yapmayı planlıyordunuz?"

"Taksi çağırıp eve gidecektim."

"Bunu şimdi yapsanız iyi edersiniz belki de."

Ahizeyi kaldırıp bir taksi çağırdım. Hafiften bana doğru hareket etti. Sol eli göğsümü ve koltuk altlarımı yoklayıp oradan böğrüme ve kalçalarıma indi. İyi ki silahımı arabada bırakmıştım, ama bana dokunmasından hiç hoşlanmamıştım. Elleri kadınsıydı.

Geri çekilip silahını doğrulttu: 32 ya da 38 kalibrelik, nikel kaplama bir tabanca. Tekmeyle dengesini bozup silahını alma şansımı tarttım kafamda.

Vücudu hafifçe gerilince silah göz gibi ortalandı. "Yo," dedi. "Hızlı atıcıyımdır, Bay Archer. Hiç şansınız yok. Şimdi dönün."

Döndüm. Silahını sırtıma, böbreklerimin yukarısına bastırdı. "Yatak odasına."

Beni ışıkların açık olduğu yatak odasına götürüp yüzümü kapıya döndürdü. Odada gezinen hızlı adımlarını duyabiliyordum. Bir çekmece açılıp kapandı. Tabanca tekrar böbreklerime döndü.

"Burada ne yapıyordun?"

"Burada değildim. Işığı Fay açtı."

"O nerde peki?"

Ön taraftaki odada."

Beni Bayan Estabrook'un yattığı odaya götürdü. Kanepenin arkalığı onu gizlemişti. Ölü gibi yatıyordu. Ağzı açıktı ama artık horlamıyordu. Kollarından biri tombul bir yılan gibi aşağı sarkmıştı.

"İçkiye hiç dayanamaz."

"O bar senin bu bar benim dolaştık," dedim. "Şahane vakit geçirdik."

Bana ters ters baktı. "Belli. Peki, bu pislik çuvalıyla işin ne?"

"Sevdiğim kadından mı bahsediyorsun?"

"Karımdan." Burun deliklerindeki hafif seğirtiden yüz kaslarının hareket edebildiğini anladım.

"Sahi mi?"

"Ben kıskanç bir adam değilimdir, Bay Archer, ama ondan uzak durmanız hususunda sizi uyarmalıyım.

Onun küçük bir arkadaş çevresi vardır ve siz açıkça bu çevreye uymuyorsunuz. Tabii, Fay çok hoşgörülüdür, ama ben o kadar hoşgörülü değilim. Arkadaşlarından bazıları ise zerre kadar hoşgörülü değildir."

"Onlar da lafı sizin kadar uzatır mı?"

Minik, muntazam dişlerini gösterip duruşunu zarifçe değiştirdi. Vücudu yana eğildi, başı da onunla birlikte eğilip ışıkta parıldadı. İğrenç bir tipti; ihtiyar adam maskesinin ardına gizlenmiş huysuz ve açgözlü bir oğlan çocuğu. Tabanca parmağının üzerinde gümüş bir tekerlek gibi dönüp kalbime nişan alır vaziyette durdu. "Onlar meramlarını başka yollarla anlatırlar. Bilmem anlatabildim mi?"

"İdrak edebileceğim kadar anlaşılır bir düşünce." Sırtımdan soğuk terler boşandı.

Sokaktan bir korna sesi geldi. Gidip kapıyı açtı ve benim için tuttu. Dışarısı daha sıcaktı.

# 10

"Çağrıldığım iyi oldu," dedi taksici. "Provadan yırttım. Malibu'ya kadar dünyanın yolunu gittim. Dört tane domuz bir plaj partisine çağrılmış. Suyu göremiyesiceler."

Taksinin arka koltuğunda hâlâ genelev kokusu vardı.

"O kadınların konuşmalarını duyman lazım." Sunset'teki dur işareti için yavaşladı. "Şehre mi dönüyoruz?"

"Bir dakika." Durdu.

"Piyano diye bir yer biliyor musun?"

"Vahşi Piyano mu?" diye sordu. "Batı Hollywood'da. Pavyon gibi bir yer."

"Kim işletiyor?"

Vites değiştirip havalı havalı, "Bana defterlerini göstermediler." dedi. "Oraya mı gitmek istiyorsun?"

"Neden olmasın," dedim. "Gece daha yeni başlıyor." Yalan söylüyordum. Kalp atışları yavaşlayan gece bitmiş, hava soğumuştu. Lastikler sis çökmüş asfaltta aç kediler gibi ciyakladı. Uykusuzluk çeken neon ışıkları göz kamaştırıyordu.

Gece Vahşi Piyano'da yeni başlamıyordu belki ama kalp atışları suni olarak harekete geçirilmişti. Çöp yığınlarıyla dolu dar yollarda birbirine omuz vermiş bir dizi eski püskü dübleksin arasında, karanlık bir arka sokaktaydı. Ne bir tabelası vardı ne camı. Kararmış sıvası yara kabuğu gibi soyulan bir tonoz girişin üzerine doğru kıvrılmıştı. Onun üst kısmında da sıkı sıkı örtülmüş perdeleri gizleyen kırık dökük, demir parmaklıklar vardı.

Üniformalı zenci bir kapıcı tonozun altından çıkıp arabanın kapısını açtı. Taksiciye parasını verip kapıcının arkasından içeri girdim. Kapının üzerinden sızan loş ışıkta mavi ceketinin havlanmış olduğunu görebiliyordum. Kahverengi deriden kapının kol kısmı onca terli el yüzünden kararmıştı. Kapı tünele benzeyen, derin, dar bir odaya açıldı.

Omzunda peçete olan garson kıyafetli bir başka zenci kapıya beni karşılamaya geldi. Tebessümüyle gerilen dudakları duvarlardan yansıyan mavi renkteydi. Duvarlar farklı farklı duruşlarda, tek renkli çıplak resimlerle süslenmişti. Beyaz örtülü masaların arasında yürünecek kadar bir genişlik vardı. Odanın diğer ucunda bir kadın alçak bir platformun üzerinde piyano çalıyordu. Dumandan gerçek değilmiş gibi görünüyordu, sanki becerikli elleri ve hareket etmeyen dimdik bir sırtı olan mekanik bir bebekti.

Şapkamı vestiyerdeki kıza verip piyanonun yanında bir masa istedim. Garson çok işi olduğu illüzyonunu yaratmak için masaların arasından kayarak gitti; peçetesi flama gibi dalgalanıyordu. Ama işi yoktu. Masaların üçte ikisi boştu. Diğerlerinde de çiftler oturuyordu. Erkekler daha iyi barlara alınmayıp da eve gitmemek için oyalananlardandı. Şişmanlar, zayıflar, mavi akvaryum ışığının altındaki balık suratlılar; balık suratlılar ve istiridye gözlüler...

Yanlarındakilerin çoğu da para almış ya da almak istermiş gibiydiler. İkisi ya da üçü sarışındı; yüzlerine yerleşmiş saf kız tebessümüyle zamanı durdurabilirmiş gibi bir halleri vardı. Birkaçı daha yaşlıcaydı; şişirilmiş vücutları onları önümüzdeki bir iki sene daha su üstünde tutardı. Bu kadınların elleri, dilleri, gözleri hiç durmadan çalışırdı. Vahşi Piyano'nun seviyesinden aşağı bir indiler mi buradan daha da beter yerlere düşerlerdi.

Yan masada bıkkın, sarı suratlı, Meksikalı bir kız oturuyordu. Bana baktı, sonra tekrar bakışlarını çevirdi.

Garson, "Scotch mu Bourbon mu, beyefendi?" diye sordu.

"Bourbon ve su. Karıştıracağım."

"Peki, beyefendi. Sandviçimiz de var."

Acıktığım geldi aklıma. "Peynirli."

"Hay hay, beyefendi."

Piyanoya baktım. Kelimelere fazla mı takılıyordum acaba. Adının Betty olduğunu söyleyen bir kadın piyanoda olduğunu söylemişti. Kalın sesi melankoli kontrpuanıyla masalardan yükselen düzensiz kahkahaların arasından geçip gidiyordu. Piyanistin parmakları tuşların üzerinde telaşlı bir çaresizlikle hareket ediyordu; sanki piyano kendi kendine çalıyordu da şarkıcı ona yetişmek zorundaydı. Gergin çıplak omuzları ince ve biçimliydi. Üzerlerine dökülen katran karası saçlarıyla bembeyaz görünüyorlardı. Yüzü görünmüyordu.

"Selam, yakışıklı. Bana bir içki ısmarlasana."

Meksikalı kız sandalyemin yanında dikiliyordu. Başımı kaldırıp bakınca yanıma oturuverdi. Yuvarlak omuzlu, basensiz vücudu bir kırbaç gibi hareket ediyordu. Kısa kesimli elbisesi ona gitmemişti —bir vahşinin üzerindeki elbise gibi durmuştu. Gülümsemeye uğraştı ama ifadesiz suratının böyle bir mahareti yoktu.

"Sana bir gözlük alsam daha iyi."

Bunun espri olsun diye söylendiğini biliyordu ve bu kadarı yeterliydi. "Komik çocuk seni. Komik çocukları severim." Sesi gırtlaktan ve zoraki çıkıyordu; ifadesiz bir surattan duymayı bekleyeceğiniz bir ses.

"Beni sevdiğin falan yok. Ama sana içki ısmarlayacağım."

Memnuniyetini ifade etmek için gözlerini oynattı. Reçine topağı gibi katı ve değişmezdiler. Ellerini koluma doğru uzatıp vurmaya başladı. "Seni sevdim, komik çocuk. Hadi komik bir şeyler söyle."

Beni sevdiği falan yoktu; benim de onu. Elbisesinin altını görebileyim diye öne doğru eğildi. Uçları kalem ucu gibi sivri küçük ve sıkı göğüsleri vardı. Kolları ve dudağının üst kısmı koyu renk tüylerle kaplıydı.

"Ondan sonra da hormon ısmarlarım," dedim.

"Yiyecek bir şey mi o? Çok açım da." Açıklayıcı resim olarak bana aç, beyaz dişlerini gösterdi.

"Neden benden bir ısırık almıyorsun?"

Suratını asıp, "Benimle dalga geçiyorsun," dedi. Ama elleri hâlâ kolumun üzerinde çalışıyordu.

Garson ortaya çıktı da kurtuldum. Tepsisindeki bir tabak içindeki sandviçi, bir bardak suyu, içinde bir parmak viski olan fincanı, boş çaydanlığı ve kız için telepati yoluyla getirdiği bir şeyi masaya koydu.

"Altı papel, beyefendi."

"Anlamadım."

"İçkilerin her biri iki papel, beyefendi. İki papel de sandviç için."

Sandviçin üst kısmını kaldırıp peynir dilimine baktım. Altın varak kadar ince ve neredeyse onun kadar pahalıydı. Masaya on papel koyup kalanını bahşiş olarak bıraktım. İlkel refakatçim meyve suyunu içip dört papele şöyle bir baktıktan sonra tekrardan kolum üzerinde çalışmaya başladı.

"Çok güçlü ellerin var," dedim, "ama ben Betty'yi bekliyorum."

"Betty'yi mi?" Piyanistten tarafa küçümser, uğursuz bir bakış attı. "Ama Betty şarkıcı. O…" bir hareketle cümlesini tamamladı.

"Betty tam benim kalemim."

Dudaklarını birleştirip dilinin kırmızı ucunu tükürecekmiş gibi dışarı çıkardı. Garsona işaret edip piyanonun oradaki kadına bir içki söyledim. Döndüğümde Meksikalı kız gitmişti.

Garson içkiyi piyanonun üzerine koyarken ben gösterdi; piyanist de dönüp baktı. Kadının oval yüzü öyle küçük öyle kırılgandı ki sıkıştırılmış gibi görünüyordu. Gözlerinin rengi ve ifadesi belirsizdi. Gülmek için çaba harcamadı. Başımla davetkâr bir hareket yaptım. Başını iki yana sallayıp tekrar piyánosuna döndü.

Suni Boogie-woogie cangılında kendine yol açmaya çalışan beyaz ellerini seyrettim. Müzik metalik çalıların arasında hışırdayan dev adımlar gibi peşlerindeydi. Devin gölgesini görebiliyor, koca bir çekicin çıkardığı kalp atışlarını duyabiliyordunuz. Çok ateşliydi.

Derken başka bir tonda çalmaya başladı. Sol eli hâlâ bası dövüp üzerinde gezinirken sağ eli özenle bir blues tertipliyordu. Sert, ıslık gibi bir sesle şarkı söylemeye başladı. Sesi yıpranmış ama dokunaklıydı:

*Beynim midemde,*
*Yüreğim ağzımda,*
*Ben gitmek isterim kuzeye,*
*Ayaklarım bakar güneye.*
*Psikosomatik bunalımdayım.*
*Doktor, doktor, doktor,*
*Beynimi inceleyin,*
*Bana bir ayar verin.*
*Doktor acımı dindirin,*
*Psikosomatik bunalımdayım.*

Şarkısını bitmiş bir kafayla söylüyordu. Şarkıyı beğenmemiştim ama yine de arkamdaki laklakçı kalabalıktan daha iyi bir seyirciyi hak ediyordu. Bitirdiğinde alkışlayıp ona bir içki daha ısmarladım.

İçkisini alıp masama geldi. Tanagra heykelciği gibi bir vücudu vardı; ufak tefek ve de kusursuz, yirmilerle otuzlar arasında bir yerde, sonsuzlukta asılı kalmış. "Müziğimi seviyorsunuz," diye bir beyanatta bulundu. Başını öne doğru eğdi ve gözlerini kaldırıp bana baktı. Gözleriyle gurur duyan bir kadının yapma bir tavrıydı bu. Kahverengi benekli irisleri merkezsiz ve rahatsız ediciydi.

"Sizin Elli-ikinci Cadde'de olmanız gerek."

"Olmadım sanmayın. Ama siz de son zamanlarda orda bulunmadınız herhalde, değil mi? Cadde mahvoldu."

"Bu yerin para kazandığı yok. Batar burası. Bunu herkes görebilir. Kim işletiyor burayı?"

"Tanıdığım bir adam. Sigaran var mı?"

Yaktığım sigarasından derin bir nefes aldı. Farkında olmadan bir rahatlama bekleyen yüzü beklediği olmayınca bir parça asıldı. Yüzü hiç yaşlanmayan bir bebekti ve boş bir biberonu emiyordu. Burun kanatları kansız, kar gibi bembeyazdı ve bu Freudyen bir hata değildi.

"Benim adım Lew," dedim. "Seni duymuş olmalıyım."

"Ben Betty Fraley." Beyanatında bir pişmanlık payı vardı; tıpkı bir kartvizitin üzerindeki ince siyah bir kenarlık gibi. Adı bana bir şey ifade etmemişti ama ona ediyordu.

"Seni hatırlıyorum." Daha da cesur bir yalan söylemiştim. "Şansın yaver gitmemişti, Betty." Bütün ispinozlar kötü şansın izlerini taşırlar.

"İki kez de diyebilirsin. Beyaz bir hücrede geçen iki sene; üstelik de piyanosuz. Anlaşma konuşması bir âlemdi. Bir tek içici olduğumu ispatlayabildiler. Demelerine bakılırsa kendi iyiliğim için almışlar beni. Kendi iyilikleri için desene şuna! Reklâm istiyorlardı, e benim ismim de biliniyordu. Ama artık bilinmiyor. Bir gün bırakacak olursam bu federallerin yardımıyla olmayacak." Kırmızı dudakları sigaranın ıslak, kırmızı ucunu kavradı.

"İki senedir pratik yapmayan birine göre iyi çalıyorsun."

"Öyle mi düşünüyorsun? Beni Şikago'da, formumun doruğundayken görecektin sen. Piyanonun altından girer üstünden çıkardım. Albümlerimi duymuşsundur belki."

"Duymayan kaldı mı?"

"Söylediğim gibiler mi?"

"Muhteşemler! Hepsine bayılıyorum."

Ne var ki *hot piano* benim işime gelmiyordu ve ya yanlış kelimeleri seçmiş ya da komplimanımı abartmıştım.

Ağzındaki acılık gözlerine, oradan da sesine sıçradı. "Sana inanmıyorum. Bir tanesinin adını söyle."

"Çok zaman oldu."

"*Gin Mill Blues*'umu beğendin mi?"

Bir rahatlamayla, "Beğendim," dedim. "Sullivan'dan daha iyi yapmışsın."

"Sen bir yalancısın, Lew. O parçayı hiçbir zaman kaydetmedim ben. Neden beni konuşturmaya çalışıyorsun?"

"Müziğin hoşuma gitti."

"Tabii. Müzik kulağın pek yok herhalde." Gözlerini suratıma dikti. Yanardöner gözlerinin ortası sert, parlak elmasları andırıyordu. "Belki de polissindir, anlarsın ya. Tipin pek benzemiyor ama bakışlarında bir şeyler var: Baktığın şeyleri istiyorsun ama onlardan hoşlanmıyorsun. Sende polis gözleri var —insanların incindiğini görmek istiyorsun."

"Sakin ol, Betty. Sadece yarı pisiksin: İnsanların incindiğini görmek istediğim falan yok, ama polisim."

"Narkotikten mi?" Yüzü korkudan bembeyaz oldu.

"Öyle bir şey değil. Özel güvenlik. Senden bir şey istemiyorum. Müziğini beğendim, o kadar."

"Yalan söylüyorsun." Nefretine ve korkusuna rağmen hâlâ fısıldıyordu. Sesi hışırtıyı andırıyordu. "Sen Fay'in telefonuna cevap veren ve Troy olduğunu söyleyen adamsın. Neyin peşindesin güya?"

"Sampson adında bir adamın. Adını duymadığını söyleme; çünkü duydun."

"Hiç duymadım."

"Telefonda öyle söylemedin ama."

"Pekâlâ, onu burada herkes gibi benim de görmüşlüğüm var. Neden bana geldin ki? Bu dadısı olduğum anlamına mı geliyor? Benim için herhangi bir bar müdavimi."

"Sen bana geldin. Hatırladın mı?"

Bana doğru eğildi. Saçtığı nefret adeta manyetik bir alan oluşturmuştu. "Çık git buradan ve bir daha da gelme."

"Çıkmıyorum."

"Öyle mi dersin." Gergin beyaz ellerinden birini garsona doğru salladı. Garson koşup geldi. "Puddler'ı çağır. Bu herif özel güvenlikçi."

Adam bana baktı: Maviye çalan siyah yüzünde kararsızlık vardı.

"Sakin ol," dedim.

Kız kalkıp piyanonun arkasındaki kapıya doğru yürüdü. "Puddler!" Odadaki bütün kafalar çevrildi.

Kapı açıldı ve kırmızı gömlekli adam içeri girdi. Bir o yana bir bu yana hareket eden minik gözleri bela arıyordu.

Kız parmağıyla beni işaret etti. "Şunu dışarı atıp bir güzel benzet. Ağzımdan laf almaya çalışıyordu."

Kaçacak vaktim vardı ama istemiyordum. Bir günde üç kaçış fazlaydı. Gidip beklemediği bir yumruk indirdim. Yaralı kafa kolayca yuvarlanıverdi. Sağımı denedim. Kolumun ön kısmından yakalayıp bana doğru atıldı.

Boş boş bakan gözleri gitmişti. Beni tanımadığı gibi komik bir hisse kapıldım. Mideme bir yumruk geldi. Bir tane de kulağımın aşağısına, boynuma.

Bacaklarım platforma takılınca piyanoya doğru yuvarlandım. Dev gölgenin içine çektiği çınlamalar eşliğinde bilincimi kaybettim.

# 11

Ufak tefek, işe yaramaz bir adam sırtını sert bir şeye dayamış siyah bir kutunun dibinde oturuyordu. Aynı sertlikte bir adam suratını yumrukluyordu. Önce çenesinin bir tarafını sonra diğer tarafını. Her defasında kafası arkasındaki sert şeye çarpıyordu. Bu sinir bozucu düzen –vuruş ve arkasından gelen çarpma– epeyce bir süre monoton bir düzende devam etti. Yumruğun çenesine her yaklaşmasında işe yaramaz adam ağrıyan dişleriyle ona doğru nafile bir hamlede bulunuyordu. Ama kolları her iki yanında sakin sakin duruyordu. Bacakları ise dikkat çekecek derecede hareketsiz ve de uzaktı.

Derken sokağın başında uzun bir gölge belirdi; bir saniyeliğine leylek gibi tek ayak üzerinde durdu, sonra tuhaf bir şekilde aksayarak bize doğru geldi. Puddler işine öyle bir dalmıştı ki bunu fark etmedi bile. Gölge arkasından diklenerek kollarından birini havaya kaldırdı. Kol ucunda sallanan koyu renk bir objeyle birlikte aşağı indi. Puddler'ın kafasının arkasından ceviz kırılmasını andıran hoş bir ses geldi. Puddler önümde dizlerinin üzerine çöktü. Sadece akları göründüğünden gözlerinden yaşayıp yaşamadığını anlayamadım. Onu geriye doğru ittim.

Alan Taggert ayakkabısını giyip yanıma çömeldi. "Gitsek iyi olur. Çok sert vurmadım."

"Sert vuracağın zaman söyle de ben de orada olayım."

Dudaklarım şişmişti. Bacaklarım vücudumdaki uzak ve isyankâr koloniler gibiydiler. Onları manda yönetimim altına alıp ayağa kalktım. Bir tanesinin üzerine basamıyordum. Kaldırımdaki adamı tekmelerdim ve daha sonra buna pişman olurdum —birkaç sene sonra.

Taggert kolumdan tutup beni sokağın başına doğru çekti. Bir taksi, tek kapısı açık halde, kaldırımın kenarında duruyordu. Vahşi Piyano'nun sıvalı girişinde kimseler yoktu. Taggert beni taksiye soktu, peşimden de kendisi bindi.

"Nereye gitmek istersin?"

Beynim bir an için boşalmıştı. Derken öfke bu boşluğu doldurdu. "Evime gidip yatmak istiyorum, ama gitmeyeceğim. Hollywood Bulvarı'ndaki Swift'in Yeri'ne gidelim."

"Kapattılar," dedi taksici.

"Arabamı otoparkına bıraktım." Ve silahım da arabadaydı.

Beynim dilime yetiştiğinde yolu yarılamıştık. "Sen de nerden çıktın, Allah aşkına?" dedim Taggert'a.

"Buraya çıkan her taraftan."

"Kelime oyunu yapma," diye homurdandım. "Havamda değilim."

Ciddi bir tonda, "Kusura bakma," dedi. "Sampson'ı arıyordum. Arka tarafta Vahşi Piyano diye bir yer vardı. Sampson beni bir kere oraya götürmüştü. Ben de oradakilere onu sorabileceğimi düşündüm."

"Ben de öyle düşünmüştüm. Bana verdikleri cevabı gördün."

"Sen nasıl gittin oraya?"

Açıklamakta bir sakınca görmedim. "Tökezleyip girdim. Tökezleyip çıktım."

"Çıkışını gördüm," dedi.

"Yürüyerek mi çıktım?"

"Aşağı yukarı. Biraz yardım aldın. Kimden aldığını görmek için takside bekledim. Çam yarması seni arka sokağa götürünce arkandan geldim."

"Sana teşekkür etmedim daha."

"Boş ver." Bana doğru eğilip ağırbaşlılıkla, "Sampson'ın ciddi ciddi kaçırıldığını mı düşünüyorsun?" diye fısıldadı.

"Şu anda pek iyi düşünemiyorum. Bir fikrim olduğunda aklıma gelen fikirlerden biriydi."

"Onu kim kaçıracak ki?"

"Estabrook diye bir kadın var," dedim. "Bir de Troy adında bir adam. Tanışmışlığın var mı?"

"Hayır, ama Estabrook denen kadını duymuştum. Birkaç ay evvel Nevada'da Sampson'la birlikteydi."

"Ne sıfatla?" Yara bere içindeki yüzümde tatsız bir sırıtışın belirdiğini hissettim. Mani olmadım.

"Tam emin değilim. Kadın oraya arabayla gitmişti. Uçak arızalıydı, ben de uçakla birlikte Los Angeles'taydım. Onu hiç görmedim ama Sampson bana ondan söz etmişti. Tek söyleyebileceğim güneşin altında oturup dinden konuştukları. Öyle sanıyorum ki o kadın şu aziz Claude'un yakın arkadaşı. Şu, Sampson'ın dağı hibe ettiği adam."

"Bunu bana daha önce söyleseydin ya. Sana gösterdiğim fotoğraftaki kadın o."

"Bunu bilmiyordum."

"Artık bir önemi yok. Akşam onunlaydım. Valerio'da birlikte olduğum kadın."

"Öyle mi?" Şaşırmış gibiydi. "Sampson'ın nerede olduğunu biliyor muymuş?"

"Mümkün ama söylemiyor. Şimdi onu yeniden ziyaret edeceğim. Biraz yardım alabilirim. Ev ahalisi bayağı bir öfkeli."

"Güzel!" dedi Taggert.

Tepkilerim hâlâ çok yavaştı, bu yüzden arabayı onun kullanmasına izin verdim. Virajlarda yan yatacak gibi oluyordu ama Estabrook'un evine varana dek her şey yolunda gitti. Araba yolundaki Buick gitmişti, garaj da boştu. Tabancamın ağzıyla ön kapıyı tıklattım. Cevap yoktu.

"Şüphelendi herhalde," dedi Taggert.

"Zorla gireceğiz."

Ama kapı sürgülenmişti ve omzumuzla açamayacağımız kadar sağlamdı. Dolaşıp arkaya gittik. Bahçede kaygan, yuvarlak bir şeye takıldım. Bira şişesiymiş.

Taggert serseri edasıyla, "Kımıldama, ihtiyar," dedi. Eğleniyor gibiydi.

Gençliğin verdiği coşkunlukla mutfak kapısına abandı. Birlikte yüklendiğimizde kilit kırıldı ve kapı açıldı. Mutfaktan karanlık hole geçtik.

"Silahın yok, değil mi?" dedim.

"Yok."

"Ama nasıl kullanacağını biliyorsun."

"Öyle ya. Makineli tüfek tercihimdir," diye böbürlendi.

Ona benim otomatiği verdim. "Bununla idare et." Ön kapıya gidip sürgüyü açtım. Kapı gıcırtıyla açıldı. "Biri gelecek olursa bana haber ver. Kendini gösterme."

Buckingham Sarayı'nın yeni nöbetçisi gibi, büyük bir ciddiyetle yerini aldı. Oturma odasına, yemek odasına, mutfağa, banyoya girip çıktım; ışıkları bir yakıp bir söndürdüm. Odalar en son bıraktığım gibiydi. Yatak odası bir parça değişmişti.

Değişiklik ikinci çekmecede çoraplardan başka bir şey olmamasıydı. Bir de çorapların arkasında bir köşeye buruşturulup atılmış boş bir zarf vardı. Zarf Bayan Estabrook'un ziyaret etmekte olduğum adresine gönderilmişti. Birileri arkasına birtakım kelimeler ve şekiller karalamıştı:

Ort. brüt $2000. Ort. gider (Maks.) $500. Ort. kâr $1500.

Mayıs–1500 x 31–46,500 eksi 6,500 (sonuç)–40,000

$$\frac{40,000}{2} = 20,000.$$

Dikkat çekecek şekilde kâr getiren bir yerin kabataslak prospektüsüne benziyordu. Bir şeyden emindim: Vahşi Piyano bu kadar kâr etmiyordu.

Zarfı tekrar çevirdim. Tarih 30 Nisan'dı, bir hafta öncesi ve üzerinde Santa Maria damgası vardı. Anlamaya başlamıştım ki dışarıdan bir motor gürültüsü geldi. Hemen ışığı kapatıp hole koştum.

Bir ışık dalgası evin ön cephesini yalayıp kapıdaki çatlaktan içeri doldu. Taggert kapının orada dikiliyordu. Boğuk bir sesle, "Archer!" diye fısıldadı.

Sonra da cesurca ve bir o kadar da aptalca bir şey yaptı. O göz kamaştıran ışığın altında verandaya çıkıp elindeki silahla ateş etti.

"Dur," dedim ama iş işten geçmişti. Kurşun metale çarpmış ve sekerek vınlayıp gitmişti. Ateşe karşılık veren olmamıştı.

Onu iterek geçtim ve basamaklara atladım. Üstü kapalı bir kamyonet aceleyle geri geri yoldan çıktı. Çimenlik alanı son sürat geçip hızlanmadan önce kamyoneti yakaladım. Sağ taraftaki cam açıktı. Kolumla camın oraya tutunup bacağımı çamurluğa koydum. Direksiyondaki zayıf, solgun bir kadavra suratı bana doğru döndü; minik, ürkek gözleri parlıyordu. Kamyonet duvara çarpmış gibi durdu. Tutunamayıp yola yuvarlandım.

Kamyonet geri döndü, gürültüyle vites değiştirip ben hâlâ dizlerimin üzerindeyken üzerime doğru geldi. Parlak ışıklar beni bir anlığına hipnotize etmişti. Tekerlekler gürleyerek üzerime doğru geliyordu. Niyetlerinin ne olduğunu anlayınca kendimi yana atıp kaldırımın kenarına doğru yuvarlandım. Kamyonet ağır ağır az önce benim olduğum yerden geçip caddeye çıktı. Plakası —varsa tabii— aydınlatılmamıştı. Arka kapılarında da cam yoktu.

Arabama gittiğimde Taggert motoru çalıştırmıştı. Onu sürücü koltuğundan iteleyip kamyonetin peşine düştüm. Biz Sunset'e çıktığımızda gözden kaybolmuştu. Dağlara mı yoksa denize doğru mu saptığını bilmemizin hiçbir yolu yoktu.

Tabanca kucağında, ümitsiz bir halde oturan Taggert'a döndüm. "Sana dur dediğimde dur."

"Dediğinde iş işten geçmişti. Hem ben yerinden ayrılsın diye sürücünün başının üzerine nişan almıştım."

"Beni ezmeye çalıştı. Silah emanet edilecek biri olsaydın kaçıp gidemezdi."

"Özür dilerim," dedi. "Silah meraklısı gibi davrandım galiba." Silahı kabzası yukarıda bana verdi.

"Boş ver." Sola dönüp şehre doğru sürdüm. "Kamyoneti iyi görebildin mi?"

"Galiba ordu artığı bir şeydi; şu personel taşıyanlardan. Siyahtı, değil mi?"

"Mavi. Peki ya şoför?"

"Onu pek göremedim. Sivri bir beresi vardı. Tek görebildiğim buydu."

"Öndeki plakasını görebildin mi?"

"Plakası olduğunu sanmıyorum."

"Bu çok kötü," dedim. "Ufak da olsa Sampson'ın o kamyonette olma ihtimali var. Ya da daha önce olmuş olabileceği."

"Cidden mi? Polise gitmeli miyiz sence?"

"Bence gitmeliyiz. Ama önce Bayan Sampson'la konuşmam gerek. Onu aradın mı?"

"Ulaşamadım. Uyku ilacı alıp yatmıştı. Onlarsız uyuyamaz."

"Sabah görürüm o zaman."

"Bizimle uçacak mısın?"

"Arabayla gideceğim. Daha önce yapmak istediğim bir şey var."

"Neymiş o?"

"Şahsi bir mesele," dedim doğruca.

O da sesini kesti. Konuşmak istemiyordum. Şafak sökecekti. Şehrin üzerindeki kalın kırmızı bulutun rengi kenarlarından başlayarak açılmaya başlamıştı. Taksilerin ve özel araçların oluşturduğu gece trafiği yok denecek kadar azalmış, kamyonetler yola dizilmeye başlamıştı. Mavi, üstü kapalı, ordu artığı bir kamyonet için etrafa bakındım ama göremedim.

Taggert'ı Valerio'da bırakıp eve gittim. Kapı eşiğimde bir litrelik bir süt beni bekliyordu. Bana refakat etmesi için içeri aldım. Mutfaktaki dijital saat dört yirmiyi gösteriyordu. Buzlukta bir kutu midye buldum ve midye güveci yaptım. Karım midyeyi hiç sevmezdi. Artık istediğim saatte mutfağımda oturup canımın istediği kadar midye yiyerek erkeklik gücümü toplayabilirdim.

Soyunup odanın diğer ucundaki ikiz yatağa bakmadan kendi yatağıma girdim. Bütün gün ne yaptığımı açıklamak zorunda olmamak rahatlıktı bir bakıma.

# 12

Şehir merkezine vardığımda saat sabahın onuydu. Peter Colton ofisindeki masasındaydı. Buzlu camlı kapısını açtığımda bir yığın polis raporunun arasından bana sert bir bakış attı, sonra da hoş gelmediğimi göstermek amacıyla hemen gözlerini yere indirdi. Bölge Savcılığı'nda kıdemli dedektifti. Seyrek sarı saçları ve devrilmiş bir sürat teknesinin pruvasını andıran heybetli bir burnu olan, iri yarı, orta yaşlı bir adamdı. Ofisi çelik çerçeveli tek bir penceresi olan alçıdan bir hücreydi. Duvarın karşısındaki sert arkalıklı rahatsız bir iskemleye oturdum.

Bir süre sonra burnuyla beni işaret etti. "Daha iyi bir şey bulamadığım için yüzün demek zorunda olduğum şu şeye ne oldu öyle?"

"Kavga ettim."

"Ve benden de zorba komşunu tutuklamamı istiyorsun." Gülümseyince ağzının kenarları aşağı çekildi. "Kendi kavganı kendin yapacaksın, küçük dostum, beni ilgilendiren bir şeyler varsa başka tabii."

Yüzümü ekşitip, "Buzlu şeker," dedim, "üç tane de sakız."

"Kanun güçlerine üç sakızlık rüşvet mi teklif ediyorsun sen? Atom çağındayız, dostum, farkında değil misin? Üç sakızda bizi parçalara ayıracak enerji var."

"Boş ver. Kavga Vahşi Piyano'da oldu."

"Benim de başka işim yok, gidip kudurmuş piyanolarla uğraşacağım, öyle mi? Ya da perişan haldeki bir boşanma dedektifiyle güldürü oyununda oynayacağım. Pekâlâ, anlat bakalım. Yine vermeden almak istiyorsun."

"Sana bir şeyler veriyorum. Hayatındaki en büyük şey haline gelebilir."

"Karşılığında da bir şeyler istiyorsun tabii."

"Küçük bir şey," diye onayladım.

"Hikâyeni bir duyalım bakalım. Yirmi beş kelimeyle."

"Senin vaktin bu kadar değerli değil."

"Beş oldu." Burnunu başparmağının ucuna dayadı.

"Müşterimin kocası evvelsi gün siyah bir limuzinle Burbank'ten ayrıldı, limuzinin kime ait olduğu bilinmiyor. O zamandan beridir de onu gören olmamış."

"Yirmi beş."

"Kapa çeneni. Müşterim dün kocasının el yazısıyla yazılmış, yüz bin papel nakit para istediğini söyleyen bir mektup almış."

"Öyle bir para yok ki. Nakit olarak yok."

"Onlarda var. Sence bu ne anlama geliyor?"

Sol tarafındaki çekmeceden bir tomar teksir kâğıdı çıkartıp hepsine birbiri ardına göz gezdirdi. Sonra birdenbire, "Adam kaçırma mı?" dedi.

"Ben adam kaldırma kokusu alıyorum. Burnum fazla hassas olmayabilir. Kâğıtta ne yazıyor?"

"Son yetmiş iki saattir siyah limuzin yok. Limuzinli adamlar bakımlarını yaptırırlar. Evvelsi gün mü demiştin? Saat kaçta?"

Ona ayrıntıları anlattım.

"Senin şu müşterinin anlayışı biraz kıt mı?"

"Pek bir sağduyu meraklısı."

"Kocasının meraklısı değil ama. Anladım. Bana kadının adını verirsen sana yardım ederim."

"Bir dakika. Senden bir şeyler istediğimi söylemiştim. İki şey. Birincisi, bunun duyulmaması gerek. Müşterim benim burada olduğumu bilmiyor. Bir de adamı canlı istiyorum, ölü değil."

"Bu gizlenemeyecek kadar büyük bir şey, Lew." Kalkıp yürümeye başladı; kafese kapatılmış bir ayı gibi kapıyla pencere arasında gidip geliyordu.

"Yakında resmî makamlardan duyarsın. O zaman olay benden çıkmış olur. Bu arada bir şeyler yapabilirsin."

"Senin için mi?"

"Kendin için. İşe araba kiralama firmalarını kontrol etmekle başla. Bu iki numara. Üç numara da Vahşi Piyano…"

"Bu kadar yeter." Ellerini çırptı. "Resmî raporu bekleyeceğim. Tabii varsa."

"Sana koftiden ipucu verdim mi hiç?"

"Bir sürü, ama bu işe karışmayacağız. Belki de biraz abartıyorsundur."

"Bunu neden yapayım?"

"Bu ayak işlerini yaptırmanın kolay ve ucuz bir yolu." Gözleri kısılıp zekâ fışkıran mavi çizik halini aldı. "Şehirde bir dolu araba kiralama yeri var."

"Bunu ben de yapardım ama şehir dışına çıkmam gerek. Bu insanlar Santa Teresa'da yaşıyor."

"Peki, isimleri ne?"

"Sana güvenebilir miyim?"

"Biraz."

"Sampson," dedim. "Ralph Sampson."

"Adını duymuştum. Yüz binlikle ne demek istediğini şimdi anladım."

"Sorun şu ki ona ne olduğundan emin olamayız. Beklememiz gerek."

"Bunu söylemiştin." Topuklarının üzerinde pencereye doğru döndü ve arkası odaya dönük vaziyette konuşmaya devam etti. "Bir de şu Vahşi Piyano'yla ilgili bir şeyler söylemiştin."

"O sen ayak işlerimi ucuza yaptırmaya çalıştığımı söylemeden önceydi."

"İncitebileceğim duyguların olduğunu söyleme bana."

"Sadece hayal kırıklığına uğradım," dedim. "Sana yüz bin papel nakit paranın ve beş milyon papellik mal varlığının söz konusu olduğu bir tertip getiriyorum. Sen de kıymetli vaktinden harcayacağın bir günün pazarlığını yapıyorsun."

"Ben kendim için çalışmıyorum, Lew." Ansızın bana doğru döndü. "Dwight Troy da işin içinde mi?"

"Kim," dedim, "bu Dwight Troy?"

"Zehir dolu minik bir paket. Vahşi Piyano'yu işletiyor."

"Bu tip yerlere karşı kanunlar var zannediyordum. Onun gibi adamlara da. Cahilliğimi mazur gör."

"O zaman kim olduğunu biliyorsun."

"Beyaz saçlı bir İngiliz'se evet." Colton başıyla onayladı. "Bir kez karşılaşmıştık. Bir sebepten ötürü bana silah çekti. Silahını almak benim işim değildi tabii."

Colton rahatsız bir şekilde geniş omuzlarını oynattı. "Senelerdir onu yakalamaya çalışıyoruz. Ama hem

kaygan hem de esnek. Haraççılık yapar, koruması aza-
lınca da başka işlere soyunur. Otuzların başlarında iş-
leri iyiydi. Baja Kaliforniya'dan kaçak içki getiriyor-
du, sonra o iş bitti. O zamandan beri inişli çıkışlı bir
hayatı oldu. Nevada'da bir süreliğine kumarhanesi
vardı, sonra sendika onu kapı dışarı etti. Çalıp çırptık-
ları suyunu çekmiş duyduğuma göre, ama biz hâlâ onu
yakalayacağımız günü bekliyoruz."

Koyu bir alaycılıkla, "Beklerken," dedim, "Vahşi
Piyano'yu kapatabilirdiniz."

"Altı ayda bir kapatıyoruz," diye lafı yapıştırdı.
"Son baskından evvel görmeliydin orayı, Yalancı El-
mas olduğu zaman. Üst katta, röntgencilerle mazoşist-
lerin bir adamı kamçılayan bir kadını ve o tarz şeyleri
seyretmesi için tek taraflı bir pencere vardı. Buna bir
son verdik."

"O zamanki işletmecisi kimdi?"

"Estabrook adında bir kadın. Peki, ne oldu? Aley-
hine dava bile açılmadı." Sinirli sinirli homurdandı.
"Bu gibi durumlar için yapabileceğim bir şey yok. Po-
litikacı değilim ben."

"Troy da değil," dedim. "Nerede yaşadığını biliyor
musun?"

"Hayır. Sana onunla ilgili bir soru sordum, Lew."

"Sordun evet. Cevap: Bilmiyorum. Ama o ve
Sampson aynı dairelerde geziniyorlar. Vahşi Piya-
no'ya bir adamını koysan akıllılık edersin."

"Koruyabilirsek tabii." Ansızın bana doğru gelip eli-
ni sertçe omzuma koydu. "Troy'la tekrar karşılaşacak
olursan silahını almayı deneme. Daha önce denendi."

"Benim tarafımdan denenmedi ama."

"Yo," dedi, "deneyenler artık hayatta değil."

# 13

İki saatlik araba yolculuğundan sonra saat altıda Los Angeles'tan Santa Rosa'ya gelmiştim. Sampson'ların evine vardığımda güneş tepeden inip terasların üzerinde hareketli gölgeler yaratan parça parça bulutların arasından denize doğru batmaya başlamıştı. Felix beni içeri alıp oturma odasına geçirdi.

Oda öyle büyüktü ki onca mobilya bile az görünüyordu. Denize bakan duvar bir uçtan diğerine camdı. Bayan Sampson devasa camın yanındaki bir iskemleye yerleştirilmiş gerçek boyutlarda bir oyuncak bebeği andırıyordu. Giyinikti; limon yeşili jarse bir elbise giyiyordu. Altın ayakları taburenin üzerindeydi. Boyalı kafasındaki tek bir saç teli bile olmaması gereken bir yerde değildi. Tekerlekli sandalye kapının yanındaydı.

Kadın hareketsiz ve sessizdi. Saniyeler geçtikçe komik olmaya başlayan düşünceli bir tablo çiziyordu. Sessizlik üzerimde manevi baskı yapmaya başlayınca, "Pekâlâ," dedim. "Bana ulaşmaya çalışıyormuşsunuz."

"Gelmek için pek acele etmedin." Kırmızı kahverengi durgun yüzünden çıkan ses sinirliydi.

"Özür dilemeyeceğim. Harıl harıl sizin davanız üzerinde çalışıyordum. Size tavsiyemi iletmiştim. Uyguladınız mı?"

"Kısmen. Yaklaşın, Bay Archer ve oturun. Tamamen zararsızım, gerçekten." Kendisinin karşısında duran bir sandalyeyi işaret etti. Geçip oturdum.

"Hangi kısım?"

Etobur bir gülümsemeyle, "Her tarafım," dedi. "İğnemi kopardılar. Ama tabii siz tavsiyenizi kastetmiştiniz. Bert Graves şu an parayla ilgileniyor."

"Polise gitti mi?"

"Daha değil. Bunu seninle konuşmak istiyordum. Ama sen iyisi mi önce mektubu oku."

Yan tarafındaki masanın üzerinden bir zarf alıp bana fırlattı. Bayan Estabrook'un çekmecesinde bulduğum zarfı çıkartıp ikisini karşılaştırdım: Büyüklükleri, çeşitleri ve adresi yazan el yazısı farklıydı. Tek benzerlik Santa Maria damgasıydı. Sampson'ın eşine gönderdiği mektup evvelsi gün öğleden sonra saat dört buçukta alınmıştı.

"Sizin elinize ne zaman geçti?"

"Dün gece saat dokuzda. Gördüğünüz gibi acele posta. Okusanıza."

Mektup bir yüzü mavi mürekkeple kargacık burgacık doldurulmuş tek bir daktilo kâğıdından ibaretti:

*Sevgili Elaine:*

*Aniden çıkıveren bir anlaşmaya giriştim, o yüzden de hemen nakit paraya ihtiyacım var. Amerika Bankası'ndaki ortak kiralık kasamızda birkaç bono var. Albert Graves devredilebilir olanları ayırıp nakde çevrilmelerini ayarlayabilir. Senden yüz bin dolarlık bonoyu nakde çevirmeni istiyorum. Ellilik ve yüzlükten daha büyük para istemiyorum.*

*Anlaşma gizli ve de önemli olduğundan bankanın
paraları işaretlemesine ya da seri numaralarını al-
masına izin verme. Benden haber alıncaya kadar
ki çok geçmeden alacaksın, parayı evde sakla.*

*Bert Graves'e güvenmek zorundasın ama bu işten
bir başkasına söz etmemen baya önemli. Yoksa çok
büyük bir kârdan olabileceğim gibi kanunlara da
karşı gelmiş olabilirim. Bu herkesten tamamen giz-
li tutulmalı. Bu yüzden benim doğruca bankaya
gitmem yerine parayı senin almanı istedim. Hafta
içi bû işi bitirmiş olacağım ve çok geçmeden görüşe-
ceğiz. Beni merak etme.*

*En içten sevgilerimle,*
*Ralph Sampson*

"Dikkatlice hazırlanmış," dedim, "ama ikna edici
değil. Bankaya kendisinin gitmeme nedeni inandırıcı
değil. Graves ne diyor?"

"O da buna dikkat çekti. Bunun bir komplo oldu-
ğunu düşünüyor. Ama onun da söylediği gibi kararı
verecek olan benim."

"Bunun kocanızın yazısı olduğundan kesinlikle
emin misiniz?"

"O konuda hiç şüphem yok. Bir de 'bayağı' kelime-
sinin nasıl yazıldığını fark ettin mi? En sık kullandığı ke-
limelerden biridir ve daima yanlış yazar. Hatta söylerken
bile 'baya' der. Ralph eğitimli bir adam değildir."

"Sorun canlı bir adam olup olmadığı."

Durgun mavi gözleri hoşnutsuz bir ifadeyle bana
döndü. "Bunun o kadar ciddi olduğunu mu düşünü-
yorsunuz, Bay Archer?"

"Normalde işlerini böyle halletmez, değil mi?"

"Onun işlerini nasıl hallettiği hakkında hiçbir fikrim yok. Aslına bakarsanız evlendiğimizde işlerden elini eteğini çekmişti. Savaş sırasında birkaç çiftlik alıp satmıştı ama bana işlemlerin detayları ile ilgili tek kelime etmedi."

"Yasa dışı olan var mıydı?"

"Gerçekten bilmiyorum. Bu konuda çok başarılıydı. Elimi kolumu bağlayan şeylerden biriydi bu."

"Diğerleri neydi?"

"Ona güvenmezdim," dedi usulca. "Niyetinin ne olduğunu anlamamın bir yolu yoktu. Belki de onca parayla dünyayı gezmeyi planlıyordur. Belki de beni terk etmek niyetindedir. Bilmiyorum."

"Ben de bilmiyorum ama tahminimce kocanız fidye için kaçırıldı. Bu mektubu da kafasına bir silah dayalı halde zorla yazdı. Bu gerçekten bir iş meselesi olsaydı size yazması için bir neden olmazdı. Graves'de vekâletname var. Ama adam kaçıranlar kurbanın karısıyla görüşmeyi tercih ederler. Bu işlerini kolaylaştırır."

Gergin bir ses tonuyla, "Peki ne yapacağım?" dedi.

"Mektuptaki talimatları izleyeceksiniz. Ama polise de haber vermelisiniz. Açıktan açığa değil ama böylece beklemede olacaklar. Anlıyorsunuz ya, Bayan Sampson, adam kaçıranlar için kurbandan kurtulmanın en kolay yolu beynini dağıtıp bırakmaktır. Bu olmadan önce onu bulmak gerek ve ben bunu tek başıma yapamam."

"Kaçırıldığından çok emin gibisiniz. Bana söylemediğiniz bir şeyler mi buldunuz?"

"Pek çok şey. Ve bunlar kocanızın kötü arkadaşları olduğu gerçeğini destekliyor."

"Biliyordum." Bir an kontrolden çıkan yüzünde zafer çizgileri belirdi. "Evli barklı iyi bir baba gibi görünmeye bayılırdı ama beni hiçbir zaman aldatamadı."

"Çok kötü arkadaşlar," dedim üstüne basa basa. "Hem burada hem Los Angeles'ta."

"Bayağı arkadaşlara oldum olası düşkündür…" Birdenbire susup gözlerini arkamdaki kapıya doğru kaldırdı.

Miranda orada dikiliyordu. Kilosunu ve tepede toplanmış bakır rengi saçlarını daha da belirginleştiren gri renk gabardin takım giymişti. Dün gördüğüm kızın ablası gibiydi. Ama gözleri öfkeden fal taşı gibi açılmıştı. Sözcükler ağzından birbiri ardına dökülüverdi.

"Babam hakkında ne cesaretle bu şekilde konuşursun! Belki de şu anda son nefesini veriyor ama senin tek umursadığın onun aleyhine bir şeyler kanıtlamak."

"Tek umursadığım bu mu sence, canım?" Kahverengi surat yine hareketsizdi. Bir tek solgun gözler kımıldıyordu; bir de özenle boyanmış ağız.

"Bana 'canım' deme." Uzun adımlarla bize doğru yürüdü. Sinirliyken bile vücudunda genç bir kedinin zarafeti vardı. Pençelerini göstermişti. "Bir tek kendini düşünüyorsun. Senin kadar narsist birini görmedim, Elaine. Pahalı gösterişinle, giyinip kuşanmanla, bigudilerinle, özel kuaförünle, diyetinle –hepsi senin kendi çıkarın için, değil mi? Böylece kendini sevmeye devam edebilirsin. Başka kimsenin seni sevmesini beklemiyorsun tabii."

Kadınlardan daha büyük olanı sakin sakin, "Senden katiyen beklemiyorum," dedi. "Düşüncesi bile iğrendiriyor beni. Peki, sen neyi umursuyorsun, canım? Alan Taggert'ı herhalde. Eminim geceyi onunla geçirmişsindir, Miranda."

"Hayır. Seni yalancı."

Sırtı bana dönük halde üvey annesinin karşısında dikiliyordu. Utanmıştım ama olduğum yerde kaldım, sandalyemin ucunda sallanıyordum. Kedilerin ağız dalaşının şiddetle sonuçlandığını pek çok kez görmüştüm.

"Yine mi ekti seni? Seninle ne zaman evlenecek?"

"Hiçbir zaman! Ben onunla evlenmeyeceğim." Miranda'nın sesi titremeye başlamıştı. Tartışmaya uzun süre dayanamayacak kadar toy ve savunmasızdı. "Benimle dalga geçmek senin için kolay tabii, kimseyi umursadığın yok ki. Frijitsin sen. Babamı bir parça sevmiş olsaydın şu an her neredeyse orada olmazdı. Onu zorla buraya, arkadaşlarından uzağa, Kaliforniya'ya getirdin; şimdi de kendi evinden uzaklaştırıyorsun."

"Saçmalama!" Bayan Sampson da gerginlik belirtileri göstermeye başlamıştı. "Bunu bir daha düşünmeni istiyorum, Miranda. Sen ta başından beri benden nefret ediyorsun. Haklı da olsam haksız da hep benim karşımda yer aldın. Ağabeyin bana karşı daha adil..."

"Bob'u bu işe karıştırma. Onu parmağında oynattığını biliyorum, ama bu gurur duyulacak bir şey değil. Gururunu okşuyordu, değil mi, üvey oğlunun etrafında dört dönmesi?"

Bayan Sampson kısık bir sesle, "Bu kadar yeter," dedi. "Git buradan, seni cadaloz!"

Miranda yerinden kımıldamadı ama sustu. Oturduğum yerde dönüp pencereden dışarı baktım. Taraçalı çimenliğin aşağısındaki taşlık yol denize bakan uçurumun kenarında duran kameriyeye doğru uzanıyordu. Koni biçiminde çatısı olan, sekiz köşeli, duvarları komple camdan bir yapıydı. Hem içinden hem de üzerinden okyanusun yanardöner renkleri görünüyordu; dalgaların başladığı yerdeki yeşil ve beyaz, daha ileride, su yosunlarının olduğu bölgedeki bal rengi, sonra koyu gök mavisi ufka doğru uzanan koyu deniz mavisi...

Dalgaların kırılmaya başladığı köpüklü suyun olduğu bölgenin aşağısında beklenmedik bir hareket ilişti gözüme. Küçük siyah bir disk denizin yüzeyini sıyırıp geçiyor, dalgadan dalgaya atlayıp gözden kayboluyordu. Bir dakika sonra başka bir tanesi de onun peşinden gitti. Nesnelerin kaynağı kıyıya çok yakın olduğundan görünmüyordu. Tepenin dik yokuşu onu gizliyordu. Altı yedi tanesi daha suyu sıyırıp gözden kayboldu. Başka da görünmedi. İstemeye istemeye sessizlik içindeki odaya döndüm.

Miranda hâlâ diğer kadının sandalyesinin önünde dikiliyordu ama duruşu değişmişti. Artık dimdik değildi. Ellerinden birini üvey annesine doğru kaldırmıştı. Öfkeyle değil ama. "Özür dilerim, Elaine." Yüzünü göremiyordum.

Bayan Sampson'ınki görünüyordu. Katı ve zekiydi. "Beni kırdın," dedi. "Seni affetmemi bekleme."

"Sen de beni kırdın," dedi hıçkırır bir ritimde. "Alan'ı yüzüme vurmamalıydın."

"Sen de onun etrafında fır dönme o zaman. Hayır, kastettiğim bu değildi, sen de biliyorsun. Onunla evlenmen gerek bence. Sen de istiyorsun, değil mi?"

"Evet. Ama babamın bu konuda ne düşündüğünü biliyorsun. Alan'ın adını ağzına almıyor."

Bayan Sampson hani neredeyse keyifle, "Sen Alan'ın icabına bak," dedi. "Ben de babanın."

"Bunu gerçekten yapar mısın?"

"Söz veriyorum. Şimdi git lütfen, Miranda. Yorgunluktan ölüyorum." Bana baktı. "Bu olup biten Bay Archer için epey aydınlatıcı olmuştur."

"Pardon?" dedim. "Ben şahsi görüşünüze saygı gösteriyordum."

"Evet, sevimli, değil mi?" Odadan çıkmaya davranan Miranda'ya seslendi: "İstersen kal, canım. Ben yukarı çıkıyorum."

Yan tarafındaki masada duran gümüş çanı kaldırdı. Çanın ani sesi raunt sonlarında çalan zil sesini andırıyordu. Miranda, odanın uzak bir köşesinde, yüzünü başka yöne çevirmiş oturarak resmi tamamlıyordu.

Bayan Sampson, "En kötü halimizi görmedin," dedi bana. "Lütfen bunun yüzünden hakkımızda bir hüküm vermeyin. Sizin söylediğiniz şekilde davranmaya karar verdim."

"Polisi arayayım mı?"

"Bert Graves arar. Bütün Santa Teresa yetkililerini tanır. Her an burada olabilir."

Kâhya Bayan Kromberg içeri girip kauçuk tekerlekli sandalyeyi halının üzerinde itekledi. Neredeyse hiçbir çaba harcamadan Bayan Sampson'ı kucaklayıp sandalyeye oturttu. Sessizce odadan çıktılar.

Bayan Sampson cennete doğru yükselirken evin bir yerlerinden bir elektrikli motor homurtusu geldi.

# 14

Odanın köşesindeki divana, Miranda'nın yanına oturdum. Bana bakmak istemiyordu.

"Bizim korkunç insanlar olduğumuzu düşünüyorsun, herhalde," dedi. "Herkesin içinde böyle kavga ettiğimize göre."

"Kavga edecek bir şeylerin var gibi."

"Gerçekten bilmiyorum. Elaine bazen çok tatlı olur, ama galiba benden oldum olası nefret etti. Bob onun göz bebeğiydi. Ağabeyim, biliyorsunuz."

"Savaşta ölen."

"Evet. O benim olmadığım her şeydi: Güçlü, kontrollü ve elini attığı her şeyin üstesinden gelen. Ölümünden sonra ona donanma nişanı verildi. Elaine onun ayağını bastığı toprağa tapardı. Acaba ona âşık mı diye merak ederdim. Ama tabii hepimiz onu çok severdik. Ailemiz o öldüğünden beri bir hayli değişti ve buraya geldik. Babam darmadağın oldu, Elaine şu sahte kötürümlüğü çıkardı, benim de kafam allak bullak oldu. Çok konuşuyorum, değil mi?" Yarısı başka yöne çevrilmiş başını bana doğru döndürüşü öyle hoştu ki. Ağzı narin ve titrekti; kocaman gözleri düşüncelere dalmıştı.

"Ben aldırmam."

"Teşekkür ederim." Gülümsedi. "Konuşacak kimsem yok, görüyorsunuz. Sırtımı babamın parasına dayamışken çok şanslı olduğumu düşünürdüm. Kibirli kaltağın tekiydim. Belki hâlâ öyleyimdir. Ama şunu öğrendim ki para sizi diğer insanlardan uzaklaştırabilir. Santa Teresa'daki sosyal hayatın, uluslararası Hollywood setinin gerektirdiği şeylere sahip değiliz. Burada arkadaşımız yok. Elaine'i suçlamamalıyım sanırım ama savaş süresince gelip burada yaşamamızda ısrar eden oydu. Benim hatamsa okulu bırakmaktı."

"Nereye gidiyordun?"

"Radcliffe'e. Çok iyi uyum sağladığım söylenemezdi ama Boston'da arkadaşlarım vardı. İtaatsizlik nedeniyle geçen seni beni okuldan attılar. Geri dönmem gerekirdi. Beni geri alırlardı ama ben özür dileyemeyecek kadar gururluydum. Çok da kibirli. Babamla yaşayabileceğimi düşündüm. O da bana karşı iyiydi ama yürümedi. Elaine'le arası senelerce düzelmedi. Evde hep bir gerilim vardı. Şimdi de başına bu şey geldi."

"Onu geri getireceğiz," dedim. Ama kaçamak cevap vermem gerektiğini hissediyordum. "Hem başka arkadaşların da var. Alan ve Bert mesela."

"Alan'ın umurunda bile değilim ben. Bir zamanlar umurundaydım galiba –onun hakkında konuşmak istemiyorum. Bert Graves de benim arkadaşım değil. Benimle evlenmek istiyor, bu da çok farklı bir şey. Sizinle evlenmek isteyen bir adamın yanında rahat olamazsınız."

"Seni seviyor, her halinden belli."

"Sevdiğini biliyorum." Yuvarlak, mağrur çenesini kaldırdı. "O yüzden onun yanında rahat olamam ya. Beni sıkmasının nedeni de bu ayrıca."

"Amma çok şey istiyorsun Miranda." Ben de amma çok konuşuyordum, Miles Standish'ten biri gibi. "Ne kadar zorlarsan zorla işler her zaman kusursuz bir şekilde işlemez. Sen romantik ve egoistsin. Bir gün dünyaya öyle sert ineceksin ki boynunu kıracaksın. Ya da umarım egon incinecek."

"Söyledim ya kibirli kaltağın tekiydim," dedi umursamazca. "Teşhisinize para istiyor musunuz?"

"Bana da kibirlilik yapma şimdi. Zaten bir kere yaptın."

Sözde mahcup numarasıyla gözlerini kocaman açtı. "Dün sizi öpmemi mi kastediyorsunuz?"

"Hoşuma gitmedi değil. Gitti. Ama sinir de oldum. İnsanların beni kendi emellerine alet etmesine kızarım."

"Peki, neymiş benim şu kötü emellerim?"

"Kötü değil. Yeni yetme işi. Taggert'ı etkilemek için başka yollar denemelisin."

"Onu karıştırmayın." Ses tonu sertti ama sonra yumuşadı. "Sizi ne kadar sinir ettim?"

"Bu kadar."

Omuzlarını ellerimle, dudaklarını dudaklarımla kavradım. Ağzı yarı açık ve sıcacıktı. Vücudu göğsünden dizlerine kadar soğuk ve sıkıydı. Karşı koymadı ama karşılık da vermedi.

Onu bıraktığımda, "Bundan zevk aldınız mı?" dedi.

Kocaman yeşil gözlerine baktım. İçten ve sabittiler ama kasvetli bir derinlikleri vardı. O derinlerde neler olduğunu ve ne zamandır orada olduklarını merak ediyordum.

"Egomun acısını dindirdi."

Güldü. "Dudaklarınızın acısını dindirdiği kesin. Üzerlerinde ruj kalmış."

Mendilimle ağzımı sildim. "Kaç yaşındasın?"

"Yirmi. Sizin kötü emelleriniz için yeterince büyüğüm. Sizce ben çocuksu mu davranıyorum?"

"Sen bir kadınsın." Kasten vücuduna baktım –dolgun göğüslerine, düz böğrüne, dolgun kalçalarına ve düzgün, dolgun bacaklarına. "Bu da belli sorumluluklar getirir."

"Biliyorum." Sesi kendi kendini kınar gibi hırçındı. "Kendimi dağıtmamam gerek. Siz çok görüp geçirdiniz, değil mi?"

Bu tam da kızlara göre bir soruydu ama ciddiyetle yanıt verdim. "Aynı türden bir sürü. Ben çok görüp geçirerek kazanıyorum hayatımı."

"Ben yeterince şey görmedim galiba. Sizi sinir ettiğim için özür dilerim." Aniden bana doğru eğilip yanağımı hafifçe öptü.

Sukutuhayale uğramıştım, çünkü bu yeğenin amcasına vereceği türden bir öpücüktü. Ondan on beş yaş daha büyüktüm. Hayal kırıklığım uzun sürmedi: Bert Graves yirmi yaş büyüktü.

Yoldan bir araba sesi geldi, sonra evde bir hareketlenme oldu.

"Bert'tir herhalde," dedi.

O içeri girdiğinde o bir tarafta ben bir tarafta dikiliyorduk. Ama Bert yüz ifadesini kontrol altına almadan evvel bana örtülü, sorgulayan ve incinmiş tek bir bakış attı. O zaman bile kaşlarının arasında endişesini dile getiren dikey çizgiler belirmişti. Uyumamış gibi bir hali vardı. Ama iri yarı bir adamdan beklenmeyecek çeviklikle, süratle ve sebatla hareket ediyordu. En azından vücudu yeniden hareket ettiği için memnundu. Merhaba Miranda deyip bana döndü.

"Ne diyorsun Lew?"

"Parayı getirdin mi?"

Koltuğunun altındaki vidala evrak çantasını alıp anahtarla açtı ve içindekileri sehpanın üzerine boşalttı –kahverengi kâğıtla kaplanmış ve kırmızı bantla birbirine yapıştırılmış bir düzine ya da daha fazla dikdörtgen paket.

"Yüz bin papel," dedi. "Bin tane ellilik ve beş yüz tane yüzlük. Bununla ne yapacağız Allah bilir."

"Şimdilik kasaya koy. Evde bir tane vardır herhalde, değil mi?"

"Evet," dedi Miranda. "Babamın çalışma odasında. Şifresi masasında."

"Bir şey daha var. Para ve evdeki insanlar için korumaya ihtiyacınız var."

Graves elindeki kahverengi paketlerle bana döndü. "Senin işin ne?"

"Ben burada olmayacağım. Şerif yardımcılarından birini getirt. Bunun için varlar."

"Bayan Sampson onları çağırmama izin vermez."

"Artık verir. Bütün işleri polise yönlendirmeni istiyor."

"Çok iyi! Biraz mantıklı davranmaya başladı. Şunlardan kurtulup telefon edeceğim."

"Onlarla yüz yüze görüş, Bert."

"Neden?"

"Çünkü," dedim, "bu biraz içerden birinin işi gibi. Bu evdeki birileri konuşmanızla ilgilenebilir."

"Benden öndesin ama ne demek istediğini anlıyorum. Mektupta içeriye ilişkin bilgiler var. Bunları Sampson'dan almış ya da almamış olabilirler. 'Onlar' diye birilerinin olduğunu ve onun kaçırıldığını varsayarak konuşuyorum."

"Yeni bir tanesi çıkana kadar bu varsayım üzerinde çalışacağız. Bir de Tanrı aşkına polisler dikkatli hareket etsinler. Adamları korkutmamalıyız."

"Anladım. İyi de sen nerede olacaksın?"

"Bu zarfta Santa Maria damgası var." Ona cebimdeki diğer zarftan bahsetme zahmetine girmedim. Resmî bir iş için orada olabilir. Ya da bu meseleyle ilgili yasa dışı bir iş için. Oraya gideceğim."

"Orada iş yaptığını hiç duymadım. Ama yine de ilgilenmeye değer bir şey olabilir."

Miranda Graves'e, "Büyük çiftliğe baktın mı?" diye sordu.

"Bu sabah idareciyi aradım. Ondan bir haber almamışlar."

"Ne çiftliği bu?" dedim.

"Babamın Bakersfield'ın karşı tarafında büyük bir çiftliği var. Sebze çiftliği. Ama oraya şu sıralar gitmez, şu tatsızlık yüzünden."

"İşçiler grevdeler," dedi Graves. "Birkaç aydır çalışmıyorlar, bazı şiddet olayları da oldu. İğrenç bir durum."

"Bu meseleyle bir ilgisi olabilir mi?"

"Sanmam."

"Belki de," dedi Miranda, "Tapınaktadır. Daha önce oradayken mektupları Santa Maria'dan geliyordu."

"Tapınak mı?" Daha önce bir ya da iki kez kendimi bir davadan peri masalının içine düşerken bulmuştum. Bu Kaliforniya'da çalışmanın mesleki tehlikelerinden biriydi ama beni bıktırmıştı.

"Bulutlardaki Tapınak: Babamın Claude'a verdiği yer. Babam ilkbaharın başında orda birkaç gün kalmıştı. Santa Maria'daki dağlarda."

"Peki ama," dedim, "kim bu Claude?"

"Sana ondan bahsetmiştim," dedi Graves. "Dağı hibe ettiği din adamı. Adam evi tapınak gibi bir şeye çevirdi."

"Claude sahtekârın tekidir," dedi Miranda. "Saçları uzundur, sakalı da makas yüzü görmemiştir ve adam Walt Whitman'ın kötü bir taklidi gibi konuşur."

"Sen oraya hiç gittin mi?" diye sordum.

"Arabamla Ralph'i götürdüm ama Claude konuşmaya başlayınca kaçtım. Ona tahammül edemiyorum. Sis düdüğü gibi bir sese ve gördüğüm en iğrenç gözlere sahip pis, ihtiyar bir keçi o."

"Beni şimdi oraya götürmeye ne dersin peki?"

"Olur. Gidip bir kazak giyeyim."

Graves'in ağzı karşı çıkacakmış gibi sessizce kımıldadı. Kız odadan çıkarken endişeyle onu seyretti.

"Onu eve sağ salim geri getireceğim," dedim. Keşke dilimi tutsaymışım.

Başı boğa gibi önde bana doğru yürüdü; iri yarı ve hâlâ güçlü bir adamdı. Kolları her iki yanında gergin bir şekilde sallanıyordu. Yumrukları sıkılmıştı.

Monoton bir sesle, "Bana bak Archer," dedi, "yanağındaki ruju sil yoksa ben senin yerine silerim!"

Utancımı tebessümle gizlemeye çalıştım. "Seni alt ederdim, Bert. Kıskanç erkeklerle başa çıkabilmek için bir sürü alıştırma yaptım."

"Olabilir. Ama Miranda'ya elini süreyim deme yoksa o güzel suratını dağıtırım."

Miranda'nın işaretlediği sol yanağımı ovdum. "Onu yanlış anlama..."

"Herhalde öpücük oyunu oynadığın Bayan Sampson'dı?" Cılız, acı bir kahkaha koyuverdi. "İmkânsız!"

"Mirandaydı ve bu bir oyun değildi. Canı sıkkındı ve ben de onunla konuştum; o da bana bir öpücük verdi. Bir anlamı yoktu. Bir kızın babasına vereceği türden masum bir öpücüktü."

"Sana inanmak istiyorum," dedi şüpheyle. "Miranda'ya karşı hissettiklerimi biliyorsun."

"Bana anlattı."

"Ne söyledi?"

"Ona âşık olduğunu."

"Bunu bilmesine sevindim, yine de. Keşke canı sıkkın olduğunda benimle konuşsa." Acı acı gülümsedi. "Bunu nasıl yapıyorsun, Lew?"

"Gönül meselelerin için bana gelme. Seni rezil edeceğim kesin. Ama yine de sana küçük bir tavsiyem var."

"Söyle."

"Kafana takma," dedim. "Kafana takma yeter. Elimizde büyük bir iş var ve bunun için iş birliği yapmalıyız. Ben senin aşk hayatın için bir tehlike arz etmiyorum, edebilecek olsam da etmezdim. Hazır açık açık konuşuyorken şunu da söyleyeyim: Taggert'ın da bir tehlike arz ettiğini zannetmiyorum. Basbayağı ilgilenmiyor adam."

Hırçın, zorlama bir ses tonuyla, "Teşekkürler," dedi. O samimi itiraflara meraklı türden bir adam değildi. Ama acınacak bir halde ekledi: "Benden o kadar genç ki. Taggert hem genç hem yakışıklı."

Holden cup cup ayak sesleri geldi ve Taggert işaret almış gibi kapıda belirdi. "Biri benim adımı boş yere ağzına mı alıyor?"

Üzerinde mayodan başka bir şey yoktu. Geniş omuzları, ince beli ve uzun bacakları meydandaydı. Küçük kafasındaki siyah ıslak bukleleri ve yüzündeki haylaz gülümsemesiyle Yunanlılara gençlik tanrısı gibi poz verebilirdi. Bert Graves ona nefretle baktı ve yavaş yavaş, "Ben de Archer'a seni ne kadar yakışıklı bulduğumu söylüyordum," dedi.

Gülümsemesi hafifçe küçüldü ama yine de yüzünde kaldı. "Acemice bir iltifat gibi geldi ama ne önemi var! Selam, Archer, yeni bir şey var mı?"

"Yok," dedim. "Graves'e senin Miranda'yla ilgilenmediğini söylüyordum."

"İyi demişsin," dedi havalı havalı. "İyi bir kız ama bana göre değil. Şimdi müsaadenizle üzerime bir şeyler giyeyim."

"Memnuniyetle," dedi Graves.

Ama ben onu geri çağırdım: "Bekle biraz. Senin silahın var mı?"

"Bir çift 32'lik tabanca."

"Bir tanesini doldurup üzerinde taşı, olur mu? Evin çevresinden ayrılma ve gözlerini dört aç. Silah meraklısı olmamaya gayret et."

"Ben dersimi aldım," dedi keyifle. "Olmasını beklediğiniz bir şey mi var?"

"Yok, ama olursa hazır olmayı isteyeceksin. Dediklerimi yapacak mısın?"

"Kesinlikle."

Graves arkasından, "Kötü bir çocuk değil," dedi. "Ama onu görmeye tahammül edemiyorum. Çok komik, daha önce kimseyi kıskanmamıştım."

"Daha önce âşık olmuş muydun?"

"Şimdiye dek hayır." Çaresizlik, coşku ve umutsuzluk yüklü omuzları düşmüş halde dikiliyordu. İlk kez ve temelli âşıktı. Ona acıyordum.

"Anlatsana," dedi, "Miranda'nın canı neye sıkılmış? Babasına mı?"

"Kısmen. Ailesinin parçalandığını düşünüyor. Sağlam bir arkaya ihtiyacı var."

"Biliyorum. Onunla evlenmek istememin bir nedeni de bu. Başka nedenler de var elbette, ama onları sana söylemek zorunda değilim."

"Değilsin," dedim ve risk alarak açık bir soru sordum: "Para da bunlardan biri mi?"

Bana sert bir bakış fırlattı. "Miranda'nın kendine ait parası yok."

"Ama olacak, değil mi?"

"Olacak, elbette, babası ölünce. Vasiyetini ben yazdım. Servetinin yarısını alacak. Paraya karşı çıktığım yok..." Alaycı alaycı gülümsedi. "Ama servet avcısı da değilim. Eğer kastettiğin buysa."

"Değil. Ama bu paraya senin düşündüğünden daha erken de kavuşabilir. İhtiyar L.A.de hızlı ve eğlenceli ortamlarda dolanıyormuş. Sana hiç Bayan Estabrook diye birinden bahsetti mi? Fay Estabrook? Ya da Troy diye bir adamdan?"

"Troy'u tanıyor musun? Nasıl bir adam?"

"Silahlı," dedim. "Duyduğuma göre birkaç cinayet de işlemiş."

"Şaşırmadım. Sampson'a ondan uzak durmasını söylemeye çalıştım ama Sampson onun iyi biri olduğunu düşünüyordu."

"Sen Troy'la tanıştın mı?"

"Sampson bizi birkaç ay evvel Las Vegas'ta tanıştırmıştı. Üçümüz birlikte gezerdik. Pek çok insan onu tanıyor gibiydi. Bu övünülecek bir şeyse krupiyelerin hepsi onu tanıyordu."

"Değil ama bir zamanlar Las Vegas'ta kendi yeri varmış. Bir sürü iş çevirmiş. Adam kaçırmanın ona yakışmayacağını düşünmüyorum. Troy'un Sampson'la ne işi olabilir ki?"

"Bana Sampson için çalışıyor gibi gelmişti, ama emin olamadım. Garip bir adamdı. Sampson'la benim oyunumu seyreder ama kendi oynamazdı. Hatta o gece bin papel kaybettim. Sampson dört bin kazandı. Çünkü kimde varsa ona daha çok verilecek.[4]" Kederli kederli gülümsedi.

"Belki de Troy insanlar üzerinde iyi bir etki bırakıyordur," dedim.

"Belki de. Piç kurusu tüylerimi diken diken ediyordu. Onun bu işe bulaşmış olabileceğini mi düşünüyorsun?"

"Öğrenmeye çalışıyorum," dedim. "Sampson'ın paraya ihtiyacı var mıydı, Bert?"

"Tabii ki hayır! O milyoner."

"Troy gibi bir hanzoyla ne diye iş yapıyordu o zaman?"

"Zaman onun için geçmek bilmiyordu. İşletme payları Teksas'tan Oklahoma'ya oluk gibi akıyordu.

4   Matta 25:29

O da sıkılıyordu. Ban para konusunda ne kadar doğal bir kaybedensem o da o kadar doğal bir kazanandı. Ben nasıl para kaybetmeden mutlu olmazsam o da kazanmadan mutlu olamazdı." Miranda içeri girince konuşmasını kısa kesti.

"Hazır mısın?" dedi Miranda. "Beni merak etme, Bert."

Eliyle Bert'in omzunu sıktı. Açık kahverengi ceketinin önü açıldı. Minik bir kazağın örttüğü sivri göğüsleri hem aceleci bir vaat hem de giderek büyüyen bir tehdit gibiydi. Saçlarını açıp kulağının arkasına doğru taradı. Parlak yüzünü meydan okur gibi ona doğru eğmişti.

Bert yanağını hafifçe ve şefkatle öptü. Onun için hâlâ üzülüyordum. Güçlü ve zeki bir adamdı ama ince çizgili takım elbisesinin içinde Miranda'nın yanında bir parça sıkıcı görünüyordu. Miranda gibi bir tayı ehlileştirmek için bir parça yaşlı ve de yorgundu.

# 15

Şebeke yolu tozla kaplı çalılıklardan oluşan eğimli tarlalara ve taze kırmızı asfaltlara doğru yükseliyordu. Gaza basıp hızımızı ellide tutuyordum. Tırmanırken yol aniden daralıp kıvrılıyordu. Bir ara tepelerdeki bir yarıktan alçaklarda gezinen mavi bir bulutu andıran denizi gördüm. Derken yol denize çıkışı olmayan vahşi dağlara ilmeklenip geçmekte olan bulutlar yüzünden grileşip soğudu.

Bulutlar dışarıdan bakınca ağır ve yüklü görünüyorlardı. İçlerine girince sanki seyrelip yol boyunca beyaz iplikçikler halinde uçuşuyorlardı. Bulutlar boyunca çorak ve loş olan dağ eteği bizi omuzladı. 1946 model bir arabada, yanımda son model bir kızla, Colton'ın atom çağı ve insanların arka bacaklarının üzerinde durup güneşe bakarak zamanı hesapladıkları taş devri arasındaki sınırı geçtiğimizi hayal edebiliyordum.

Sis tabakası kalınlaştı; yedi sekiz metre ötesini göremiyordum. İkinci viteste son keskin virajı döndüm. Sonra yol düzeldi. Belirli bir noktada çalışmakta olan motor kendiliğinden hızlandı ve buluttan çıktık. Yolun tepesinden vadinin, ağzına kadar tereyağıyla dolu bir kâse gibi güneş ışığıyla dolduğunu görebiliyorduk. Diğer taraftaki dağlar ise berrak ve pürüzsüzdüler.

"Şahane değil mi?" dedi Miranda. "Santa Teresa tarafında hava ne kadar kapalı olursa olsun vadi hep güneşlidir. Yağmur mevsiminde sırf güneşi hissede-bilmek için tek başıma arabayla dolaşırım."

"Güneşi severim."

"Sahi mi? senin güneş gibi basit şeylerden hoşla-nacağını düşünmemiştim. Sen neoncusun, değil mi?"

"Sen öyle diyorsan."

Bir süre hiç konuşmadan zıplayan yolu ve geriye doğru akan mavi göğü seyretti. Yol sarı ve yeşil bir dama tahtasını andıran vadiyi dümdüz kesiyordu. Gö-rünürde tarlalardaki Meksikalı işçiler dışında kimse yoktu. Gazı kökledim; hız göstergesinin iğnesi elli beş ile doksan arasında gidip geliyordu.

Miranda alaycı bir tonda, "Neden kaçıyorsunuz, Bay Archer?" diye sordu.

"Hiçbir şeyden. Ciddi bir cevap mı istiyorsun?"

"Değişiklik fena olmazdı."

"Bir parça tehlikeyi severim. Kontrolüm altındaki, zararsız tehlikeyi. Galiba, hayatımı ellerimin arasında tutmak ve onu kaybetmeyeceğimi bilmek bana güçlü olduğumu hissettiriyor."

"Havaya uçmazsak tabii."

"Şimdiye kadar hiç uçmadım."

"Söylesene," dedi, "böyle bir işi yapmanın nedeni bu mu. Tehlikeyi sevmen mi yani?"

"Bu da herhangi bir neden kadar geçerli. Ama doğ-ru değil."

"Neden o zaman?"

"Bu işi bir başkasından miras aldım."

"Babandan mı?"

"Kendi gençliğimden. Dünyanın iyi insanlar ve kötü insanlar diye ikiye ayrıldığını zannederdim; kötülükten belli insanların sorumlu tutulabileceğini ve suçlu olanların cezalandırılabileceğini. Hâlâ baştan savma bir şeyler yapıyorum. Bir de çok konuşuyorum."

"Durma."

"Aklım karman çorman oldu. Neden seninkini de karıştırayım ki?"

"Karıştı zaten. Neden bahsettiğinizi anlamadım."

"Baştan alayım. 1935'te polisliğe başladığımda kötülüğün bazı insanların, tavşan dudağı gibi, doğuştan sahip olduğu bir özellik olduğunu zannederdim. Bir polisin işi de bu insanları bulup bir kenara ayırmaktı. Ama kötülük o kadar basit bir şey değilmiş. Herkesin içinde varmış ve hareketlerine yansıyıp yansımaması bir dizi şeye bağlıymış: Çevre, fırsat, ekonomik baskılar, bir parça kötü şans, yanlış bir arkadaş... Mesele polisin insanları göz kararı yargılamaya ve varılan yargıya göre davranmaya devam etmek zorunda olması.

"Sen insanları yargılar mısın?"

"Karşılaştığım herkesi. Polis akademisi mezunları bilimsel keşfi çok abartıyor, onun da bir yeri var ama işimin büyük bir kısmını insanları izleyip haklarında bir yargıya varmak oluşturuyor."

"Peki, herkesin içindeki kötülüğü de buluyor musun?"

"Sayılır. Ya ben gittikçe daha dikkatli oluyorum ya da insanlar gittikçe kötüleşiyor. Savaş ve enflasyon her zaman sinir bozucu tiplerin ortaya çıkmasına neden olur ve bu adamların çoğu da gelip Kaliforniya'ya yerleşir."

"Ailemden bahsetmiyorsun, değil mi?"

"Özellikle onlardan değil."

"Her neyse, Ralph'i savaş yüzünden suçlayamazsın –tümüyle suçlayamazsın yani. Oldum olası biraz sinir bozucu biri olmuştur, en azından ben onu tanıdığımdan beri."

"Tüm hayatın boyunca mı?"

"Tüm hayatım boyunca."

"Onun hakkında böyle düşündüğünü bilmiyordum."

"Onu anlamaya çalıştım," dedi. "Belki gençliğinde nedenleri vardı. Biliyorsun işe sıfırdan başlamış. Babası hiçbir zaman kendi toprağına sahip olamamış kiracı bir çiftçiymiş. Ralph'in bütün hayatı boyunca toprak sahibi olmaya çalışmasını anlıyorum. Ama kendisi de bir zamanlar yoksul olduğu için yoksulun halinden anlaması gerektiğini düşünüyorsunuz. Çiftlikteki grevcileri mesela. Adamların yaşam koşulları içler acısı, gündelikleri yetersiz, ama Ralph bunları kabul etmiyor. Onları açlıktan öldürmek ve grevi kırmak için elinden geleni ardına koymuyor. Meksikalı işçilerin de insan olduklarını göremiyor sanki."

"Bu yaygın bir yanılsamadır. Ve de işe yarar. İnsan olduklarını kabul etmezsen insanları kazıklaman kolaylaşır. Orta Çağ'ın başındaki ahlakçılara benzemeye başladım."

Bir an duraksadıktan sonra, "Beni yargılıyor musun?" diye sordu.

"Muvakkaten. Delil yok. Hemen hemen her şeyin var ve hemen hemen her şeye dönüşebilirsin."

"Neden hemen hemen? Benim büyük eksiğim neymiş?"

"Uçurtmanın kuyruğu. Zamanı hızlandıramazsın. Onun temposuna ayak uydurup seni götürmesine izin vermelisin."

"Sen garip bir adamsın," dedi tatlılıkla. "Böyle şeyler söyleyebileceğini tahmin etmiyordum. Peki, kendini yargılıyor musun?"

"Becerebilirsem yargılamam. Ama dün gece yargıladım. Bir alkoliğe alkol veriyordum ve aynada kendi yüzümü gördüm."

"Karar neydi peki?"

"Hâkim cezayı erteledi ama beni bir güzel payladı."

"Belki de bu yüzden bu kadar hızlı sürüyorsundur."

"Belki de."

"Ben bunu başka bir nedenden dolayı yaparım. Senin nedeninin hâlâ bir çeşit kaçış olduğunu düşünüyorum ben. Ölme isteği."

"Jargon kullanma lütfen. Sen hızlı mı araba kullanırsın?"

"Cadillac'la bu yolda yüz beş yaptım."

Oynadığımız oyunun kuralları henüz netleşmemişti, ama ben yenildiğimi hissediyordum. "Peki, senin nedenin ne?"

"Bu canım sıkıldığında yaptığım bir şey. Yepyeni bir şeylerle karşılaşacakmışım gibi yaparım kendi kendime. Çıplak ve parlak bir şeyle, yoldaki canlı bir hedefle."

Belli etmediğim buruklğum babacan bir nasihat olarak dışarı çıkmıştı. "Bunu sık yaparsan yeni bir şeylerle karşılaşacaksın. Dağılmış bir kafa ve sonsuzluk."

"Canın cehenneme!" diye bağırdı. "Hani tehlikeyi seviyordun. Sen de Bert Graves kadar sıkıcısın."

"Seni korkuttuysam özür dilerim."

"Korkutmak mı?" Kısacık kahkahası bir deniz kuşunun çığlığı gibi tiz ve çatlaktı. "Siz erkekler hepiniz hâlâ Victoria döneminden kalmasınız. Herhalde sen de kadının yeri evidir diye düşünenlerdensin."

"Benim evim değil."

Yol aceleyle kıvrılıp göğe doğru yükselmeye başladı. Arabayı rampa frenliyordu. Elli kilometreyle giderken birbirimize söyleyecek bir şeyimiz yoktu.

# 16

Nefes alıp verdiğimi fark etmemi sağlayacak yükseklikteki bir yola geldik. Yeni çakıl dökülmüş yol ahşap bir kapıyla kapatılmıştı. Kapı dikmesinin üzerindeki posta kutusunda beyaz şablonla 'Claude' yazılmıştı. Kapıyı açtım. Miranda da arabayı içeri soktu.

"Bir buçuk kilometre daha var," dedi. "Bana güveniyor musun?"

"Hayır, ama manzaraya bakmak istiyorum. Buraya daha önce hiç gelmemiştim."

Yolu saymazsak arazinin sanki daha önce buraya kimse gelmemiş gibi bir hali vardı. Biz yukarıya doğru daireler çizerken aşağıda yerinden kopmuş kaya parçalarıyla benek benek olmuş bir vadi ve her daim yeşil kalan bir dağ gözler önüne seriliyordu. Ta aşağılarda, ağaçların arasında hareket edip kaybolan bir geyiğin silik, kahverengi ürpertisi ilişti gözüme. Hava öylesine açık ve durgundu ki toynaklarının tıkırtısını duysam şaşırmazdım. Ama motorun iniltisinden daha yüksek bir ses yoktu. Işığa doymuş havadan ve karşımızdaki dağın yalın taş yüzünden başka duyacak, görecek bir şey yoktu.

Araba dağın tepesindeki tabak şeklindeki bir çukurun etrafında ağır ağır ilerliyordu. Aşağımızdaki ovanın ortasında Bulutlardaki Tapınak duruyordu; yırtıcı kuşlar ve pilotlar dışındaki herkesten gizlenmişti. Beyaz taş ve kerpiçten, kare biçiminde, tek katlı, bir iç avlunun etrafına inşa edilmiş bir binaydı bu. Etrafında bir çeşit çit görevi gören tel örgünün çevresinde birkaç ek bina daha vardı. İçlerinden birinden göğe doğru incecik bir duman yükseliyordu.

Derken ana binanın düz çatısında bir şeyler kımıldadı. Öncesinde öylesine hareketsizdi ki gözlerim onu öyle kabul etmişti. Yaşlı bir adam bacaklarını altına almış oturuyordu. Kocaman, koyu kahve figür heybetli bir yavaşlıkla ayağa kalktı. Saçındaki ve sakalındaki makas yüzü görmemiş düğüm düğüm tellerle eski bir haritadaki, etrafına ışık yayan güneşi andırıyordu. Kasten eğilip çıplak olan vücuduna sarmak için bir bez parçası aldı. Bize sabırlı olmamızı söyler gibi bir kolunu kaldırıp iç avluya indi.

Demir takviyeli kapı gıcırdayarak açıldı. Adam kapıda belirdi ve paytak paytak kilitlemiş olduğu girişe doğru yürüdü. Gözlerini ilk kez o zaman gördüm. Bebek mavisi gözleri bir hayvanınki gibi şahsiyetsiz ve vicdansızdı. Güneşte kararmış geniş omuzlarına ve göğsünün üzerinde yelpaze gibi duran kocaman sakalına rağmen kadınsı bir havası vardı. Kendini bilen gür sesi, bariton ve kontraltonun ustaca bir karışımıydı aslında.

"Selamlar, selamlar, dostlarım. Kuş uçmaz kervan geçmez eşiğime gelen her gezginle seve seve rızkımı paylaşırım. Misafirperverlik erdemlerin arasında saygın bir yerdedir, erdemlerin en yücesi olan sıhhate yakındır."

"Teşekkürler. Arabayla girebilir miyiz?"

"Lütfen otomobili tel örgünün dışında bırakın dostlarım. Dıştaki halka bile mekanik bir uygarlığın debdebesiyle kirletilmemelidir."

Arabadan inerken Miranda'ya, "Onu tanıdığını sanıyordum," dedim.

"Çok iyi görebildiğini zannetmiyorum."

Yanına yaklaştığımızda adamın mavi beyaz gözleri Miranda'nın yüzüne dikildi. Ona doğru eğildi, dağınık kır saçları omuzlarına döküldü.

Miranda gevrek gevrek, "Merhaba, Claude," dedi.

"Hay Allah, Bayan Sampson! Bugün gençlik ve güzelliğin beni ziyaret etmesini beklemiyordum. Bu ne gençlik! Bu ne güzellik!"

Dolgun, kırmızı dudaklarının arasından soluk alıp veriyordu. Yaşını anlamak için ayaklarına baktım. Parmaklarının arasından sicimler geçen hasır tabanlı sandaletler giyiyordu; ayakları boğum boğum ve şişti. Altmış yıllıktılar.

Miranda tatsız tatsız, "Teşekkür ederim," dedi. "Ralph burada mı bakmaya geldim."

"Burada değil, Bayan Sampson. Ben yalnızım. Müritlerimi göndermiş durumdayım." Dişlerini göstermeden belli belirsiz gülümsedi. "Ben dağlarla ve güneşle sohbet eden ihtiyar bir kartalım."

Miranda duyulacak şekilde, "İhtiyar bir akbabasın!" dedi. "Ralph son günlerde buraya uğradı mı?"

"Birkaç aydır uğramadı. Bana sözü vardı ama hâlâ gelmedi. Babanızda ruhsal bir potansiyel var, ama hâlâ kafeste ve cismanî hayat tarafından hapsedilmiş durumda. Onu semavî dünyaya çekmek çok zor. Tabiatını güneşe açması onun için acı verici bir şey." Bunları ilahi söyler gibi bir ritimde, neredeyse bir ayin temposunda söylemişti.

"Etrafa bakmamın bir sakıncası var mı?" dedim. "Onun burada olup olmadığından emin olmak için."

"Söyledim ya, yalnızım." Miranda'ya döndü. "Kim bu genç adam?"

"Bay Archer. Ralph'i aramama yardım ediyor."

"Anlıyorum. Korkarım benim sözüme itimat etmek zorundasınız Bay Archer. Arınma törenine katılmadığınız için iç daireye girmenize izin veremem."

"Ama ben yine de etrafa bakacağım sanırım."

"Ama bu mümkün değil." Elini omuzlarıma koydu. Kızarmış balık gibi yumuşak, kalın ve kahverengiydi. "Tapınağa girmemelisiniz. Bu Mithras'ı kızdırır."

Ekşi-tatlı nefesi burun deliklerime doldu. Elini omzumdan çektim. "Sen arındın mı peki?"

Masum gözlerini güneşe doğru kaldırdı. "Bu gibi şeylerle alay etmemelisiniz. Ben yitik ve günahkâr bir adamdım, yüreği körelmiş ve günahkâr biri, ta ki semavî dünyaya girene dek. Güneş nefsimin kara boğasını kılıçtan geçirdi ve arındım."

"Ben de pampaların boğasıyım," dedim kendi kendime.

Miranda gelip aramıza girdi. "Bunların hepsi saçmalık. İçeri girip bakacağız. Hiçbir şey için senin sözüne güvenmem ben, Claude."

Pösteki gibi kaba tüylü kafasını eğdi ve dudaklarında buruk iyilikseverliğin bir işareti olan gergin bir gülümseme belirdi. Midem bulanmıştı. Batıya doğru uzanan dağların üzerinde yükselen güneş hareketsizdi.

Claude bir daha bakmadan ve tek kelime etmeden içerdeki taş merdivene tırmanıp çatıya doğru gözden kayboldu.

Taş avlu boştu. Duvarları, kapalı ahşap kapılarla çevrelenmişti. En yakındaki kapının mandalını indirdim. Kapı içinde üzeri kirli battaniyelerle örtülmüş bir gömme yatak, etiketsiz, eski püskü, demir bir valiz ve ucuz mukavvadan bir gardırop ile Claude'un ekşi-tatlı kokusunun olduğu meşe kirişli bir odaya açıldı.

"Kutsallık kokusu," dedi Miranda.

"Baban gerçekten Claude'la birlikte burada mı kalıyordu?"

"Korkarım, evet." Yüzünü buruşturdu. "Bu güneşe tapınma saçmalığını fazla ciddiye alıyordu. Aklında hepsi astrolojiye bağlanıyordu."

"Burayı da gerçekten Claude'a mı verdi?"

"Senetle devredip etmediğini bilmiyorum. Tapınak olarak kullanması için Claude'a verdi. Bir ara geri alır herhalde, alabilirse. Bu dinsel çılgınlıktan kurtulabilirse tabii."

"Burası tuhaf bir av evi," dedim.

"Burası tam av evi sayılmaz. Burayı gizlenme yeri olarak inşa etmişti."

"Neden gizleniyordu?"

"Savaştan. Ralph'in son döneminden kalma, dinden önceki dönemden. Onu yeni bir savaşın eşiğinde olduğumuza inandırdılar. Ülke işgal edilirse burası onun sığınağı olacaktı. Ama geçen sene bu korkusunu yendi, bomba sığınağını yapmaya başlamadan önce. Sığınağın bütün planları hazırdı. Onun yerine astrolojiye sığındı."

"Ben çılgınlık lafını etmedim," dedim, "sen ettin. Ciddi miydin?"

"Pek sayılmaz." Bir parça kasvetli bir gülümseme belirdi yüzünde. "Eğer onu anlarsanız Ralph öyle çok da çılgın biri gibi görünmez. Galiba kendini suçlu hissediyordu, çünkü son savaştan para kazanmıştı. Sonra Bob öldü. Suçluluk her türden mantıksız korkuya yol açabilir."

"Başka bir kitap okumuşsun," dedim. "Bu sefer psikoloji ders kitabı."

Tepkisi şaşırtıcıydı. "Midemi bulandırıyorsun, Archer. Aptal dedektifi oynamaktan sıkılmadın mı?"

"Sıkıldım tabii. Çıplak ve parlak bir şeylere ihtiyacım var. Yoldaki bir canlı hedefe."

"Seni!.." Dilini ısırdı, kızarıp bozardı; sonra dönüp gitti.

Bir o odaya bir bu odaya bakıp durduk; kapıları açıp kapadık. Odaların çoğunda yatak vardı; başka pek bir şey de yoktu. En son baktığımız geniş oturma odasında yerde beş altı hasır minder vardı. Odanın pencereleri şato penceresi gibi dar, duvarları ise kalındı. İçerisi belediye hapishanesinin su deposu gibi kokuyordu.

"Müritler, her kimseler, iyi yaşıyorlarmış. Daha önce buraya geldiğinde onlardan birine rastladın mı hiç?"

"Hayır. Ama o zaman içeri girmemiştim."

"Bazı insanlar Claude gibi bir yapışkan için tam yolunacak kazdır. Ellerinde ne var ne yok dağıtırlar, karşılığında da açlıktan öldüren bir diyet ve olası sinir krizlerinden başka bir şey almazlar. Ama ben daha önce güneşe tapanlar manastırı diye bir şey duymamıştım. Yolunacak kazlar bugün nerede merak ettim."

Kimseyi göremeden avludaki gezimizi tamamladık. Başımı kaldırıp çatıya baktım. Claude yüzü güneşe dönük bir halde oturuyordu. Çıplak sırtı bize dönüktü. Etleri yan taraflarından ve kalçalarından boğum boğum sarkıyordu. Başı sarsıla sarsıla öne arkaya sallanıyordu; sanki biriyle kavga ediyordu, ama hiç ses gelmiyordu. İki seksüel dünyayı da tanıyan sakallı bir kadın gibiydi; güneşin çerçevelediği kocaman hadım sırtı ve kafası hem tuhaf hem komik hem de korkutucuydu.

Miranda koluma dokundu. "Çılgınlık demişken…"

"Rol kesiyor," dedim ki bir tarafım buna inanıyordu. "En azından baban konusunda doğruyu söylüyor. Tabii baban diğer binalardan birinde değilse."

Çakıl taşlı bahçeyi geçip bacası tüten kerpiç binaya doğru yürüdük. Açık olan pencereden içeri baktım. Başında bir şal olan genç bir kız parlayan bir şöminenin önünde çömelmiş kaynayan bir tencereyi karıştırıyordu. Beş galonluk bir tencereydi bu ve içi fasulyeye benzer bir şeyle doluydu.

"Görünüşe bakılırsa müritler akşam yemeğine geliyor."

Kız omuzlarını kımıldatmadan başını çevirip bize baktı. Göz akları kil rengi Kızılderili yüzünde porselen gibi parıldadı.

Ona İspanyolca, "Yaşlı bir adam gördün mü?" diye sordum.

Calico omuzlarından birini tapınağa doğru silkti.

"O değil. Sakalsız olan. Sakalsız, şişman ve zengin. İsmi Sinyor Sampson."

İki omzunu birden silkip buram buram tüten tenceresine döndü. Arkamızdaki çakıllı yoldan Claude'un sandaletlerinin sesi geldi.

"Gördüğünüz gibi yapayalnız değilim. Bir de hizmetçi kızım var, ama bir hayvandan sadece biraz hallice. Bizimle işiniz bittiyse izin verseniz de meditasyonuma geri dönsem. Gün batımı yaklaşıyor; ayrılmakta olan Tanrıya saygılarımı sunmam gerek."

Kerpiç evin bitişiğinde kapısına asma kilit vurulmuş galvanize demirden bir baraka vardı. "Gitmeden önce barakayı açın."

İç geçirip içliğinin kat yerlerinden birkaç anahtar çıkardı. Barakada yığınla çanta ve mukavva kutu vardı; çoğunun içi boştu. Birkaç çuval fasulye, bir kasa konsantre süt ve mukavva kutuların birkaçının içinde de iş tulumları ve iş botları vardı.

Claude kapıda durmuş bana bakıyordu. "Müritlerimden bazıları vadide gündelikçi olarak çalışır. Sebze tarlalarında çalışmak da bir çeşit ibadettir."

Bana yol vermek için geri çekildi. Çakıl taşlı yolun kenarında, ayağının olduğu yerde, bir teker gördüm. Bu balıksırtı lastik izini daha önce de görmüştüm.

"Hani mekanik süsleri çitin bu tarafına sokmuyordunuz?"

Gözlerini yere dikti ve yüzünde bir gülümsemeyle başını kaldırdı. "Sadece gerekli olduğu zamanlarda. Evvelsi gün kamyon erzak getirdi de."

"Umarım ve eminim o arınmıştır."

"Evet, sürücü arınmıştı."

"İyi. Etrafı kirlettiğimize göre biz gittikten sonra bir temizlik yaparsınız artık."

"Bu sizinle Tanrı arasında bir şey." Batmakta olan güneşe doğru tekrar bir bakış atıp çatıdaki tüneğine döndü.

Mecbur kalırsam gece körlemesine sürebileyim diye karayoluna dönüş yolunda rotayı ezberledim.

# 17

Biz vadiyi geçmeden kızıl güneş kıyı boyunca uzanan bulutların arkasına dalmıştı bile. Çiftlikteki kulübelerine dönen bir düzine kamyon dolusu tarla işçisini geçtik. Kamyonların titreyen kasalarında balık istifi erkekler, kadınlar, çocuklar sabır ve sükûnetle ayakta dikilip yemek yemeyi, uyumayı ve ertesi gün doğacak güneşi bekliyorlardı. Dikkatli sürüyordum; canım bir parça sıkkın, gündüzün tükendiği, gecenin henüz hız kazanmadığı alaca karanlık vaktinde oyalanıyordum.

Bulutlar yol boyunca süt gibi akıp adım adım yaklaşan geceyle ve artan soğukla karışarak dağın diğer tarafına doğru önümüzden önümüzden gidiyorlardı. Miranda bir iki kez virajda titreyerek bana yaslandı. Ona üşüyor musun yoksa korkuyor musun diye sormadım. Onu bir seçim yapmaya zorlamak istemedim.

Bulutlar U.S. 101 boyunca dağdan aşağı yuvarlandı. Şebeke yolundan otobandaki, sis yüzünden bulanıklaşıp kocaman görünen, araba farlarını seçebiliyordum. Otoban trafiğinde mola vermek için dur işaretinin orada beklerken Santa Teresa yönünden hızla gelen bir çift parlak ışık gördüm. Derken ışıklar birdenbire bir çift kızgın göz gibi bize doğru döndüler.

Hızlanan araç şebeke yoluna dönmeye çalışacaktı. Frenleri ciyak ciyak bağırdı, tekerlekleri kayıp homurdandı. Yanımızdan geçip gitmeyecekti.

Miranda'ya, "Başını eğ," deyip direksiyona daha bir sıkı yapıştım.

Diğer sürücü arabayı düzeltip kırk beş ellide motoru bağırta bağırta vites küçülttü; tamponumun önünden dönüp sağ tarafımdan, benimle dur işaretinin arasındaki iki metrelik mesafeden, geçip gitti. Sürücünün yanıp sönen yüzü gözüme ilişti: Tepesi sivri, deri bir şapkanın altındaki, sis lambaları yüzünden sararmış, ince ve solgun bir yüz... arabası da koyu renk bir limuzindi.

Geri geri gidip döndüm ve peşine düştüm. Asfalt ıslandığı için kaygandı; bu yüzden yola çıkarken tutuk kalmıştım. Sis alelacele yola çıkan kırmızı arka lambaları yutmuştu. Otobana paralel ilçe yollarından birine sapabilirdi. Belki de Sampson için yapacağım en iyi şey limuzinin gitmesine izin vermekti. Öyle ani durdum ki Miranda iki elini birden torpido gözüne yaslamak zorunda kaldı. Reflekslerim kuvvetlenmeye başlamıştı.

"Ne oluyor böyle? Bize gerçekten çarpmadı, yani."

"Keşke çarpsaydı."

"Pervasız, ama iyi araba kullanıyor."

"Evet. Bir ara çarpmak isteyeceğim hareketli bir hedef."

Meraklı gözlerle bana baktı. Yukarıdaki pano lambasıyla gölgelenen yüzü kararmış, kocaman gözleri parıl parıldı. "Korkunç görünüyorsun, Archer. Seni yine mi kızdırdım?"

"Sen değil," dedim. "Beni kızdıran bu davada fırsat kollamak. Ben direkt hareketi tercih ederim."

"Anlıyorum," dedi. Sesi hayal kırıklığına uğramış gibi çıkmıştı. "Lütfen beni eve götür. Üşüdüm ve acıktım."

Sığ hendeğe doğru dönüp gerisin geri Cabrillo Kanyonu'na giden otobana sürdüm. Sis lambalarının yaydığı sarı ışığın ötesinde, yerden fışkırmış, güneşin terk ettiği kül rengi ağaçlar ve çalılar puslu havada asılı duruyorlardı. Manzara kafatasımın içindeki bulanık desenle uyuşuyordu. Kontrolsüz ve yavaş düşüncelerim el yordamıyla beni Ralph Sampson'ın gizlendiği yere götürecek bir ipucu arıyordu.

İpucu da Sampson'ların araba yoluna açılan girişteki posta kutusunda beni bekliyordu; bulmak için ustalığa lüzum da yoktu. Onu ilk fark eden Miranda olmuştu. "Arabayı durdur."

Kapıyı açtığında posta kutusunun ağzına sıkıştırılmış beyaz zarfı gördüm. "Bekle. Ben alayım."

Ses tonum onu bir ayağı yerde bir kolu zarfa uzanırken durdurdu. Zarfı bir köşesinden tutup temiz bir mendile sardım. "Parmak izi olabilir."

"Babamdan olduğunu nereden biliyorsun?"

"Bilmiyorum. Sen arabayı alıp eve git."

Zarfı mutfakta açtım. Tavandaki floresan lambası beyaz emaye masanın üzerine morg ışığı gibi düşüyordu. Zarfın üzerinde isim ya da adres yoktu. Bir kenarını yırtıp içindeki katlı kâğıdı tırnaklarımla çıkardım.

Kâğıda yapıştırılmış gazete kâğıdından harfleri görünce kalbim küt küt atmaya başladı. Adam kaçırma olaylarında yapılageldiği üzere harfler teker teker kesilip kelime haline getirilmişti. Kelimeler şunlardı:

Bay Sampson emin ellerde bin papeli sade kağıt pakete koyup iple bağllayın paketi Santa Teresa sınırının bir mil güneyindeki Fryers yolunun karşısındaki otoban ayrımının güney ucundaki yolun ortasındaki çime bırakın bunu bu gece saat dokuzda yapın paketi bıraktıktan sonra hemmen gidin izleniyo olcaksınız kuzey yönüne Santa Teresa'ya doğru gidin eğer Sampson'ın yaşamasını istiyosanız polis pususu kurmağa kalkmayın izleniyo olcaksınız pusuya takibe seri numaralı paralara kalkışmazsanız yarın evinde olcak

"Haklıymışsın," dedi Miranda fısıldar gibi.

Avutucu bir şeyler söylemek istiyordum. Tek düşünebildiğim –zavallı Sampson'dı.

"Gidip Graves buralarda mı bir bak," dedim. Hemen gitti.

Dokunmadan kâğıda doğru eğildim ve kesilmiş harfleri inceledim. Bir sürü boyutta ve karakterde harf vardı ve hepsi de pürüzsüz bir kâğıda basılmıştı; büyük ihtimalle şu çok satan dergilerden birinin reklam sayfalarındandı. İmlası yarım yamalak bir okuryazarlığı işaret ediyordu ama yine de her zaman emin olamazdınız. Çok iyi eğitim almış adamların bile imlaları çok kötü olabiliyor. Sahte de olabilirdi.

Graves peşinde Taggert ve Miranda'yla mutfağa geldiğinde mektubu ezberlemiştim. Gözlerinde çelik gibi sert bir ifadeyle dolgun, çevik bacaklarının üzerinde bana doğru yaklaştı.

Masayı işaret ettim. "Posta kutusundaydı…"

"Miranda anlattı."

"Birkaç dakika evvel otobanda yanımdan geçen bir arabadan bırakılmış olabilir."

Graves mektuba doğru eğilip kendi kendine yüksek sesle okudu. Taggert kapı ağzında Miranda'nın yanında duruyordu; istenip istenmediğinden emin değildi ama son derece rahattı. Fiziksel olarak akraba olabilecek olsalar da Miranda mizaç olarak onun tam zıddıydı. Göz altlarında çirkin mavi lekeler oluşmuş, dolgun dudakları ileriye fırlamış, parlak dişlerinin üzerinden somurtkan bir ifadeyle sarkmıştı. Sarhoş, acılı bir poz takınıp kapının sövesine doğru eğildi.

Graves kafasını kaldırdı. "Bu kadar yeter. Şerif yardımcısını getireceğim."

"Şu anda burada mı?"

"Evet. Parayla birlikte çalışma odasında. Şerifi de arayacağım."

"Parmak izi alacak biri var mı?"

"Bölge Savcısı olsa daha iyi."

"Onu da ara. Taze iz bırakmayacak kadar zekidirler büyük ihtimalle ama görünmeyen izler olabilir. Eldivenlerle harfleri kesip çıkartmak zordur."

"Doğru. Yanınızdan geçen araba olayı nedir peki?"

"Şimdilik kimseye bundan bahsetme. O konuyla sonra ilgileneceğim."

"Ne yaptığını biliyorsundur herhalde."

"Ne yapmadığımı biliyorum: Sampson'ı öldürtmüyorum –becerebilirsem."

"Beni endişelendiren de bu ya," dedi ve kapıya doğru öyle hızlı hareket etti ki Taggert sıçrayarak yolundan çekilmek zorunda kaldı.

Miranda'ya baktım. Düştü düşecek gibiydi. "Ona bir şeyler yedir, Taggert."

"Yedirebilirsem yediririm."

Buzdolabına doğru gitti. Miranda'nın gözleri onu takip ediyordu. Bir an için ondan nefret ettim. Tıpkı bir köpek, kızışma dönemindeki bir kancık gibiydi.

"Hayatta bir şey yiyemem," dedi. "Sence yaşıyor mu?"

"Evet. Ondan pek hoşlanmadığını sanıyordum."

"Bu mektup her şeyi öyle gerçek yaptı ki. Önceden bu kadar gerçek değildi."

"Hem de öyle bir gerçek ki! Şimdi git buradan. Gidip yat." Odadan çıkıp gitti.

Şerif yardımcısı geldi. Otuzlarında, iri yarı, esmer bir adamdı. Üzerinde omuzlarına pek uymayan konfeksiyon giysileri ve yüzüne pek uymayan çarpık bir şaşkınlık ifadesi vardı. Sağ eli kendi kendine burada onun borusunun öttüğünü hatırlatmak istermiş gibi kalçasının üzerindeki tabanca kılıfındaydı.

Deneme kabilinden bir saldırganlıkla, "Burada neler oluyor?" diye sordu.

"Pek bir şey olduğu yok. Adam kaçırma ve şantaj, o kadar."

"Bu nedir?" Masadaki mektuba uzandı. Dokunmasını engellemek için dirseğinden tutmak zorunda kaldım.

Kara gözlerini yüzüme dikip boş boş baktı. "Sen kim olduğunu zannediyorsun?"

"Adım Archer. Sakin olun, memur bey. Kanıt çantanız var mı?"

"Evet, arabada."

"Gidip alın, olur mu? Bunu parmak izi alacak memur için saklayacağız."

Dışarı çıktı ve siyah metal bir kutuyla geri döndü. Mektubu içine attım ve kutuyu kilitledim. Bu ona büyük bir haz vermişti sanki.

Kutu koltuğunun altında odadan çıkarken, "Ona iyi bak," dedim. "Elinden kaçırma."

Taggert elinde yarısı yenmiş bir hindi buduyla buzdolabının yanında dikiliyordu. Bir yandan yiyip bir yandan da, "Şimdi ne yapacağız?" diye sordu.

"Sen etrafta dolaş. Belki bir parça heyecan yaşayabilirsin. Silahın üzerinde mi?"

"Tabii ki!" Ceketinin cebine vurdu. "Sence bunu nasıl yaptılar. Burbank havaalanından ayrılırken mi kaçırdılar?"

"Bilmiyorum. Nerede telefon var?"

"Bir tane kâhyanın kilerinde var. Burası." Mutfağın diğer ucundaki bir kapıyı açtı ve arkamdan kapattı.

Burası bakır lavabonun üzerinde tek bir penceresi ve kapının yanında bir duvar telefonu olan raflarla çevrili küçük bir odaydı. Los Angeles'a şehirlerarası görüşme istedim. Peter Colton işte değildi büyük ihtimalle ama bir mesaj bırakmış olabilirdi.

Operatör beni ofisine bağladı. Telefona Colton kendisi cevap verdi.

"Ben Lew. Adam kaçırmaymış. Birkaç dakika önce fidye mektubu aldık. Bölge Savcısıyla konuşsan iyi olur. Olay büyük ihtimalle Sampson evvelki gün Burbank havaalanından ayrılırken senin bölgende oldu."

"Adam kaçıran birilerine göre işleri ağırdan alıyorlar."

"Bunu yapacak durumdalar. İşi ayrıntılı planlamışlar. Siyah limuzinle ilgili bir şey bulabildin mi?"

"Hem de bir sürü. O gün on iki tane kiralanmış ama çoğu meşru görünüyor. Aynı gün ikisi hariç hepsi şirketlere geri dönmüş. Diğer ikisi bir haftalığına kiralanmış. Ödemeler peşin yapılmış."

"Tarif?"

"Bir numara; Bayan Ruth Dickson, sarışın, kırk yaşlarında, Beverly Hills Oteli'nde kalıyor. Kontrol ettik, kayıtlıydı ama orada yoktu. İki numara; San Francisco'ya giden bir adam. Günün sonunda arabayı geri getirmemiş ama daha iki gün oldu; arabayı bir haftalığına kiralamış. Adı Lawrence Becker, ufak tefek cılız bir adam, üstü başı da pek düzgün değil..."

"Adamımız bu olabilir. Plakayı aldın mı?"

"Bekle bir dakika, burada... 62 S 895. 1940 model bir Lincoln."

"Şirketi?"

"Deluxe. Pasadena'da. Kendim gideceğim."

"Elinden gelen en iyi tarifi edin ve haberi etrafa yay."

"Herhalde! İyi ama nedir bu ani coşku, Lew?"

"Burada, otobanda, tarifine uyabilecek bir adam gördüm. Fidye notunun bırakıldığı sıralarda uzun siyah bir arabayla yanımdan geçti. Ve aynı herif ya da ağabeyi bu sabah Pasifik Kayalıkları'nda mavi bir kamyonetle beni ezmeye kalktı. Sivri, deri bir şapka takıyordu."

"Neden ona haddini bildirmedin?"

"Seninkiyle aynı nedenden. Sampson'ın nerede olduğunu bilmiyoruz, etrafta caka satacak olursak hiçbir zaman da bilemeyiz. İşe yarayacak bir şey söyleyeceksen konuş."

"Bana işimi mi öğretiyorsun?"

"Öyle gibi."

"Pekâlâ. Başka faydalı ipucu var mı?"

"Açıldığında Vahşi Piyano'ya bir adam yerleştir. Ne olur ne olmaz diye..."

"Birini tayin ettim bile. Bu kadar mı?"

"Ofisin Santa Teresa Bölge Valiliği ile irtibata geçsin. Parmak izleri için fidye notunu onlara devrediyorum. İyi geceler ve teşekkürler."

"Hı-hı."

Telefonu kapattı ve operatör bağlantıyı kesti. Ahizeyi kulağımda tutup boş hattı dinledim. Konuşmanın ortasında kablodan takır tukur bir ses gelmişti. Bağlantıdaki anlık bir kesinti de olabilirdi, diğer bir iç hattan kaldırılan bir ahize de.

Tam tamına bir dakika geçmişti ki evin bir yerlerinde yerine konan bir ahizenin zayıf metalik hışırtısı geldi kulağıma.

# 18

Bayan Kromberg karman çorman beyaz saçları ve annelere özgü kalçaları olan aşçıyla birlikte mutfaktaydı. Kilerin kapısını açtığımda ikisi birden sıçradı.

"Telefonu kullanıyordum," dedim.

Bayan Kromberg buruşuk bir tebessümü becerebildi. "Sesinizi duymadım."

"Evde kaç telefon var?"

"Dört ya da beş. Beş. İki tane yukarı katta, üç tane de aşağıda."

Telefonları kontrol etme fikrinden vazgeçtim. Pek çok kişi onlara ulaşabilirdi. "Herkes nerede?"

"Bay Graves ön taraftaki odada çalışanları bir araya topluyor. Notu bırakan arabayı gören olmuş mu anlamak istiyor."

"Olmuş mu?"

"Hayır. Az evvel bir araba sesi duymuştum ben ama aklıma bir şey gelmemişti. Her zaman gelip araba yolundan dönerler. Buranın çıkmaz sokak olduğunu bilmezler." Bana doğru yaklaşıp gizli gizli, "Notta ne yazıyordu, Bay Archer?" diye fısıldadı.

"Para istiyorlar," dedim çıkarken.

Diğer üç hizmetkâr holde yanımdan geçtiler; başları önde, tek sıra halinde yürüyen, bahçıvan kıyafetleri içinde iki Meksikalı ve en arkadan gelen Felix. Elimi kaldırıp ona selam verdim ama karşılık vermedi. Gözleri donuk ve kömür topakları gibi pırıl pırıldı.

Graves oturma odasındaki şöminenin önünde çömelmiş bir çift maşayla kömüre dönmüş bir kütüğü çeviriyordu.

"Hizmetkârların derdi ne?" diye sordum.

Homurdanarak doğruldu ve kapıdan tarafa bir göz attı. "Şüpheli olduklarını biliyorlar gibi."

"Keşke bilmeselerdi."

"Bu fikre kapılmalarına neden olacak bir şey söylemedim onlara. Geçişme yoluyla anlamışlar. Ben onlara arabayı görüp görmediklerini sordum. Asıl istediğim tabii ki gizlemelerine fırsat vermeden yüzlerine bakmaktı."

"Bu işte evden birilerinin parmağı olduğunu mu düşünüyorsun, Bert?"

"Her bakımdan öyle olmadığı açık. Ama şu mektubu her kim bir araya getirdiyse fazla şey biliyor. Mesela, paranın dokuzda hazır olacağını nereden biliyordu?" Saatine baktı. "Şu andan itibaren yetmiş dakika."

"Kör inançtan başka bir şey değildir, belki de."

"Belki de."

"Tartışmayalım. Bu işte kısmen içeriden birinin parmağı olduğu konusunda büyük ihtimalle haklısın. Arabayı gören olmuş mu?"

"Bayan Kromberg sesini duymuş. Diğerleri dilsizi oynuyor ya da öyleler."

"Hiçbiri renk vermedi mi?"

"Hayır. Meksikalılar ve Filipinlileri çözmek zordur." İtinayla şunları da ekledi: "Bahçıvanlardan ya da Felix'ten şüphelenmem için bir nedenim olduğundan değil ya."

"Peki ya Sampson'ın kendisi?"

Bana alaycı alaycı baktı. "Zeki olmaya çalışma, Lew. Önsezilerin hiçbir zaman çok güçlü olmamıştır."

"Sadece bir tahmin. Eğer Sampson yüzde seksenlik bir gelir vergisi ödüyorsa böyle bir tezgâhla zahmetsiz bir seksen binlik yapabilir kendine."

"Bunun yapılabileceğini kabul ediyorum..."

"Daha önce yapılmıştı."

"Ama Sampson'ın olayında bu biraz fantastik kaçıyor."

"Bana onun dürüst biri olduğunu söyleme."

Maşaları alıp yanan kütüğe vurdu. Kıvılcımlar parlak yaban arısı sürüsü gibi uçuştular. "Herkesin standardına göre değil tabii. Ama o böyle bir tezgâhı düşünebilecek kafada biri değil. Bu çok riskli. Hem onun paraya ihtiyacı yok. Petrol arazilerinin değeri beş milyon civarında, ama gelir olarak yirmi beş gibi daha yüksek bir değere sahipler. Yüz bin papel Sampson için bozuk para. Bu adam kaçırma işi gerçek, Lew. Yok sayamazsın."

"Saymak isterdim," dedim. "Pek çok adam kaçırma olayı cinayetle sonuçlanır."

Gür bir homurtuyla, "Bu öyle olmak zorunda değil," dedi. "Şansımız yaver giderse olmayacak da! Onlara paralarını vereceğiz, ama Sampson'ı getirmezlerse peşlerine düşeceğiz."

"Ben senin yanındayım." Söylemesi kolaydı tabii. "Parayı kim götürecek?"

"Neden sen götürmüyorsun?"

"Birincisi beni tanıyabilirler. Hem benim yapacak başka işlerim var. Bu işi sen yap Bert. İyisi mi Taggert'ı da yanına al."

"Ondan hoşlanmıyorum."

"Fişek gibi çocuk, hem silahlardan da korkmuyor. İşler sarpa sararsa yardıma ihtiyacın olabilir."

"İşlerin sarpa saracağı falan yok. Ama sen öyle diyorsan alırım."

"Öyle diyorum."

Bayan Kromberg kapı aralığında göründü; sinirli sinirli önlüğünü çekiştiriyordu.

"Evet?"

"Miranda'yla konuşsanız keşke, Bay Graves. Ona bir şeyler yedirmeye çalıştım ama odasının kapısını açmıyor. Cevap bile vermiyor."

"Düzelir. Onunla daha sonra konuşurum. Şimdilik kendi haline bırakın."

"Böyle davranması hoşuma gitmiyor. Çok duygusal."

"Bir şey olmaz. Bay Taggert'a benimle çalışma odasında buluşmasını söyler misin? Söyleyin silahını da yanına alsın –dolu olarak."

"Peki, efendim." Ağladı ağlayacak gibiydi ama dolgun dudaklarını sıkıp gitti.

Graves dönünce kadının endişelerinden bir kısmını ona da geçirdiğini gördüm. Yanaklarından biri hafifçe seğiriyordu. Gözleri odanın ötesinde bir yerlere bakıyordu.

Kendi kendine konuşur gibi, "Herhalde kendini suçlu hissediyor," dedi.

"Ne için?"

"Anlaşılır bir şey değil. Galiba aslında ağabeyinin yerini alamadığı için. Oturup ihtiyarın çöküşünü seyretti ve şimdi de muhtemelen ona daha yakın olabilseydi çöküşünün bu kadar kötü ve bu kadar hızlı olmayacağını düşünüyor."

"Onun karısı değil ki," dedim. "Bayan Sampson'ın tepkisi ne oldu? Onu gördün mü?"

"Birkaç dakika evvel gördüm. Çok iyi karşıladı. Aslına bakarsan kitap okuyor. Buna ne diyeceksin?"

"Hiç. Belki de kendini suçlu hissetmesi gereken odur."

"Bunun Miranda'ya bir faydası olmaz. Miranda tuhaf bir kızdır. Çok duygusaldır, ama bunun farkında olduğunu zannetmiyorum. Kendini sürekli tehlikeye atar; duygusal kaynaklarının ötesinde yaşar."

"Onunla evlenecek misin, Bert?"

"Becerebilirsem, evleneceğim." Yüzünde buruk bir gülümseme belirdi. "Ona pek çok kez teklif ettim. Hayır demedi."

"Sen ona çok iyi bakarsın. O da evlenmeye hazır."

Bir an bana hiçbir şey söylemeden baktı. Dudakları gülümsemeye devam ediyordu ama gözlerinde ona dokunma sinyali yanıp sönüyordu. "Bugün yolda epey bir sohbet ettiğinizi söyledi bana."

"Ona birkaç baba nasihati verdim," dedim. "Hızlı araba kullanmak konusunda."

"Babacan bir seviyede olduğu sürece sorun yok." Birdenbire konuyu değiştirdi. "Şu Claude tipinden ne haber? Onun bu adam kaçırma işiyle bir ilgisi olabilir mi?"

"Onun her şeyle bir ilgisi olabilir. Ona hayatta güvenmem. Ama kesin bir şey öğrenemedim. Sampson'ı aylardır görmediğini iddia etti."

Saman sarısı sis lambaları evin yan tarafını yalayıp geçti ve bir dakika sonra bir araba kapısı çarpıldı. "Bu şerif olsa gerek," dedi Graves. "Amma da uzun sürdü gelmesi."

Şerif kurdeleyi göğüsleyen bir atlet gibi büyük bir sürat gösterisiyle girdi içeri. Takım elbiseli iri bir adamdı; geniş siperlikli bir kovboy şapkası takmıştı. Suratının da elbiseleri gibi altı kaval üstü şişhane bir havası vardı; yarı polis yarı politikacı gibiydi. Gevşek bir şekilde kavuşmuş, kadınları, içkiyi ve konuşmayı seven dudaklarının yumuşaklığı çenesinin sertliğini yadsıyordu.

Elini Graves'e uzattı. "Daha erken gelirdim ama Humphreys'i de almamı söylediniz."

Sessizce arkasından gelen diğer adamın üzerinde smokin vardı. "Partideydim," dedi. "Nasılsın Bert?"

Graves beni tanıttı. Şerifin ismi Spanner'dı. Humphreys, bölge savcısıydı. Uzun boyluydu ve kelleşmeye başlamıştı; zayıf bir yüzü ve akıllı bir keskin nişancınınki gibi tekin olmayan gözleri vardı. Graves'le el sıkıştılar. Bunu yapamayacak kadar yakındılar aslında. Graves bölge savcısıyken o da yedek savcıydı. Geride durup konuşma işini Graves'e bıraktım. Onlara bilmeleri gerekenleri anlatıp gerekmeyenleri es geçti.

Bitirdiğinde Şerif, "Mektup kuzey istikametine gitmenizi söylüyor," dedi. "Bu da demektir ki kendisi diğer taraftan, Los Angeles'a doğru kaçacak."

"Öyle," dedi Graves.

"Otobanın aşağısına bir barikat kurarsak onu yakalayabiliriz."

"Bunu yapamayız," dedim hecelerin üzerine basa basa. "Yaparsak Sampson'a elveda demiş oluruz."

"Ama kaçıranı yakalarsak onu konuşturup..."

"Dur bakalım, Joe," dedi Humphreys. "Birden fazla kişi olduklarını varsaymak durumundayız. Biz onlardan birinin icabına bakarsak onlar da Sampson'ın icabına bakar. Bu gün gibi açık."

"Bu mektuptan da belli zaten," dedim. "Mektubu gördünüz mü?"

"Andrews gördü," dedi Humphreys. "Parmak izlerini alan adamımız."

"Bir şey bulacak olursa FBI dosyalarından kontrol etseniz iyi olur." Antipati topladığımın farkındaydım ama nezakete ayıracak vaktim yoktu, hem tecrübesiz polislerin ne yapacaklarını bildiklerini zannetmiyordum. Şerife döndüm: "L.A. şehir mercileriyle irtibata geçtiniz mi?"

"Daha değil. Önce bir durum değerlendirmesi yapayım dedim."

"Pekâlâ, durum şu: Mektuptaki talimatlara uysak bile Sampson'ın sağ kurtulamayacağı ihtimali yüzde ellinin üzerinde. Adamlardan en az birini teşhis edebilir –Burbank'te onu kaçıranı. Bu onun için kötü. Paranın teslim alınmasını engellemeye kalkarsanız durumu daha da beter hale getirirsiniz. Siz adam kaçıran birini şehir hapishanesine tıkarken Sampson bir yerlerde boğazı kesik halde yatıyor olur. Yapacağınız en iyi şey işi perde arkasından yönetmek. Bırakın da bu taraftaki işi Graves halletsin."

Spanner sinirden renkten renge girdi. Bir şeyler söylemek için ağzını açmıştı ki Humphreys araya girdi. "Bu mantıklı, Joe. Kanunlar böyle demiyor ama bir orta yol bulmak durumundayız. Önemli olan Sampson'ın hayatını kurtarmak. Kasabaya dönmeye ne dersin?"

Ayağa kalktı, şerif de arkasından gitti.

"Spanner'ın kendi başına bir şeyler karıştırmayacağından emin olabilir miyiz?"

"Sanırım," dedi Graves usulca. "Humphreys ona göz kulak olur."

"Humphreys'in kafası çalışıyor gibi."

"Çok. Onunla yedi küsur sene çalıştım ve büyük bir hata yaptığını hiç görmedim. Emekli olurken yerime onu atadım." Sesinde bir parça pişmanlık vardı.

"O işe dört elle sarılman gerekirdi," dedim. "Fazlasıyla tatmin oluyordun."

"Kuş kadar da maaş alıyordum! On sene işime dört elle sarıldım ama bıraktığımda borç içindeydim." Bana sinsi sinsi baktı. "Sen neden Long Beach kuvvetlerini bıraktın, Lew?"

"Asıl mesele para değildi. El etek öpmeye dayanamadım. Entrikalardan da hoşlanmadım. Hem ben kendim bırakmadım işi, kovuldum."

"Pekâlâ, sen kazandın." Saatine baktı. Sekiz buçuğa geliyordu. "Harekete geçmek vakti gelmişti."

Alan Taggert çalışma odasındaydı; üzerinde omuzlarını kocaman gösteren açık kahverengi bir trençkot vardı. Ellerini ceplerinden dışarı çıkarttı; ikisinde de silah vardı. Birini Graves aldı diğeri de Taggert'ta kaldı. İkisi de mavi çelikten ince namluları ve çıkıntılı nişangâhları ile birer 32'likti.

Unutma," dedim Taggert'a, "sana ateş edilmeden ateş etmek yok."

"Sen gelmiyor musun?"

"Hayır," dedim Graves'e. "Fryers Yolu'nun köşesini biliyor musun?"

"Evet."

"Etrafta gizlenecek bir yer var mı?"

"Hiç yok. Bir tarafta açık kumsal diğer tarafta kıyı var."

"Siz arabayla doğruca gidin. Ben de arkanızdan gelip bir kilometre kadar aşağıya park edeceğim."

"Bir dümen çevirmeyeceksin, değil mi?"

"Yok. Sadece yanımdan geçerken onu görmek istiyorum. Sizi benzin istasyonunda bekleyeceğim. Adı Son Şans."

"Pekâlâ." Graves duvar kasasının kilidini çevirdi.


Şehir sınırlarından Fryers Yolu'na kadar otoban dört şeritliydi. Bir mil uzunluğundaki kaya tabakası kıyı boyunca uzanan dik kayalıklara bölünüyordu. Beton kaldırım taşlarının arasındaki çimen şeritleriyle ikiye ayrılıyordu. Fryers Yolu'yla kesiştiği kavşakta çimen bitiyor ve otoban üç şeride iniyordu. Graves Studebaker'ıyla kavşakta hızlı bir u dönüşü yapıp ışıkları yanık halde park etti.

Burası amaçlarına çok uygun bir yerdi: Sağ tarafı beyaz kazıklarla çevrilmiş boş bir köşe. Fryers Yolu'nun girişi dik kayalığın yan tarafındaki gri siyah bir delikti. Görünürde ne bir ev vardı ne de bir ağaç. Çok az araç geçiyordu, o da uzun aralıklarla.

Gösterge tablosundaki saat dokuza on vardı. Taggert ile Graves'e el salladım ve yanlarından geçip gittim. Bir sonraki yan yola bir kilometre falan vardı. Kilometre sayacımdan kontrol etmiştim. Bu yan yolun yaklaşık iki yüz metre ötesinde gezginler için otobanın sağ tarafındaki kumsalda bir park yeri inşa edilmişti. Dönüp arabayı farları sönük ve burnu güneye dönük halde park ettim. Dokuza yedi vardı. Her şey plana uygun giderse parayı vereceğimiz araba on dakika içinde yanımdan geçecekti.

Araba durduğunda etrafını saran sis gri bir gelgit gibi kıyıdan yükseliyordu. Sisin içinden kuzeye doğru giden birkaç çift far açık denizlerde yaşayan balıkların gözlerini andırıyordu. Korkulukların altında deniz karanlıkta nefes alıp gargara yapıyordu. Dokuzu iki geçe iki far son sürat Fryers Yolu tarafındaki virajı aldı.

Virajdan fırlayan araba bana kadar gelmeden aniden direksiyonu kırıp soldaki yan yola girdi. Arabanın rengini ya da şeklini göremedim ama inleyen lastiğinin sesini duydum. Sürücünün tekniği tanıdık gelmişti.

Farlarımı yakmadan arabamı otobana, oradan da yan yola doğru sürdüm. Oraya varmadan uzaklardan sisin örttüğü üç ses duydum: Frenlerin acı çığlıkları, bir el silah sesi ve hızlanan bir motorun homurtusu...

Yan yol beyaz ışıkla kaplanmıştı. Kavşağa birkaç metre kala arabamı durdurdum. Yan yoldan bir araba daha gelip önümden sola, Los Angeles'a doğru döndü; uzun burunlu, üstü açılabilen, açık krem bir spor arabaydı. Bulanık yan camdan şoförü iyi görememiştim ama bir parça koyu renk kadın saçı gördüğümü sanmıştım. Peşine düşecek pozisyonda değildim, düşemezdim de zaten.

Sis farlarımı yakıp yola çıktım. Otobandan birkaç metre ötede bir araba duruyordu; tekerlerinden ikisi hendekteydi. Arkasına park edip silah elimde arabadan çıktım. Savaş öncesi, özel yapım, siyah, Lincoln limuzindi. Motor rölantide, farlar açıktı. Plakası 62 S 895'ti. Sol elimle ön kapıyı açtım. Tabanca horozu kalkık vaziyette sağ elimdeydi.

Ufak tefek bir adam bana doğru eğildi; donuk gözlerle bir gayret sise bakıyordu. Düşmeden evvel onu yakaladım. Yirmi dört saattir ölümü ta iliklerimde hissediyordum.

# 19

Sola doğru yatık deri şapkası hâlâ başındaydı. Şapkanın sol kulağının üzerindeki kısmında yuvarlak bir delik vardı. Yüzünün sol kısmı siyah barut yanıklarıyla benek benek olmuştu. Başı merminin kuvvetiyle yan yatmıştı; onu doğrulttuğumda omzuna düştü. Tırnakları moraran elleri direksiyona sürünüp iki yanına düştü.

Bir elimle onu koltuğa oturtup diğer elimle ceplerini karıştırdım. Spor ceketinin dış ceplerinden benzin kokan, rüzgârda yanabilen bir çakmak, yarısı saman kâğıdıyla sarılmış sigara dolu ucuz ahşap bir tabaka ve on santimlik sustalı çakı çıktı. Kot pantolonunun arka cebinde ise içinde on sekiz yirmi papellik bozuk para ve yakın bir zamanda Lawrence Becker adına çıkartılmış Kaliforniya ehliyeti vardı. Ehliyetteki adres Skid Row'un kenarında yıkıldı yıkılacak ucuz bir otelin adresiydi. Adres de onun değildi, Lawrence Becker adı da.

Kotunun sol cebinde suni deriden bir kılıfın içinde kirli bir tarak vardı, diğer cebinde ise bir zincire dizilmiş ağır bir anahtar destesi –Chevrolet'den Cadillac'a her türden arabaya ait anahtarlar– ve üzerinde "Corner'dan bir Hatıra, Kokteyller ve Biftekler, Buenavista'nın güneyi, 101. Otoban" yazan yarısı dolu bir kibrit paketi...

Kül tablasında birkaç kısa marihuana izmariti vardı ama arabanın geri kalan kısmı tertemizdi. Torpido gözünde ne bir ruhsat ne de orta büyüklükteki banknotlar halinde yüz bin papel vardı.

Aldığım şeyleri tekrar ceplerine koyup onu koltuğa dayadım ve düşmemesi için de kapıyı kapattım. Arabama binmeden önce bir kez daha arkama dönüp baktım. Lincoln'ün farları hâlâ yanıyordu, rölantideki motor egzoz borusundan dışarıya muntazaman gaz sızdırıyordu. Direksiyona kapanmış ölü adam ülkenin başka bir yerine yapılacak olan uzun ve hızlı bir yolculuğa çıkmaya hazır gibiydi.

Graves'in Studebaker'ı benzin istasyonundaki pompaların yanına park etmişti. Arabanın yanında dikilen Graves ve Taggert ben arabamla görününce koşarak yanıma geldiler. Heyecandan betleri benizleri atmıştı.

"Siyah limuzindi," dedi Graves. "Yavaş yavaş gittik ve köşede durduğunu gördük. Yüzünü göremedim, ama şapkası ve deri bir spor ceketi vardı."

"Hâlâ da var."

"Yanından geçerken mi gördün?" Taggert'ın sesi öyle gergindi ki fısıltı halinde çıkmıştı.

"Benim yanıma gelmeden döndü. Sonraki yan yolda kafasında bir kurşunla oturuyor."

Graves, "Aman Tanrım!" diye haykırdı. "Onu sen vurmadın, değil mi, Lew?"

"Başka biri. Silah sesinden bir dakika sonra yan yoldan krem rengi üstü açılabilen bir spor araba geldi. Galiba şoför kadındı. L.A.e doğru gidiyordu. Siz adamın parayı aldığından emin misiniz?"

"Alırken gördüm."

"Artık onda değil ama. Demek ki bu, ya bir soygundu ya da ortakları ona kazık attı. Adam soyulduysa yüz binlik ortaklarında değil. Yok, ortakları onu kazıkladıysa bizi de kazıklayacaklar. Her iki durum da Sampson için iyi değil."

"Şimdi ne yapacağız?" dedi Taggert.

Cevabı Graves verdi. "Olayı ifşa edeceğiz. Polise müsaade edeceğiz. Bir ödül tayin edeceğiz. Bu konuyu Bayan Sampson'la görüşeceğim."

"Pislik herifler!" Graves'in sesi ciddi ve acımasızdı. "Biz kendi payımıza düşeni yaptık. Onları bir elime geçirirsem..."

"Nereden bilecektir ki. Elimizdeki tek şey kiralık bir arabadaki ölü bir adam. Sen iyisi mi işe şerifle başla. Pek fazla bir şey yapamaz ama bu şık bir hareket olur. Sonra da otoban devriyesi ve FBI. Ne kadar adam toplayabiliyorsan topla."

El frenimi boşa alıp arabayı birkaç santim yürüttüm. Graves pencereden uzaklaştı. "Nereye gittiğini sanıyorsun sen?"

"Olmayacak bir işin peşine. Sampson'ın işi yaş, bunu yapsam iyi olur."

Otobandan Buenavista'ya seksen kilometre yol gittim. Otoban kasabanın ana caddesinde ikiye ayrılıyordu. Burası moteller, taverna tabelaları ve üç tiyatro cephesiyle aydınlanmıştı. Üç tiyatrodan ikisinde Meksika filmi reklamı vardı. Konserve fabrikaları kapanınca Meksikalılar geçimlerini topraktan sağlamaya başladılar. Kasabalıların geri kalanı da Meksikalılardan ve balıkçı filolarından geçimlerini sağlıyorlardı.

Kasabanın orta yerinde silah, dergi, olta takımı, fıçı bira, kırtasiye malzemeleri, beyzbol eldivenleri, doğum kontrol hapları ve sigara satan kocaman bir tekel bayiinin önünde arabayı durdurdum. İki düzine Meksikalı oğlan dana yalamış, ördek poposu modeli saçlarıyla sürü halinde dükkâna girip çıkıyorlardı; arka taraftaki langırt makinesi onları bir tarafa çekiyordu sokaktaki kızlar bir tarafa. Boyalı ve kurdeleli kızlar göğüsleriyle havayı yara yara yanlarından geçip gidiyordu. Oğlanlar ya ıslık çalıp poz yapıyor ya da ilgilenmiyormuş gibi görünmeye çalışıyorlardı.

Bir tanesini kaldırımın kenarına çağırıp Corner'ın nerede olduğunu sordum. Diğer *pachuco*lardan birine danıştı. Sonra ikisi de güney tarafını işaret etti.

"Dosdoğru gidin, sekiz kilometre falan, yolun Beyaz Plaj'a doğru indiği yerde."

Diğer oğlan kollarını heyecanla açıp kocaman kırmızı bir tabelası var," dedi. "Kaçırmanıza imkân yok. Corner."

Teşekkür ettim. Başlarını eğip gülümsediler ve sanki ben onlara iyilik yapmışım gibi kafalarını salladılar.

Otobanın sağ tarafındaki uzun, alçak bir binanın çatısında kırmızı neon lambalarıyla Corner yazıyordu. Onun ilerisindeki kavşaktaki siyah beyaz bir tabela Beyaz Plajı işaret ediyordu. Binanın yanındaki asfalttaki park yerine park ettim. Otoparkta sekiz on araba daha vardı; bir de otoban banketinde bir treyler çekicisi... Yarım perdeli pencerelerden oturan ve dans eden birkaç çifti görebiliyordum.

İçeride solda uzun ve bomboş bir bar vardı. Yemek salonu ve dans pisti sağdaydı. Birini arıyormuşum gibi girişte dikildim. Salona canlılık getirecek kadar dans eden yoktu. Müzik otomatik plak-çalardan geliyordu. Salonun arka tarafında boş bir orkestra standı vardı. Büyük savaş gecelerinden geriye bir tek aşınmış döşemeler, sıra sıra kurulmamış sallanan masalar, duvarlarda sarhoş anılarını andıran kokular, sarhoş ümitlerini andıran lime lime olmuş süslemeler kalmıştı.

İçerideki hüznün müşteriler de farkındaydı. Yüzleri kahkaha ve eğlence arıyor ama bir türlü bulamıyordu. Yüzlerden hiçbiri benim için bir şey ifade etmiyordu.

Tek bayan garson yanıma geldi. Kara gözleri, narin bir ağzı ve yirmisinde tohum verecek güzel bir vücudu vardı. Yüzünden ve vücudundan hayat hikâyesini okuyabilirdiniz. Ayakları acıyormuş gibi dikkatle yürüyordu.

"Masa ister misiniz, beyefendi?"

"Teşekkürler, barda oturacağım. Ama yine de bana yardım edebilirsin belki. Bir beyzbol maçında tanıştığım bir adamı arıyorum."

"Adı neydi?"

"Sorun da bu işte –adını bilmiyorum. Bir bahisten ona borcum var ve benimle burada buluşacağını söylemişti. Ufak tefek bir adam, otuz beş yaşlarında, deri bir spor ceketi ve deri bir şapkası vardı. Mavi gözlü, sivri burunlu." Başında da bir delik, kardeşim, başında da bir delik.

"Kimi kastettiğinizi anladım galiba. Adı Eddie bilmem ne. Arada bir içki içmeye gelir, ama bu gece gelmedi."

"Bana benimle burada buluşacağını söylemişti. Genelde kaç gibi gelir?"

"Daha geç –gece yarısı gibi. Kamyoneti var, değil mi?"

"Evet, mavi bir kamyonet."

"Bu o," dedi. "Otoparkta görmüştüm. Birkaç gün önce gelmişti, bizim telefonla epey uzak bir yerle görüşme yapmıştı. Üç gün önceydi. Patron bundan hoşlanmamıştı –üç dakikayı geçtiğinde ne kadar tutacağını

bilemezsiniz– ama Eddie ödemeli aradığını söyleyin-
ce patron da devam etmesine izin verdi. Ona ne kadar
borcunuz var ki?"

"Çok. Nereyi aradığını biliyor musunuz?"

"Hayır. Hem bu beni ilgilendirmez. Sizi ilgilendi-
rir mi?"

"Onunla irtibat kurmak istiyorum sadece. O zaman
ona parasını gönderebilirim."

"İsterseniz patrona bırakabilirsiniz."

"O nerede?"

"Chico, barın arkasında."

Masalardaki adamlardan biri bardağına hafifçe vurdu
ve kız dikkatlice yürüyüp gitti. Ben de bara gittim.

Barmenin suratı, açılan alnından sarkık çenesine
kadar aşırı uzun ve inceydi. Boş bir bara nezaret etti-
ği bir gecede daha da bir uzun görünüyordu hatta. "Ne
alırsınız?"

"Bira."

Çenesi biraz daha uzadı. "Doğu mu Batı mı?"

"Doğu."

"Müzikle birlikte otuz beş eder." Çenesi kaybedilen
toprakları geri alıyordu. "Müziği biz temin ediyoruz."

"Bir sandviç alabilir miyim?"

"Tabii ki," Hani neredeyse keyifle söylemişti bu-
nu. "Neyli?"

"Pastırmalı ve yumurtalı."

"Tamamdır." Açık kapıdan bayan garsona bir işa-
ret çaktı.

"Eddie diye birini arıyorum," dedim. "Geçen gece
uzak mesafe telefon görüşmesi yapanı."

"Las Vegas'taki sen misin?"

"Yeni geldim."

"L.V.de işler nasıl?"

"Çok yavaş."

"Çok kötü," dedi mutlu mutlu. "Onu neden arıyorsun?"

"Ona biraz borcum var. Buralarda mı oturuyor?"

"Evet, galiba. Ama nerede bilmiyorum. Bir iki kere yanında sarışın bir piliçle geldi. Büyük ihtimalle karısı. Bildiğim kadarıyla bu gece de gelebilir. Bu civarlarda ol."

"Teşekkürler, olurum."

Biramı pencere yanındaki bir masaya götürdüm; buradan otoparkı ve ana girişi görebiliyordum. Garson kız biraz sonra sandviçimi getirdi. Parayı ödeyip bahşişini verdikten sonra bile gitmedi.

"Parayı patrona bırakacak mısın?"

"Düşünüyorum. Eline geçeceğinden emin olmak istiyorum."

"Dürüstlükten ölüyorsun herhalde, ha?"

"Sen parasını ödemeyen bahisçilere ne olur bilir misin?"

"Senin bahisçi olduğun aklımdan geçmedi değil." Aniden bana doğru eğildi. "Dinleyin, beyefendi. Benim bir kız arkadaşım var. Antrenör bir çocukla çıkıyor. Çocuğun demesine bakılırsa Jinx üçüncü grupta çantada keklikmiş. Birinciye mi oynardınız ilk üçe mi?"

"Paranı sakla," dedim. "Onları yenemezsin."

"Bahşiş parasıyla oynayacağım sadece. Şu çocuk, arkadaşımın erkek arkadaşı, Jinx'in çantada keklik olduğunu söylüyor."

"Sakla."

Dudaklarını şüpheyle büzüştürdü. "Amma da tuhaf bahisçiymişsin."

"Pekâlâ." Ona iki tane teklik uzattım. "Paly Jinx'e ilk üçe oyna."

Şaşkınlıktan kaşlarını çatıp bana baktı. "Vay be, teşekkürler, bayım. Ama ben para istemiyordum ki."

"Kendi paranı kaybetmenden daha iyidir," dedim.

Neredeyse on iki saattir bir şey yememiştim. Sandviçin tadı da güzeldi hani. Ben yerken birkaç araba geldi. Bir grup genç delikanlı güle oynaya içeri girdi de bar tarafı hareketlendi. Derken siyah bir sedan otoparka girdi. Ön camın kenarındaki polis ışıldağıyla dikkat çeken siyah bir Ford'du.

Arabadan inen adamın üzerindeki sade kıyafetlerin ne olduğu bir beyzbol hakeminin forması kadar aşikârdı. Girişteki ışığın etki alanına girdiğinde yüzünü gördüm. Santa Teresa'daki şerif yardımcısıydı. Çabucak kalkıp barın sonundaki, erkekler tuvaletine açılan kapıya doğru gittim ve kapıyı arkamdan kilitledim. Oturup ihtiyatsızlığıma yanmak için klozetin kapağını indirdim. Kibrit kutusunu Eddie bilmem nenin cebinde bırakmamam gerekirdi.

Sekiz on dakika beyaz badanalı duvarlardaki yazıları okudum: **"JOHN RAGS LATINO, 120 ENGELLİ YARIŞ BİRİNCİSİ, DEARBORN LİSESİ, DEARBORN, MICH., 1946."** "FRANKLIN P. SCHNEIDER, OSAGE COUNTY, OKLAHOMA, SAĞIR VE DİLSİZ, TEŞEKKÜR EDERİM." Geri kalanları kalemle çizilmiş ilkel çizimlerin arasına serpiştirilmiş klasik tuvalet yazılarıydı.

Tavandaki çıplak ampul gözümü alıyordu. Beynim durdu ve otururken uyuyakaldım. Oda dünyanın derinliklerine doğru inen beyaz badanalı bir koridordu. Şehrin altından geçen yer altı pislik nehrine doğru ilerledim. Geri dönüş yoktu. Dışkı nehrinin içinde yürümek zorundaydım. Neyse ki cambaz ayaklıklarım yanımdaydı. Beni jelatine sarılmış halde, kirlenmeden karşıya geçirdiler. Cambaz ayaklıklarımı fırlatıp attım –aynı zamanda koltuk değneğiydiler– ve ölümün dişleri gibi parlayan krom kaplama yürüyen merdiveni tırmandım. Merdiven beni rahatlık ve güven içinde tüm kötülük bölgelerinden uzaklaştırıp güllerle kaplı bir kapıya getirdi. Kapıyı ekose elbiseli bir hizmetçi *Evim Güzel Evim* diye şakıyarak açtı.

Taş döşeli bir alana girdim. Kapı arkamdan gürültüyle kapandı. Burası şehrin ana meydanıydı ama benden başka kimse yoktu. Saat epey geçti. Görünürde bir tramvay bile yoktu. Tek bir sarı ışık üzerinde yürüne yürüne kayganlaşan kaldırımın üzerine düşüyordu. Hareket ettiğimde bir tek benim adımlarım yankılanıyordu ve dört bir yanımdaki kamburlaşmış köhne evler fırtına öncesi bir orman nasıl homurdanırsa öyle homurdanıyorlardı. Kapı tekrar gürültüyle kapandı ve ben gözlerimi açtım.

Metalik bir şeyle kapıya vuruluyordu.

"Kapıyı aç," dedi şerif yardımcısı. "Ordasın, biliyorum."

Sürgüyü kaldırdım ve kapıyı ardına kadar açtım. "Aceleniz mi var, memur bey?"

"Sensin demek. Sen olabileceğin aklıma gelmişti." Kara gözleri ve dolgun dudakları zevkten büyümüştü. Elinde bir silah vardı.

"Ben sen olduğundan adım gibi emindim," dedim. "Mekândaki herkese söylemeyi gerekli görmedim."

"Belki de çeneni tutmanın bir nedeni vardır, ha? Belki de ben geldiğimde buraya saklanmanın da bir nedeni vardır. Şerif bunun içeriden birinin işi olduğunu düşünüyor. Senin burada ne yaptığını da bilmek isteyecektir."

Barmen omzunun oradan, "Bu o," dedi. "Eddie'nin onu Las Vegas'ta aradığını söyledi."

Şerif yardımcısı, "Buna ne diyeceksin bakalım?" diye sordu. Silahını suratıma doğru sallıyordu.

"İçeri gir ve kapıyı kapat."

"Öyle mi? Ellerini başını üzerine koy o zaman."

"Sanmıyorum."

"Ellerini başının üzerine koy." Silah, güneş sinir ağımı dürttü. "Silahın var mı?" Diğer eliyle beni yoklamaya başladı.

Geri geri gidip ondan uzaklaştım. "Silahım var. Onu benden alamazsın."

Bana doğru yürüdü. Kapı arkasından kapandı. "Ne yaptığının farkındasın, değil mi? Görev başındaki bir memura karşı geliyorsun. Seni tutuklamak çok hoşuma giderdi."

"Muayyen günündesin galiba."

"Esprilerini kendine sakla, lavuk. Tek bilmek istediğim burada ne yaptığın."

"Eğleniyordum."

Çizgi romanlardaki aynasızlar gibi, "Konuşmayacaksın yani?" dedi. Boşta kalan elini bana tokat atmak için kaldırmıştı ki, "Orada dur bakalım," dedim. "Bana elini süreyim deme."

"Nedenmiş o?"

"Çünkü şimdiye dek hiç polis öldürmedim. Sicilimde bir kara leke olur."

Bakışlarımız birbirine kilitlendi. Yukarı kalkan eli havada kasılıp kalmıştı, derken yavaş yavaş indi.

"Şimdi de silahını kaldır," dedim. Tehdit edilmekten hoşlanmam."

"Neden hoşlanıp hoşlanmadığını soran olmadı," dedi, ama öfkesi dinmişti. Esmer yüzü birbiriyle zıtlaşan duygular arasında sıkışıp kalmıştı: Öfke ve güvensizlik; şüphe ve şaşkınlık.

"Ben de buraya sizinle aynı sebepten dolayı geldim —memur bey." Son sözcük dilimin ucuna zar zor gelmişti ama dışarı çıkarmayı başarmıştım. "Eddie'nin cebindeki kibrit kutusunu buldum..."

"Adını nerden biliyorsun?" diye atıldı.

"Bayan garson söyledi."

"Öyle mi? Barmen seni Las Vegas'ta telefonla aradığını söyledi."

"Barmenin ağzını arıyordum. Anladın mı? Yemdi. Kurnazlık yapmaya çalışıyordum."

"Pekâlâ, ne buldun?"

"Ölen adamın adı Eddie. Bir kamyoneti var. Buraya ara sıra bir şeyler içmeye geliyormuş. Üç gün önce buradan Las Vegas'ı aramış. Üç gün önce Sampson da Las Vegas'taydı."

"Dalga mı geçiyorsun?"

"Elimden gelse de seninle dalga geçmem, memur bey."

"Tanrım," dedi. "Her şey yerli yerine oturuyor, değil mi?"

"Hiç aklıma gelmemişti," dedim. "Gösterdiğin için teşekkürler."

Bana tuhaf tuhaf baktı ama silahını ortadan kaldırmıştı.

# 20

Otobanda birkaç yüz metre gitmiştim ki geri dönüp Corner'ın karşısındaki kavşağa makaslama park ettim. Şerif yardımcısının arabası hâlâ otoparktaydı.

Sis kalkıyordu; suya dökülen süt gibi gökyüzüne karışıyor, denize doğru uçup gidiyordu. Genişleyen ufuk bir tek Ralph Sampson'ın oradan çok uzaklarda bir yerde –herhangi bir yerde– olabileceğini getiriyordu aklıma. Bir dağ kulübesinde açlıktan ölüyor, denizin dibinde boğuluyor ya da Eddie gibi kafasında bir delikle yatıyor olabilirdi. Lokantanın her iki yanından da arabalar geçiyordu, ya evlerine ya da daha parlak ışıkların olduğu bir yerlere gidiyorlardı. Dikiz aynasındaki yüzüm hayaletlerinki gibi bembeyazdı, sanki Eddie'den bir parça ölüm kapmıştım ben de. Gözlerimin altında halkalar oluşmuştu. Tıraşa da ihtiyacım vardı.

Güney tarafından gelen bir kamyonet usulca yanımdan geçip gitti. Corner'ın otoparkına doğru gidiyordu. Kamyonet maviydi ve kapalı bir kasası vardı. Şoför tarafından bir adam inip ayaklarını sürüye sürüye asfaltı geçti. Bu uyuşuk yürüyüşü tanıyordum, girişten gelen ışıkla yüzünü de tanıdım. Vahşi bir heykeltıraş onu bir taştan yontup başka bir taşla parçalamıştı.

Polis arabasını görünce sendeleyerek durdu. Durup döndü ve gerisin geri mavi kamyonetine koştu. Kamyonet vitesi gıcırdayarak geri geri gitti ve Beyaz Plaj'a doğru döndü. Stop lambası kırmızı bir parıltıya dönüşünce peşine düştüm. Yol asfalttan çakıl taşına en nihayetinde de kuma dönüştü. Üç kilometre boyunca onun tozunu yuttum.

Yol iki dik kayalık arasındaki bir kumsala ulaştığı yerde başka bir yolla kesişiyordu. Kamyonetin ışıkları sola dönüp yokuşu çıktı. Bayırı aşıp gözden kaybolduklarında peşlerine düştüm. Yol, tepenin eteğini kesen tek geçitti. Zirveden, aşağıda, sağımdaki okyanusu görebiliyordum. Denize doğru sürüklenen bulutların arasında gezinen bir ay vardı. Karanlık suya vuran ışığı mat kurşun varak parıltısı yaratıyordu.

Tepe ileride yassılaştı, yol düzleşti. Farlarımı kapatıp yavaş yavaş sürmeye devam ettim. Ne oluyor dememe kalmadan bir de baktım ki kamyonetle yan yanayız. Farları sönük halde yolun kırk beş metre dışında bir patikada duruyordu. Ben sürmeye devam ettim.

Yol dört yüz metre sonra tepenin dibinde aniden bitiverdi. Sağ tarafta bir patika kıvrıla kıvrıla okyanusa doğru gidiyordu ama girişi ahşap bir kapıyla kapatılmıştı. Çıkmaza sapıp tepeyi yürüyerek tırmandım.

Göğe doğru düzensiz bir şekilde sıralanmış okaliptüs ağaçları kamyonetin durduğu patikayı çevrelemişlerdi. Yoldan çıktım. Kamyonetle aramda ağaçlar vardı. Yer engebeliydi ve öbek öbek kalın çimlerle kaplıydı. Birkaç defa tökezledim. Derken önüm açıldı, kayalığın neredeyse ucuna kadar yürüdüm. Ta aşağıda beyaz köpüklü dalgalar kıyıya çarpıyordu. Deniz dalabilecek kadar yakın ama metal kadar sert görünüyordu.

Aşağıda sağda ışıklı bir alan vardı. Tırmanıp, düşmemek için çimlere tutuna tutuna, tepenin kenarından aşağı kaydım. Işığın etrafında ufak bir bina şekillendi: kayalığın kasıklarına tutunmuş beyaz bir kulübe.

Perdesiz pencere tek odayı gözlerimin önüne seriyordu. Kılıfındaki tabancamı aranıp emekleyerek pencereye yaklaştım. Odada iki kişi vardı. Hiçbiri de Sampson değildi.

Puddler bozuk profili bana dönük halde, elinde bir şişe bira, fıçıdan bozma bir sandalyede oturuyordu. Yüzü, toplanmamış stüdyo tipi yataktaki bir kadına dönüktü. Sıvanmamış tavandaki bir çatı kirişinden sarkan gaz lambasından kadının gölgeli sarı saçlarına ve yüzüne sert beyaz bir ışık vuruyordu. Geniş, öfkeli burun delikleri ve kavrulmuş bir ağzı olan beyaz, sıkıntılı bir yüzdü bu. Bir tek soğuk, kahverengi gözlerinde hayat vardı; yuvalarının buruş buruş derisinden dışarı fırlamış etrafı kolluyorlardı. Başımı yana, görüş alanlarının dışına, eğdim.

Oda büyük değil ama bomboştu. Çam kerestesinden döşemelerin üzerinde halı yoktu ve kirden parlıyorlardı. Işığın altında kirli tabaklarla dolu ahşap bir masa duruyordu. Onun ilerisinde, ilerideki duvarın önünde, çift ocaklı bir gaz sobası, ahı gitmiş vahı kalmış bir buzdolabı, damlayan su için altında teneke bir kova olan paslı bir lavabo vardı.

Oda öyle sessiz, ahşap duvarlar öyle inceydi ki lambanın düzenli iç çekişlerini duyabiliyordum. Ve Puddler'ın sesini:

"Bütün gece burada bekleyemem, değil mi? Benden bütün gece burada beklememi isteyemezsin. İşimin başına dönmeliyim. Hem Corner'ın oradaki polis arabasından da hoşlanmadım."

"Daha önce de söylemiştin. O arabanın bir anlamı yok."

"Yine söylüyorum. Çoktan Piyano'da olmam gerekirdi, sen de biliyorsun. Eddie ortaya çıkmayınca Bay Troy deliye döndü."

"İnme insin inşallah." Kadının sesi de yüzü gibi tiz ve inceydi. "Eğer Eddie'nin çalışma şeklinden hoşlanmıyorsa keyfi bilir."

"Böyle konuşabilecek durumda değilsin." Puddler odanın bir o yanına bir bu yanına baktı. "Eddie kodesten çıktıktan sonra aylak aylak dolaşıp iş ararken böyle konuşmuyordun ama. Kodesten çıkıp aylak aylak iş ararken ve Bay Troy ona iş verdiğinde…"

"Tanrı aşkına yeter! Söylediklerini tekrar edip durmasan olmaz mı, mankafa?"

Adamın yaralı yüzü ezik bir şaşkınlık ifadesiyle buruştu. Kafasını içeri çekince kalın boynu kaplumbağanınki gibi büzüştü. "Böyle de konuşulmaz ama Marcie."

"Yok Eddie'ydi, yok kodesti, konuşup durma sen de." Sesi, ince bıçak ağzı gibi kesiyordu. "Sen kaç hapishane gördün, mankafa?"

Cevaben işkence çekiyormuş gibi bir böğürtü koyuverdi. "Düş yakamdan."

"İyi o zaman, sen de Eddie'nin yakasından düş."

"Eddie ne cehennemde bu arada?"

"Niçin ve nerede bilmiyorum ama bir nedeninin olduğunu biliyorum."

"Bay Troy'a söyleyebileceği kadar iyi bir nedendir inşallah."

"Bay Troy, Bay Troy. Adam seni hipnotize etmiş. Eddie Bay Troy'la konuşmayabilir de."

Adam minik gözlerini kadının üzerine dikip yüzünden ne demek istediğini anlamaya çalıştı sonra vazgeçti. Bir anlık bir duraksamadan sonra, "Bak, Marcie," dedi, "kamyoneti sen kullanabilirsin."

"Ne diyorsun sen be! O dalavereye karışmak istemiyorum."

"Bana uyar. Eddie'ye de. Seni sokaklardan topladığından beri gösteriş budalası olup çıktın..."

"Kapa çeneni yoksa fena olacak!" dedi. "Senin derdin ne biliyor musun? Ödleğin tekisin. Bir devriye arabası görünce korkudan altına işiyorsun. Diğer bütün pezevenkler gibi de bir kadından senin pisliğini temizlemesini istiyorsun."

Adam aniden ayağa fırlayıp şişeyi savurdu. "Düş yakamdan. Benim kimseden bir şey istediğim yok. Erkek olacaktın ki ağzını burnunu dağıtacaktım senin." Köpük köpük bira döşemeye oradan da kadının dizlerine sıçradı.

Kadın gayet sakince karşılık verdi: "Eddie'nin yanında bu lafı edemezdin. Seni kıtır kıtır keserdi."

"O küçük maymun mu!"

"Evet, o küçük maymun! Otur aşağı, Puddler. Senin yaman bir dövüşçü olduğunu herkes biliyor. Sana bir bira daha getireyim."

Ayağa kalkıp odanın diğer tarafına doğru yürüdü, adımlarını aç bir kedi gibi canlı ve öfkeli atıyordu. Lavabonun yanındaki çividen bir havlu alıp bira bulaşan bornozuna bastırdı.

Puddler umutla, "Kamyoneti kullanacak mısın?" diye sordu.

"Senin gibi benim de her şeyi iki kere mi söylemem gerek? Kamyoneti kullanmayacağım. Korkuyorsan bırak da onlardan biri kullansın."

"Olmaz, bunu yapamam. Onlar yolu bilmiyor. Enselenirler."

"O halde zamanını boşa harcıyorsun, değil mi?"

"Evet, öyle herhalde." Kararsızca ona doğru yürüdü; koca gölgesi döşemeye ve duvara düşüyordu. "Gitmeden biraz şeye ne dersin? Küçük bir partiye? Eddie herhalde birileriyle uykudadır şimdi. Ne lazımsa bende bolca var."

Kadın masadan bir ekmek bıçağı kaptı; şu ağzı tırtıklı olanlardan. "Kendine sakla Puddler, yoksa seni bununla okşarım."

"Hadi ama Marcie. Becerebiliriz." Aralarındaki mesafeyi muhafaza edip kımıldamadan dikiliyordu.

Kadın yükselen heyecanını kontrol etmek için yutkundu, ama sesi çığlık gibi çıktı. "Defol git!" adamın boğazını hedef alan bıçak göz kamaştırıcı ışığa doğru kalktı.

"Pekâlâ, Marcie. Kızmana gerek yok." Adam omuzlarını silkti ve reddedilen her âşık gibi yüzünde incinmiş ve çaresiz bir ifadeyle dönüp gitti.

Pencereden ayrılıp tepeyi tırmanmaya koyuldum. Ben zirveye varamadan bir kapının açılmasıyla tepenin yamacına dikdörtgen şeklinde bir ışık düştü. Emekler vaziyette donup kaldım. Kafamın kuru otların üzerindeki gölgesini görebiliyordum.

Derken kapı beni karanlıkta bırakarak kapandı. Evin yanındaki gölgeler havuzundan Puddler'ın gölgesi çıktı. Ayaklarını sürüye sürüye dik patikayı tırmandı ve okaliptüs ağaçlarının arkasında gözden kayboldu.

Onunla sarışın kadın, Marcie arasında bir seçim yapmam gerekiyordu. Puddler'ı seçtim. Marcie bekleyebilirdi. Eddie bilmem ne gelecek diye bekleyip duracaktı nasıl olsa.

# 21

Mavi kamyonet Buenavista'nın birkaç kilometre kuzeyinde otobandan çıkıp sağa döndü. Arayı epey bir açsın diye durdum. Kavşaktaki levhada 'Bekleme Yolu' yazıyordu. Tabeladan sonra dönmeden sis farlarımı yaktım. Sis denize doğru inmişti ama Puddler'ın yol boyunca arkasında aynı farları görmesini istemiyordum.

Yol yaklaşık yüz yirmi kilometreydi, dağların arasında geçen iki saatlik çileli yolculuk... Sekiz kilometre boyunca aralıksız gittiğim kulaklarımı acıtacak kadar yüksek olan bayır gündüz vakti gittiğim yollar kadar kötüydü; her bir dönemecin altında bekleyen karanlık sonsuzlukla birlikte kara bir uçurumun kenarı boyunca uzanan iki tekerlek izi... Kamyonet güven içinde rayların üzerinde gider gibi gaza basmış gidiyordu. Uzaklaşmasına izin verdim, farlarımı tekrar yaktım ve farklı bir arabayı kullanan başka bir adam izlenimi vermeye çalıştım.

Miranda Vadisi'ne giden yeni bir güzergâha geldik. Öğleden sonra buradan geçmiştim. Dümdüz vadi yolunda farlarımı tamamen kapattım ve yoluma ay ışığı ve hafızamın yardımıyla devam ettim. Kamyonetin nereye gittiğini bildiğimi sanıyordum. Emin olmam gerekirdi.

Vadinin diğer tarafındaki kamyonet Bulutlardaki
Tapınağa giden dolambaçlı asfalttan dağlara doğru tır-
manıyordu. Onu takip edebilmek için tekrar farlarımı
kullanmam gerekti. Claude'un posta kutusunun yanına
vardığımda yanındaki ahşap kapı kapanmıştı. Bir ateş
böceği gibi yavaş yavaş dağa tırmanan kamyonet ben-
den epey uzaktaydı. Daha da yukarıda, tırtıklı siyah uf-
kun yukarısındaki berrak gökyüzüne yıldızlar serpişti-
rilmişti. Bulutların örtmediği ay yuvarlak beyaz bir de-
lik gibi yıldızların arasında kımıldamadan duruyordu.

Beklemekten sıkılmıştım, karanlık yollarda birilerini
takip etmekten ve yüzlerini hiçbir zaman görememek-
ten. Bildiğim kadarıyla bir tek ikisi vardı: Puddler ve
Claude. Silahım vardı –bir de onları şaşırtma avantajım.

Kapıyı açıp arabamı sürdüm, rüzgârlı patikadan te-
penin kenarına ve oradan da aşağıdaki tapınağa. Tapına-
ğın beyaz kütlesinin yukarısında iç aydınlatmadan gelen
zayıf bir parıltı vardı. Kamyonet arka kapıları ardına ka-
dar açık vaziyette açık olan tel kapının öte tarafında du-
ruyordu. Kapının oraya park edip arabadan indim.

Kamyonette büzülmüş gölgelerden, her iki taraftan
da çuval beziyle takviye edilmiş tahta bir sıra ve giy-
sileri içinde terleyip kuruyan erkek kokusundan başka
bir şey yoktu.

Derken tapınağın sağlam kapısı gıcırdayarak açıl-
dı. Claude ay ışığındaki Romalı bir senatör karikatürü
gibi dışarı çıktı. Sandaletleri çakıl taşlarının üzerinde
katır kutur sesler çıkartıyordu. "Kim var orada?" dedi.

"Archer. Beni hatırladın mı?"

Kamyonetin arkasından çıkıp beni görmesini sağ-
ladım. Elinde elektrikli bir fener vardı. Benim elimde-
ki tabancayı aydınlatıyordu.

"Burada ne işin var?" Sakalı titredi ama sesi titremiyordu.

"Hâlâ Sampson'ı arıyorum," dedim.

Ben yaklaşınca o kapıya doğru geriledi. "Burada olmadığını biliyorsun. Dine bir kez saygısızlık etmeniz yetmedi mi?"

"Laf kalabalığı yapma, Claude. Şimdiye dek kimseyi kandırmana yaradı mı?"

"İlle de gerekliyse içeri gelin o halde," dedi. "Görüyorum ki gerekli de."

Kapıyı benim için tutup arkamdan kapattı. Puddler avlunun ortasında dikiliyordu.

Claude'a "Puddler'ın yanına geç," dedim.

Puddler ayaklarını sürüyerek bana doğru koştu. Ayaklarına bir el ateş ettim. Mermi önündeki taşın üzerinde beyaz bir yara izi açıp vınlayarak avlunun diğer tarafındaki kerpiçten duvara doğru sekti.

Claude isteksizce tabancamı düşürmeye çalıştı. Dirseğimi midesine indiriverdim. İki büklüm vaziyette taşlığa yığıldı.

Puddler'a, "Buraya gel," dedim. "Seninle konuşmak istiyorum."

Olduğu yerde kaldı. Claude gövdesini kucaklayarak ayağa kalktı. Bağıra çağıra, anlayamadığım, İspanyolca bir şeyler söylüyordu. Bir kapı, avlunun diğer tarafındaki bir kapı sanki İspanyolca biliyormuş gibi açıldı. Bir düzine adam dışarı çıktı. Ufak tefek ve bronz tenliydiler ve süratle bana doğru geliyorlardı. Dişleri ay ışığında parıldıyordu. Sessiz sessiz geliyorlardı ve ben onlardan korkuyordum. Bu veya başka bir nedenle tabancamı çektim. Bronz adamlar tabancaya baktılar ama gelmeye devam ettiler.

Tabancanın kabzasını çevirip bekledim. İlk ikisinin kafası kanlar içinde kaldı. Derken sürü halinde üzerime saldırdılar. Kollarıma asıldılar, aşağıdan bacaklarımı tekmelediler ve bir tekmeyle aklımı başımdan aldılar. Aklım dünyanın karanlık dağ yamacına doğru gözden kaybolan bir stop lambası gibi kayıp gitti.

Dövüşmeye başladım. Kollarım kımıldamıyor, soyulmuş ağzım betonu öpüyordu. Bir süre sonra kendi kendime kavga ettiğimi anladım. Kollarım arkadan bağlanmış, bacaklarım bükülüp bileklerime bağlanmıştı. Tek yapabildiğim bir parça sallanmak ve başımın kenarını betona vurmaktı. Bu tutumdan vazgeçmeye karar verdim.

Bağırmaya çalıştım. Kafatasım davul derisi gibi titreşti. Gümbürtüden kendi sesimi duyamıyordum. Bağırmayı kestim. Gümbürtü gittikçe yükselip nihayet sessiz bir çığlığa dönüşene dek kafamın içinde yankılanmaya devam etti. Sonra gerçek acı başladı, kazık çakan liman işçileri gibi şakaklarımı dövüyordu. Her türlü kesintiye razıydım, Claude'a bile.

"Tanrının gazabı ağırdır," dedi yukarıdan ve arkamdan. "Tapınağına saygısızlık edip de hiçbir ceza almadan kurtulamayabilirsiniz."

"Gevezeliği bırak," dedim betona doğru. "Sen de bir değil iki adam kaçırma cezası alacaksın."

"Haksız yere verilen cezalar, Bay Archer." Dilini damağına dayayıp gıdaklamaya benzer bir ses çıkarttı. Boynumu uzatınca başımın yanındaki boğum boğum sandaletli ayaklarını gördüm.

Kelime dağarcığını giysi gibi kuşanıp, "Siz meseleyi yanlış anladınız," dedi. "Silah zoruyla sığınağımıza girdiniz, bana karşı şiddet kullandınız, arkadaşlarıma ve müritlerime saldırdınız…"

Neşesiz bir kahkaha atmaya çalıştım, başardım da. "Puddler da müritlerinden biri mi? Çok ruhanî biri!"

"Beni dinleyin, Bay Archer. Kusursuz bir gerekçeyle sizi nefsi müdafaa için öldürebilirdik. Size hayatınızı hediye ettik."

"Bacaya çıkıp ortadan kaybolsana."

"Bu şeyin ciddiyetini anlayamıyorsunuz…"

"Senin pis kokulu ihtiyar bir dolandırıcı olduğunu anladım." Daha kurnazca hakaretler düşünmeye çalıştım ama beynim doğru düzgün işlemiyordu.

Topuğuyla yan tarafıma, tam böbreğin yukarısına vurdu. Ağzım açıldı, dişlerim betonun üzerinde gıcırdadı. Sesim çıkmadı.

"Bunu bir düşünün," dedi.

Işık çekildi ve bir kapı çarptı. Başımdaki ve vücudumdaki acı, bir yıldız gibi titreşiyordu. Küçük ve uzak derken büyük ve yakın… Sonra küçülüp pır pır eden bir noktaya, hareketli bir matkap ucuna dönüşüyorlardı.

Zihnim bilinç eşiğinde eşiğin ötesindeki görüntülerle kaynaşmıştı: Herhangi bir sokakta gördüğümden daha çirkin yüzler, herhangi bir şehirde gördüğümden daha kötü sokaklar. Şehrin kalbindeki boş bir alana geliyorum. Ölüm fısıldaşan pencerelerin ardında pusuya yatmış, hastalığını boyaların altına gizlemiş ihtiyar bir o...pu gibi. Yukarıdan bir yüz her saniye değişerek bana bakıyor: Miranda'nın genç, bronz yüzünü kahverengi saçlar çevreliyor, Claude'un ağzı Fay'in gülümsemesine dönüşmek için açılıyor, Fay muhteşem kara gözleri dışında büzülüp Filipino'nun kafası oluyor, o da akıp giden zamana yenik düşüp Troy'un gümüşî kafasına dönüşüyor. Eddie'nin parlak ölü bakışları tekrar tekrar geliyor, bir de Meksikalı yüzler kendi kendilerini tekrar edip duruyor, donuk kara gözleri, öfke ve korkudan kaynaklanan bir gülümsemeyle aşağı doğru kıvrılmış parlak dişleriyle birbirlerine benziyorlar. Ellerim arkamdan sıkıca bağlanmış, topuklarım kıçıma batarken eşiğin üzerinden kayıp kötü bir uykuya dalıyorum.

Göz kapaklarıma vuran ışık beni tekrardan kapalı kırmızı dünyaya döndürdü. Duyduğum ses Troy'un tatlı mırıltısıydı.

"Ciddi bir hata yaptın, Claude. Bu arkadaşı tanıyorum. Bana neden daha önceki ziyaretinden bahsetmedin?"

"Önemli olduğunu düşünmemiştim. Sampson'ı arıyordu, o kadar. Sampson'ın kızı da onunlaydı." Claude ilk kez doğal konuşuyordu. Gümrahlığı ve kalınlığı giden sesi pesleşmişti. Korkmuş bir kadın gibi sesler çıkartıyordu.

"Önemli olduğunu düşünmedin demek, ha? Sana senin için ne kadar önemli olduğunu söyleyeyim. Bu senin artık işe yaramadığın anlamına geliyor. Kara derili fahişeni de alıp defol buradan."

"Burası benim! Sampson burada yaşayabileceğimi söyledi. Bana defolup gitmemi buyuramazsın."

"Buyurdum bile, Claude. İşin sana düşen kısmını yüzüne gözüne bulaştırdın. Bu da senin işin bitti demek oluyor. Büyük ihtimalle bütün iş bitti. Tapınağı boşaltıyoruz, gidip bizi gammazlayasın diye de seni burada bırakacak değiliz."

"İyi ama ben nereye giderim? Ne yaparım?"

"Vitrinli bir kilise daha aç. Gower Gulch'a dön. Senin ne yapacağından bana ne."

Claude duraksayarak, "Bu Fay'in hoşuna gitmeyecek," dedi.

"Ona danışmaya niyetim yok. Daha fazla tartışmayacağız, yoksa seni Puddler'a havale ederim onunla tartışırsın. Bunu yapmak istemiyorum çünkü sana vereceğim bir görev daha var."

"Nedir?" Claude sesinin istekli çıkmasına uğraşıyordu.

"Hâlihazırdaki kamyon yükünün dağıtımını tamamlayabilirsin. Gerçi bunu bile becerebileceğini sanmıyorum ama bu riski almak zorundayım. Her halükârda riskin büyük bölümü sana ait. Çiftlikteki ustabaşı, adamlara geçiş belgesi vermek için seninle güneydoğu girişinde buluşacak. Güneydoğu girişi nerede biliyor musun?"

"Evet. Tam otoban çıkışında."

"Çok iyi. Yükü boşalttıktan sonra kamyoneti tekrar Bakersfield'a getirip kaybedin. Satmaya kalkışmayın. Bir otoparkta bırakıp ortadan kaybolun. Bunu yapacağına itimat edebilir miyim?"

"Evet, Bay Troy. Yalnız benim hiç param yok."

"Al sana bir yüzlük."

"Sadece bir yüzlük mü?"

"Onu aldığına şükret, Claude. Artık işe koyulabilirsin. Puddler'a yemeğini bitirdiğinde onu görmek istediğimi söyle."

"Bana eziyet ettirmeyeceksiniz ya?"

"Saçmalama. O iğrenç kafandaki tek bir saç teline dokunmasına izin vermem."

Claude sandaletlerini sürüye sürüye gitti. Işık bu defa açık kaldı. Bir şey bileklerime bağlı ipleri çekti. Ellerim ve kollarım uyuşmuştu ama omzumdaki gerilimi hissedebiliyordum.

"Yapma!" Çenemin hareketiyle dişlerim takırdadı. Durdurmak için dişlerimi sıkmak zorunda kaldım.

Troy, "Az sonra hiçbir şeyin kalmayacak," dedi. "Seni pazarda satılacak hindi gibi bağlamışlar, ha?"

İpe sürtünen bıçağın hışırtısını duydum. Kollarım ve bacaklarım tahta parçası gibi beton zemine düştüler. Ensemde bir ürperti duydum, titredim.

"Ayağa kalk, babalık."

"Burası iyi." Duyu kol ve bacaklarımdaki sinirlere ağır ağır yanan bir ateş gibi geri dönmüştü.

"Surat asmamalısınız, Bay Archer. Sizi bir defasında arkadaşlarım hakkında uyarmıştım. Size bu kadar gaddarca davranmış olsalar da kabul etmelisiniz ki kendiniz arandınız. Ayrıca şunu da belirtmeliyim ki sigortacılık yapma yönteminiz pek bir acayip. Dağın tepesinde, sabahın köründe, elinizde bir tabancayla. Ortalama yaşam süresi sizinkinden ziyadesiyle uzun adamların arasında."

Döşemenin üzerindeki kollarımı oynatıp ayaklarımı birleştirdim. Kan ayaklarıma doğru yürümeye başlamıştı; tıpkı kalın, elektrikli tel gibi. Troy iki çevik topuk hareketiyle geriledi.

"Elimdeki tabanca başınızın arkasına nişan almış durumda, Bay Archer. Ama yine de gerçekten gücünüz yetecekse yavaş yavaş ayağa kalkabilirsiniz."

Kollarımı ve bacaklarımı altımda toplayıp vücudumu yerden kaldırmaya çalıştım. Oda dönüp yalpalayarak durdu. Burası tapınak avlusunun sağındaki boş hücrelerden biriydi. Duvarın önündeki tezgâhın üzerinde elektrikli bir fener duruyordu. Troy aynı nikel kaplama tabancayla, iki dirhem bir çekirdek, onun yanında duruyordu.

"Geçen gece suçunuz kanıtlanamadığı için sizi suçsuz saymıştım," dedi. "Beni epey hayal kırıklığına uğrattınız."

"Ben işimi yapıyorum."

"Benimkiyle çatışıyor gibi." Cümleye nokta koyar gibi tabancayı oynattı. "Senin işin tam olarak nedir, babalık?"

"Sampson'ı arıyorum."

"Sampson kayıp mı?"

Duygularını belli etmeyen yüzüne baktım; ne bildiğini tahmin etmeye çalışıyordum.

"Cevap alma amacı gütmeyen sorular beni sıkar, Troy. Mesele şu ki hata üstüne bir hata daha yapmak sana bir şey kazandırmaz. Beni bırakmak senin yararına olur."

"Bana anlaşmamı teklif ediyorsun sevgili dostum? Pazarlık yapacak durumda değilsin, öyle değil mi?"

"Yalnız çalışmıyorum," dedim. "Polisler bu akşam Piyano'dalar. Fay'i izliyorlar. Miranda Sampson bugün onları buraya getirecek. Bana ne yaparsan yap işin bitti. Beni vur ki sen de bitesin."

"Belki de kendinizi fazla önemsiyorsunuzdur." İtinayla gülümsedi. "Bu geceki hâsılattan bir yüzde almayı düşünmez miydiniz? "

"Düşünmez miyim?" Elindeki silahtan kurtulmanın bir yolunu arıyordum. Zihnim bir parça bulanıktı. Ayakta kalmak için epey çaba sarf ediyordum.

"Benim durumumu bir düşünsenize," dedi. "Bir özel dedektif bozuntusu bir değil iki kez seri bir şekilde benim işimi baltalıyor. Eyvallah diyorum. Hoşuma gitmiyor ama diyorum. Seni öldürmek yerine –ki istediğim bu– bu geceki hâsılatın üçte birini teklif ediyorum. Yedi yüz dolar, Bay Archer."

"Bu geceki hâsılatın üçte biri otuz üç bin eder."

"Ne?" Şaşırmıştı ve bu yüzünden okunuyordu.

"Hecelememi ister misiniz?"

Sükûnetini anında geri kazandı. "Otuz üç bin papelden bahsediyorsunuz. Bu muazzam bir tahmin."

"Yüz binin üçte biri otuz üç bin üç yüz otuz üç dolar ve otuz üç sent eder."

"Ne tür bir şantaj yapmaya çalışıyorsun sen?" Sesi endişeli ve de sertti. Tabancanın üzerinde toplanan bu gerilimden hoşlanmamıştım.

"Boş ver," dedim. "Senin parana dokunmayacağım."

"Ama anlamıyorum," diye üsteledi. "Hem bilmece gibi konuşmasan iyi edersin. Sinirime dokunuyor. Ellerimi de heyecanlandırıyor." Açıklama olarak tabanca hareket etti.

"Neler olup bittiğini bilmiyor musun, Troy? Dönen dolaplardan haberin var sanıyordum."

"Bilmediğimi farz et. Ve hızlı konuş."

"Gazetelerden okursun."

"Sana hızlı konuş dedim." Tabancayı kaldırıp beni gözlerinin içine bakmaya zorladı. "Bana Sampson'dan ve yüz bin papelden bahset."

"Ne diye sana kendi işini anlatacakmışım ki? İki gün önce Sampson'ı kaçırdın."

"Devam et."

"Şoförün dün gece yüz binliği aldı. Bu kadarı yetmez mi?"

"Bunu Puddler mı yaptı?" Sükûnetinden eser kalmamıştı. Yüzüne yeni bir ifade yerleşmişti –bir katilin ifadesi, acımasız ve niyeti bozmuş.

Tabancayı aramızda tutarak gidip kapıyı açtı. "Puddler!" Sesi yükselip çatallaştı.

"Diğer şoför," dedim, "Eddie."

"Yalan söylüyorsun, Archer."

"Pekâlâ. Polislerin gelip sana bizzat söylemelerini bekle. Şimdiye kadar Eddie'nin kimin için çalıştığını öğrenmişlerdir."

"Eddie beyinsizin tekidir."

"Bir kurbana yetecek kadar beyni var."

"Ne demek istiyorsun?"

"Eddie morgda."

"Kim öldürdü? Aynasızlar mı?"

"Belki de sen," dedim ağır ağır. "Ufak çapta biri için yüz bin papel epey bir para."

Umursamadı. ""Paraya ne oldu."

"Biri Eddie'yi vurdu ve parayı aldı. Krem rengi bir spor araba kullanan biri."

Bu kelimeler onu gözlerinin arkasından vurup bir anlığına boş boş bakmalarına neden olmuştu. Sağıma doğru hareket ettim ve sol avcumla tabancasına vurdum. Patlamadan yere düşüp açık olan kapıya doğru kaydı.

Puddler kapıdaydı ve silaha benden önce davranmıştı. Geri çekildim.

"Almasına izin vereyim mi, Bay Troy?"

Troy yaralı elini sallıyordu. Fenerden yayılan ışık halesinde beyaz bir kelebek gibi çırpınıyordu.

"Şimdi olmaz," dedi. "Burayı boşaltmalıyız. Arkamızda bela bırakmak istemeyiz. Onu Rincon'daki iskeleye götür. Onun arabasını kullan. Ben haber yollayana kadar onu orada tut. Anlıyor musun?"

"Anladım, Bay Troy. Siz nerede olacaksınız?"

"Emin değilim. Betty bu gece Piyano'da mı?"

"Ben çıkarken yoktu."

"Nerede oturduğunu biliyor musun?"

"Yok. Birkaç hafta önce taşındı. Biri ona bir yerlerdeki kulübesini ödünç vermiş. Nerede olduğunu bilmiyorum."

"Aynı arabayı mı kullanıyor?"

"Spor arabayı mı? Evet. Yani dün gece onu kullanıyordu."

"Anladım," dedi Troy. "Her zamanki gibi aptallar ve dolandırıcılar sardı etrafımı. Başlarını belaya sokmadan duramıyorlar, değil mi? Onlara bela neymiş gösterelim, Puddler."

"Evet, efendim."

"Kımılda," Bu laf banaydı.

# 22

Beni dışarı çıkartıp arabama doğru yürüttüler. Troy'un Buick'i de onun yanında duruyordu. Kamyonet gitmişti. Claude ve bronz tenli adamlar da gitmişlerdi. Gece alt kenarındaki ayla birlikte hâlâ zifiri karanlıktı.

Puddler kerpiç evin yanındaki kulübeden bir tomar ip getirdi.

"Ellerini arkana getir," dedi Troy.

Ellerimi iki yanımda tuttum.

"Ellerini arkana getir."

"Ben işimi yapıyordum," dedim. "Beni itip kakarsanız iki elim yakanızdadır."

"Ne çok konuşuyorsun sen," dedi Troy. "Sustur şunu, Puddler."

Puddler'a döndüm ama geç kalmıştım. Yumruğu enseme inmişti bile. Acı, ıslığa benzer bir ses çıkartarak küçük cam parçaları gibi vücuduma yayıldı ve gece bir kez daha tüm ağırlığıyla üzerime çöktü. Sonra bir yoldaydım. Trafik vardı. Bütün arabaların içindekilerden sorumluydum. Hepsiyle ilgili, yaşlarını, mesleklerini, hobilerini, dinlerini, hesap bakiyelerini, cinsel eğilimlerini, siyasi görüşlerini, işledikleri suçları ve favori yemek mekânlarını belirterek, bir rapor yazmam

gerekiyordu. Yolcular sandalye kapmaca oynar gibi
ha bire araç değiştiriyorlardı. Arabaların plakaları ve
renkleri değişiyordu. Kalemimin mürekkebi bitiyor-
du. Mavi bir kamyonet beni aldıktan sonra siyah cena-
ze arabasına dönüşüyordu. Direksiyonda Eddie vardı.
Ben de onun kullanmasına izin veriyordum. Birini öl-
dürmeyi planlıyordum.

Kendime geldiğimde plan yarı yarıya tamamlanmış-
tı. Arabamın döşemesinde, ön koltukla arka koltuk ara-
sında sıkışıp kalmıştım. Döşeme arabanın hareketiyle
titreşiyordu; başımdaki ağrı da ona tempo tutuyordu. El-
lerim arkamdan bağlanmıştı. Puddler'ın farlardan yansı-
yan ışıkla çevrelenmiş geniş sırtı da ön koltuktaydı. Ne
ayağa kalkabiliyor ne de ona ulaşabiliyordum.

Bileklerim soyulana ve giysilerim ıslanana dek
döndürüp çekerek ipleri çözmeye çalıştım. İpler ben-
den daha dayanıklı çıktı. Bu planı boş verip başka bir
taneye başladım.

Karanlık, kuş uçmaz kervan geçmez yollardan ge-
çip dağları aşarak denize geldik. Arabayı direklerin
üzerinde gerilmiş bir muşambanın altına park etti. Mo-
tor durunca altımızda kumu döven dalgaların sesini du-
yabiliyordum artık. Beni ceketimin yakasından kaldırıp
ayağa dikti. Anahtarımı cebe indirdiğini fark ettim.

"Sesini çıkartma," dedi, "bir tane daha istemiyor-
san tabii."

"Çok cesursun," dedim. "Üzerine silah doğrultul-
muş bir adama arkadan vurmak epey cesaret isteyen
bir iş."

"Kes sesini." Yüzümü avuçlayıp çekiştirdi.

"Elleri arkadan bağlı bir adamın yüzüne saldırmak
da," dedim, "epey cesaret isteyen bir iş."

"Kes sesini," dedi. "Yoksa ben temelli keserim."

"Bu Bay Troy'un hoşuna gitmez."

"Kes sesini. Kımılda." Ellerini omuzlarıma koyup beni çevirdi ve iterek muşambanın altından çıkardı.

Kazıklarla suyun üzerine inşa edilmiş uzun bir iskelenin kıyı ucundaydım. Arkamdaki ufuk çizgisinde petrol iskeleleri vardı ama hiç ışık yoktu. Denizden ve iskelenin ucundaki büzülüp genişleyen petrol pompasından başka hareket eden bir şey yoktu. Ben önde Puddler arkada tek sıra halinde pompaya doğru yürüdük. Üzerinde yürünen tahtalar çarpık çurpuktu. Siyah su yarıkların arasından ışıldıyordu.

Kıyıya yaklaşık yüz metre kala mekanik bir tahterevalli gibi inip kalkan pompanın ne olduğunu çıkartabildim. Yan tarafında bir takım ambarı vardı. İleride okyanustan başka bir şey yoktu.

Puddler ambarın kapısını açtı, çivide asılı olan bir feneri alıp yaktı.

"Otur, avanak." Feneri duvarın önünde duran kaba bir banka doğru salladı. Bankın bir ucunda bir mengene ve üzerine yayılmış başka aletler vardı –kerpetenler, muhtelif boylarda İngiliz anahtarları, paslı bir eğe.

Boş bir yere oturdum. Puddler kapıyı kapatıp feneri bir bidonun üzerine koydu. Aşağıdan vuran sarı ışıkla aydınlanan yüzünün insan yüzüne benzer bir hali yoktu. Mağara adamınınki gibi yassı alınlı ve sivri çeneli, düşünceden yoksun, sıkıntılı ve terk edilmişti. Yaptıkları için onu suçlamak haksızlık olurdu. Yolu kazara beton yığınlarının arasına düşmüş bir vahşi, eğitilmiş bir yük hayvanı, bir savaş makinesiydi o. Ama onu suçluyordum. Suçlamam gerekiyordu. Bana doğrulttuğu şeyi ele geçirmenin ya da ona doğrultmanın bir yolunu bulmalıydım.

"Olağan dışı bir konumdasın," dedim.

Beni duymadı ya da cevap vermek istemedi. Kapıya yaslandı. İri bir adam gövdesi yolumu kapatmıştı. Dışarıdaki pompadan çıkan gümbürtüleri ve çatırtıları, kazıklara vuran suyun şırıltısını dinledim ve Puddler hakkında bildiklerimi gözden geçirdim.

"Olağan dışı bir konumdasın," dedim tekrar.

"Çeneni kapat."

"Gardiyan gibi davranmak, demek istiyorum. Genellikle tam tersi olur, değil mi? Biri senin başını beklerken sen hapishanede oturursun."

"Çeneni kapat dedim."

"Sen kaç hapishane gördün, mankafa?"

"Yeter be!" diye bağırdı. "Seni uyardım." Bana doğru hımbıl hımbıl yürüdü.

"Elleri bağlı bir adamı tehdit etmek," dedim, "epey cesaret gerektiren bir iş."

Boş olan eli suratıma indi.

"Senin derdin ne biliyor musun? Ödleğin tekisin," dedim. "Tıpkı Marcie'nin söylediği gibi. Sen Marcie'den bile korkuyorsun, değil mi, Puddler?"

Orada durmuş gözlerini kırpıştırıyordu. Gölgesi üzerime düşüyordu. "Seni geberteceğim! Benimle böyle konuşursun demek. Seni geberteceğim!" Güçlükle kımıldayan ağzına göre çok hızlı hareket eden kelimeler ağzından kesik kesik çıkıyordu. Ağzının kenarında bir tükürük balonu oluşmuştu.

"Ama bu Bay Troy'un hoşuna gitmez. Bana göz kulak olmanı söylemişti, unuttun mu? Bana bir şey yapamazsın, Puddler?"

"Kulaklarını kopartacağım," dedi. "Kulaklarını kopartacağım!"

"Ellerim bağlı olmasa bir şey yapamazsın, seni hödük!"

"Sen kime hödük diyorsun?" Elini yine kaldırdı.

"Seni beşinci sınıf serseri," dedim. "Paçavra. Zavallı. Elleri bağlı bir adama vur bakalım. Ancak onu becerirsin sen."

Vurmadı. Cebinden sustalı bir çakı çıkartıp açtı. Minik gözleri çakmak çakmak, ağzı salyadan köpük köpüktü.

"Ayağa kalk," dedi. "Sana serseri kimmiş göstereyim."

Arkamı döndüm. Bileklerimdeki ipleri kesip çakısını kapattı. Sonra beni aniden çevirip yüzümdeki hissi alıp götüren hızlı bir kroşe indirdi. Onun dengi olmadığımın farkındaydım. Midesine bir tekme indirince odanın diğer tarafına gitti.

O dönene kadar bankın üzerindeki eğeyi kaptım. Ucu körlenmişti ama işe yarardı. Puddler'la kucaklaştım. Eğeyi sağ elimde ucuna yakın bir yerinden tutarak alnını bir şakağından diğerine kestim. Benden uzaklaştı. "Beni kestin!" dedi inanamıyormuş gibi.

"Az sonra bir şey göremiyor olacaksın, Puddler." San Pedro rıhtımındaki Finlandiyalı bir denizci bana rakibini nasıl kör edeceğini öğretmişti.

"Yine de seni öldüreceğim." Bir boğa gibi üzerime geldi.

Yere atlayıp altına girdim ve eğeyi acıtacak bir yerine sapladım. Böğürerek yere düştü. Kapıya koştum. Arkamdan gelip kapıyı açarken beni yakaladı. İskelede sendeleyip yuvarlandık. Çarpmadan önce çabucak nefes aldım. Birlikte düştük. Puddler benimle ölesiye dövüşüyordu ama su yumruklarını yavaşlatıyordu. Parmaklarımı kemerine geçirip asıldım.

Ürkmüş bir hayvan gibi debelenip çifte atmaya başladı. Gaz çıkardığını gördüm, karanlık sudan yüzeye gümüş rengi baloncuklar çıktı. Ona tutundum. Ciğerlerim oksijen için geriliyor, göğsüm iniyordu. Kafamın içindekiler yavaşlayıp bulanıklaşmaya başlamıştı. Puddler da artık mücadele etmiyordu.

Yüzeye çıkmak için onu bırakmak zorunda kaldım. Derin bir nefes alıp peşinden aşağı gittim. Giysilerim beni engelliyor, ayakkabılarım ayağıma ağırlık yapıyordu. Kulaklarım suyun basıncı yüzünden acıyana dek gittikçe artan soğuk katmanları arasında ilerledim. Puddler'a ne ulaşabiliyor ne de onu görebiliyordum. Vazgeçmeden önce altı kez denedim. Arabamın anahtarı pantolonunun cebindeydi.

Kıyıya yüzerken bacaklarım beni götürmüyordu. Köpüklü dalgalardan uzağa kulaç atmak zorundaydım. Sebep biraz fiziksel yorgunluk biraz da korkuydu. Soğuk suyun içinde arkamda olan şeyden korkuyordum.

Muşambayı taşıyan direklerden birine bağlı bir bakır tel vardı. Çıkartıp gösterge tablosunun altındaki ateşleme uçbirimlerini bağladım. Motor ilk denemede çalıştı.

# 23

Santa Teresa'ya vardığımda güneş dağların üzerinde yükselmişti. Güneş her şeye kenar çizgisi çekmişti: Her bir yaprağa, taşa ve yassı çimlere. Kanyondan Sampson'ların evi küp şekerlerden yapılmış oyuncak bir villayı andırıyordu. Yaklaştıkça evin derin sessizliğini hissedebiliyordum. Arabayı durdurduğumda bütün sessizlik mekâna hâkim oldu. Motoru durdurmak için ipi çözmem gerekti.

Kapıyı tıklattığımda Felix servis kapısına geldi. "Bay Archer?"

"Şüphen mi var?"

"Kaza mı geçirdiniz, Bay Archer?"

"Görünüşe göre öyle. Çantam hâlâ depoda mı?" İçinde temiz kıyafetlerim ve yedek anahtarlarım vardı.

"Evet, efendim. Yüzünüzde çürükler var, Bay Archer. Doktor çağırayım mı?"

"Zahmet etme. Bir duş yeterli, tabii yakınlarda bir tane varsa."

"Evet, efendim. Garajın üstünde bir tane duşum var."

Beni kendi mekânına götürdü ve çantamı getirdi. Minik banyoda tıraş olup duş aldım ve sırılsıklam olmuş giysilerimi değiştirdim. Davayı askıya alıp Felix'in bu derli toplu minik tek göz odasındaki düzeltilmemiş yatağına uzanmamak için kendimi zor tutuyordum.

Mutfağa döndüğümde gümüş bir kahvaltı takımıyla bir tepsi hazırlıyordu. "Bir şeyler yemek ister misiniz, efendim?"

"Pastırma ve yumurta, mümkünse."

Yuvarlak kafasını hafifçe eğdi. "Bunu bitirir bitirmez, efendim."

"Tepsi kime?"

"Bayan Sampson'a, efendim."

"Bu kadar erkenden mi?"

"Kahvaltısını odasında yapacak."

"O iyi mi?"

"Bilmiyorum, efendim. Çok az uyudu. Eve geldiğinde gece yarısını geçiyordu."

"Nereden geliyormuş?"

"Bilmiyorum, efendim. Sizinle ve Bay Graves'le aynı vakitte çıkmıştı."

"Arabayı kendisi mi kullanıyordu."

"Evet, efendim."

"Hangi arabayı?"

"Üstü açılan Packard."

"Krem rengi olan, değil mi?"

"Hayır, efendim. Kırmızı. Parlak kırmızı. Gittiğinde üç yüz küsur kilometre yapmıştı."

"Aileyi epey yakından izliyorsun, öyle mi Felix?"

Nazikçe gülümsedi. "Sürekli çalışan bir şoförümüz olmadığı için arabaların benzinini ve yağını kontrol etmek de benim görevlerim arasında."

"Ama Bayan Sampson'dan pek hoşlanmıyorsun?"

"Ben ona sadakatle bağlıyım, efendim." Donuk gözleri kendi kendilerini maskeliyordu.

"Sana zorluk çıkartıyorlar mı, Felix?"

"Hayır, efendim. Ama benim ailem Samar'ın tanınmış ailelerindendir. Ben Amerika'ya Kaliforniya Teknik Üniversitesi'ne girmek için geldim. Derimin rengi yüzünden Bay Graves'in benim şüpheli olduğumu varsaymasına içerledim. Bahçıvanlar da kendi adlarına içerlemişler."

"Dün geceden mi bahsediyorsun?"

"Evet, efendim."

"Onu kastettiğini zannetmiyorum."

Felix nazikçe gülümsedi.

"Bay Graves şu anda burada mı?"

"Hayır, efendim. Şerif ofisinde, galiba. Müsaadenizle, efendim." Tepsiyi omzuna doğru kaldırdı.

"Numarayı biliyor musun? Bir de her lafın arkasından 'efendim' demek zorunda mısın?"

Tatlı bir alaycılıkla, "Hayır, efendim," dedi. "23665."

Kâhyanın kilerinden numarayı çevirip Graves'i istedim. Uykulu bir görevli ona seslendi.

"Ben Graves." Sesi boğuk ve yorgundu.

"Ben Archer."

"Tanrı aşkına, nerelerdesin sen?"

"Sonra anlatırım. Sampson'dan bir iz var mı?"

"Henüz yok, ama ilerleme kaydettik. FBI'dan bir ekiple çalışıyorum. Ölü adamın parmak izlerinin sınıflamasını Washington'a telgrafla bildirdik ve yaklaşık bir saat önce bir yanıt aldık. FBI kayıtlarında uzun bir sicili var. Adı Eddie Lassiter."

"Bir şeyler yer yemez orada olacağım. Ben Sampson'lardayım."

"Gelmesen daha iyi belki de." Sesini alçalttı. "Şerif, dün gece kaçıp gittiğin için sana kızmış. Ben oraya gelirim." Telefonu kapattı, ben de mutfağın kapısını açtım.

Pastırma, tavada neşeli sesler çıkartıyordu. Felix onu sıcak bir tabağa aktardı, ocağın yanındaki tost makinesine ekmek koydu, yumurtaları kızgın yağa kırdı ve buharı tüten bir Silex'ten bana bir fincan kahve doldurdu.

Mutfak masasına oturup kızgın kahveden bir yudum aldım. "Evdeki telefonların hepsi aynı hatta mı bağlı?"

"Hayır, efendim. Evin ön tarafındaki telefonlar hizmetkârlarınkinden farklı bir hatta bağlı. Yumurtalarınızı çevireyim mi, Bay Archer?"

"Oldukları gibi yerim. Hangileri kilerdeki telefona bağlı?"

"Çamaşır odasındaki ve evin yukarısındaki misafir kulübesindeki. Bay Taggert'ın kulübesindeki."

Lokmaları çiğnerken, "Bay Taggert şu an orada mı?"

"Bilmiyorum, efendim. Gece geldiğini duydum sanırım."

"Gidip emin ol, olur mu?"

"Olur, efendim." Arka kapıdan çıkıp gitti.

Bir dakika sonra bir araba geldi ve Graves içeri girdi. Canlılığını bir parça kaybetse de hâlâ hızlı hareket ediyordu. Gözlerini kırmızı halkalar çevrelemişti.

"Zebani gibi görünüyorsun, Lew."

"Yanlarından geliyorum. Lassiter ile ilgili bilgileri getirdin mi?"

"Evet."

Cebinden bir teleks kâğıdı çıkartıp bana uzattı. Gözlerim sıkışık biçimde basılmış olan kâğıtta aşağıya doğru kayıyordu.

Çocuk mahkemesinin huzuruna getirildi, New York, 29 Mart, 1923, babanın şikâyeti, okuldan kaçma. New York Katolik Bakımevine teslim edildi, 4 Nisan, 1923. 5 Ağustos, 1925'te salıverildi... Brooklyn Özel Oturum mahkemesi, 9 Ocak, 1928, bisiklet hırsızlığı ile itham edildi. Mahkûmiyet kararı ertelendi ve mecburi kamu hizmeti cezasına çarptırıldı. 12 Kasım, 1929'da kamu hizmeti cezası sona erdi... 17 Mayıs, 1929'da tutuklandı ve çalıntı bir posta çekini bulundurmakla suçlandı. Dava delil yetersizliğinden düştü... 5 Ekim 1936, araba hırsızlığından tutuklandı, Sing Sing'de üç yıla mahkûm oldu... Kız kardeşi Betty Lassiter ile Narkotik Büro ajanları tarafından tutuklandı, 23 Nisan 1943, yirmi sekiz gram kokain satmaktan suçlu bulundu, 2 Mayıs 1943, Leavenworth'ta bir sene bir güne mahkûm edildi... Genel Elektrik maaş ödeme kamyonunun durdurulup soyulmasına iştirakten tutuklandı, 3 Ağustos 1944, suçlu bulundu, Sing Sing'de 5 ila 10 yıl arası hapse mahkum edildi. 18 Ocak 1947'de şartlı tahliye edildi.

Bunlar Eddie'nin sicilindeki başlıca konular, suçla örülü çocukluğundan vahşi bir şekilde gerçekleşen ölümüne uzanan seyrini işaretleyen noktalanmış satırdaki noktalar. Artık sanki hiç doğmamış gibiydi.

Felix omzumun oradan, "Bay Taggert kulübesinde, efendim," dedi.

"Uyanık mı?"

"Evet, giyiniyor."

"Biraz kahvaltı olsa?" dedi Graves.

"Peki, efendim."

Graves bana döndü. "İçinde işe yarar bir şey var mı?"

"Yalnızca bir tek şey, onu da yakalayamamışlar. Lassiter'ın bir uyuşturucu suçundan dolayı onunla birlikte tutuklanan Betty adında bir kız kardeşi var. Los Angeles'ta sicilinde uyuşturucu olan Betty adında bir kadın var: Troy'un gece kulübündeki bir piyanist. Kendine Betty Fraley diyor."

Felix ocağın oradan, "Betty Fraley!" dedi.

Graves de ters ters, "Bu seni ilgilendirmez," dedi.

"Dur bir dakika," dedim, "Betty Fraley'e ne olmuş, Felix? Onu tanıyor musun?"

"Tanımıyorum, hayır, ama plaklarını Bay Taggert'ın odasında gördüm. Toz alırken fark etmiştim."

"Doğru mu söylüyorsun?" dedi Graves.

"Neden yalan söyleyeyim ki, efendim?"

"Bakalım Taggert buna ne diyecek?" Graves ayağa kalktı.

"Bekle bir dakika, Bert." Elimi omzuna koydum; gerilimden kaskatı kesilmişti. "Zor kullanmak bizi bir yere götürmez. Taggert'ta kadının plakları olsa bile bunun bir anlamı olmak zorunda değil. Onun Lassiter'ın kız kardeşi olduğundan bile emin değiliz. Hem belki Taggert koleksiyoncudur."

"Çok geniş bir koleksiyonu var," dedi Felix.

Graves inat ediyordu. "Bence bir bakmalıyız."

"Şimdi değil. Taggert kesinkes suçlu olabilir belki ama böyle boşboğazlık ederek Sampson'ı geri getire-

meyiz. Taggert gidene kadar bekle. Sonra ben plakla-
rına bakarım."

Graves onu yerine oturtmama sesini çıkartmadı.
Parmak uçlarıyla göz kapaklarını okşadı. "Böylesine
vahşice bir şeyi şimdiye dek ne duydum ne de gör-
düm," dedi.

"Öyle öyle." Graves sadece yarsını biliyordu.
"Sampson için alarma geçildi mi?"

Gözlerini açtı. "Dün gece ondan itibaren. Otoban
devriyesini, FBI'yı ve burayla San Diego arasındaki her
bir polis merkezini ve bölge şerifini alarma geçirdik."

"Telefonun başına geçsen iyi olur," dedim. "Ve
eyalet çapında bir alarm ver. Bu kez Betty Fraley için.
Tüm güneybatıyı kapsasın."

Koca çenesi önde alaycı alaycı gülümsedi. "Bu
boşboğazlık kategorisine girmiyor mu?"

"Bu durumda gerekli. Betty'ye bir an önce ulaşa-
mazsak birileri bizden önce ulaşacak. Dwight Troy öl-
dürmek için peşine düştü."

Meraklı gözlerle bana baktı. "Bu bilgileri nereden
alıyorsun, Lew?"

"Bunu epey zahmetli bir şekilde edindim. Dün ge-
ce Troy'un kendisiyle konuştum."

"O zaman o da işin içinde."

Artık öyle. Sanırım yüz binliği kendisi için istiyor
ve kimde olduğunu da biliyor."

"Betty Fraley'de mi?" Cebinden bir not defteri çı-
karttı.

"Bu benim tahminim. Siyah saçlı, yeşil gözlü, yüz
hatları muntazam, bir elli dokuz bir altmış boyların-
da, yirmi beş otuz yaşlarında, büyük ihtimalle kokain

bağımlısı, zayıf ama formda ve sevimli, tabii sürüngenlerle oynamayı seviyorsan. Eddie Lassiter'ı öldürdüğü şüphesiyle aranıyor."

Başını aniden yazıdan kaldırıp bana baktı. "Bu da bir başka tahminin mi, Lew?"

"Öyle diyelim. Bunu da telgrafa ekleyecek misin?"

"Hemen." Kâhyanın kilerine yöneldi.

"O telefonu kullanma, Bert. Taggert'ın kulübesindeki telefonla paralel."

Durup üzüntünün gölgelediği yüzünü bana çevirdi. "Öyle görünüyor ki adamımızın Taggert olduğundan epey eminsin."

"Öyle olsa kalbin mi kırılır?"

"Benimki değil," dedi ve döndü. "Çalışma odasındaki telefonu kullanacağım."

# 24

Felix gelip de bana Taggert'ın mutfakta kahvaltı ettiğini söyleyene dek evin ön tarafındaki holde bekledim. Beni garajların arkasından dolaştırıp tepenin eteğine tırmanan bir dizi alçak taş basamağa dönüşen patikaya doğru çıkarttı. Konukevinin görüş alanına girdiğimizde gitti.

Bu tek katlı beyaz çerçeveli, ağaçların arasına tüneyip sırtını dağ yamacına vermiş bir evdi. Kilitlenmemiş kapıyı açıp içeri girdim. Sarıçamdan lambriyle kaplanmış oturma odasında eşya olarak hafif sandalyeler, bir gramofon ve üzeri dergi ve plak yığınlarıyla dolu kocaman bir yemekhane masası vardı. Batı tarafındaki pencere ufuk çizgisine kadar tüm araziyi ve denizi içine alıyordu.

Masanın üzerindeki dergiler *Jazz Records* ve *Downbeat*'ti. Plaklara ve albümlere tek tek baktım: *Decca, Bluebird, Asch,* otuz santimlik *Commodore*'lar ve *Blue Note*'lar. Daha evvel duymuş olduğum pek çok isim de vardı: *Fats Waller, Red Nichols, Lux Lewis, Mary Lou Williams* –hiç duymadığım isimler de: *Numb Fublin'* ve *Viper's Drag, Night Life, Denapas Parade.* Ama Betty Fraley yoktu.

Felix'le konuşmak için kapıya doğru gidiyordum ki evvelsi gün suyun üzerinde yüzen diskler geldi aklıma. Onları görmemden birkaç dakika sonra Taggert mayosuyla çıkıp gelmişti.

Evi boş verip kıyıya yöneldim. Uçurumun kıyısındaki camekânlı kameriyeden itibaren upuzun merdivenler tepeyi çaprazlama sahile doğru alçaltıyordu. Merdivenlerin dibinde ızgaralı verandası olan bir soyunma kabini vardı. Soyunma odası bölmelerinden birinde çiviye asılmış kauçuk ve kristal camlı bir deniz gözlüğü vardı. İç çamaşırıma kadar soyunup gözlüğü kafama geçirdim.

Taze meltem rüzgârı dalgaların arasında gezinip dalgalar kırılmadan evvel tepelerine çarparak bir çisenti yaratıyordu. Sabah güneşi sırtımı yakıyor, kuru kumlar tabanlarımı ısıtıyordu. Islak, kahverengi kumların sahası içinde dalgaların ulaşamayacakları yerde, bir dakika boyunca dikilip dalgalara baktım. Mavi ve pırıl pırıldılar, bir kadın gibi zarifçe kıvrılıyorlardı ama ben onlardan korkuyordum. Deniz soğuk ve tehlikeliydi.

Yavaş yavaş suya girdim, gözlüğü aşağı indirdim ve atladım. Kıyıdan yaklaşık elli metre ileride, dalgaların ötesinde, sırtüstü dönüp derin derin nefes aldım. Alçalıp yükselen dalgalar ve ekstra oksijen bir parça başımı döndürmüştü. Buğulanan camdan mavi gök başımın etrafında dönüyor gibi görünüyordu. Camı temizlemek için başımı suya daldırdım ve ardından dibe daldım.

Aşağısı bembeyaz kumdu. Kum suyun hareketiyle bir parça karışıyordu ama görüşü bozacak kadar değil. Dipte on üç on beş metre boyunca zikzaklar çizdim ama bir kayaya yapışmış bir çift kabuklu minik deniz hayvanından başka bir şey bulamadım. Davranıp nefes almak için yukarı çıktım.

Gözlüğü çıkarınca bir adamın tepeden beni seyrettiğini gördüm. Kameriyenin yanındaki yelkesen kiraz ağacının arkasına saklandı ama ben Taggert olduğunu fark etmiştim. Birkaç kez derin nefes alıp tekrar daldım. Çıktığımda Taggert gitmişti.

Üçüncü dalışta aradığım şeyi buldum; yarısı dipteki kuma gömülmüş halde kırılmamış siyah bir plak. Plağı göğsüme bastırıp sırtüstü döndüm ve kıyıya yüzdüm. Plağı duşa götürüp yıkadım ve bir annenin bebeğini kurulaması gibi özenle kuruladım.

Ben soyunma kabininden çıktığımda Taggert verandadaydı. Sırtı paravana dönük halde bir plaj sandalyesinde oturuyordu. Flanel kumaştan dökümlü pantolon ve beyaz tişörtle çok genç ve bronz görünüyordu. Küçük kafasındaki siyah saçları özenle fırçalanmıştı.

Bana gözlerini teğet geçen çocuksu bir sırıtış fırlattı. "Selam, Archer? İyi yüzdün mü?"

"Fena değil. Su bir parça soğuktu."

"Havuza girseydin ya. Daha sıcaktır."

"Ben denizi tercih ediyorum. Ne bulacağın hiç belli olmuyor. Ben de bunu buldum."

Elimdeki plağa sanki yeni fark etmiş gibi baktı. "Nedir bu?"

"Plak. Görünüşe göre biri yazılarını kazıyıp denize atmış. Neden acaba?"

Çim halının üzerinde bana doğru uzun ve sessiz bir adım attı. "Bir bakayım."

"Dokunma. Kırabilirsin."

"Kırmam."

Uzandı. Ben de uzanamasın diye çektim. Eli havada kaldı.

"Geri çekil," dedim.

"Ver şunu bana Archer."

"Sanmıyorum."

"Onu senden alacağım."

"Yapma," dedim. "Seni ikiye bölebilirim sanırım."

Durup upuzun on saniye boyunca bana baktı. Sonra tekrar sırıtışa geçti. Çocuksu cazibenin gelişi epey uzun sürdü. "Şaka yapıyordum, dostum. Ama bu lanet şeyin içinde ne olduğunu hâlâ merak ediyorum."

"Ben de."

"Çalalım o zaman. Burada portatif bir plak-çalar var." Etrafımdan dolaşıp verandanın ortasındaki masaya gitti ve kare şeklindeki fiber bir kutuyu açtı.

"Ben çalarım," dedim.

"Öyle ya –kırarım diye korkuyordun." Sandalyesine dönüp bacaklarını uzatarak oturdu.

Aleti çalıştırıp plağı döner tablaya yerleştirdim. Taggert umutla gülümsüyordu. Durup bir işaret, yanlış bir hareket bekleyerek ona baktım. Yakışıklı çocuk bendeki korku kaidelerinden hiçbirine uymuyordu. Bildiğim hiçbir örneğe uymuyordu.

Plak cızırtılı ve yorgundu. Piyano çalmaya başladı, yarısı dış sesin içinde boğuluyordu. Üç-dört tane klişe boogie notası başlayıp tekrarlanıyordu. Sonra sağ el onları arayıp buldu ve bükerek hayata döndürdü. İlk notalar çoğalıp odanın etrafına kuruldular. Oluşturdukları yer yarı cangıl yarı makineydi. Sağ el takip ediliyormuş gibi ona doğru uzanıp tekrar geri geldi.

Sahte bir cangılda bir devin gölgesi tarafından takip ediliyordu.

"Beğendin mi," dedi Taggert.

"Bir yere kadar. Piyano vurmalı bir çalgı olsa birinci kalite olurdu."

"Ama mesele de bu. O şekilde kullanmak istersen vurmalı bir çalgıdır."

Plak bitti, ben de kapattım. "Boogie-woogie ile ilgileniyor gibisin. Bu plağı kimin doldurduğunu biliyor musun?"

"Hayır, bilmiyorum. Stili Lux Lewis'in olabilir."

"Sanmam. Daha çok bir kadın çalıyor gibi."

Abartılı bir yoğunlaşmayla kaşlarını çattı. Gözleri küçülmüştü. "Böyle çalabilen bir kadın tanımıyorum."

"Ben bir tane tanıyorum. Onu evvelsi gece Vahşi Piyano'da duydum. Betty Fraley."

"Hiç duymadım," dedi.

"Boş versene, Taggert. Bu senin plaklarından biri."

"Öyle mi?"

"Biliyor olman gerek. Denize sen attın. Bunu neden yaptın bakalım?"

"Bu yersiz bir soru, çünkü ben yapmadım. Ben iyi plakları fırlatıp atmayı hayal bile edemem."

"Bence bayağı bir hayal kuruyorsun Taggert. Bence yüz bin doların hayalini kuruyorsun."

Sandalyesinde hafifçe kımıldandı. Sere serpe duruşu ciddileşti ve teklifsiz havası uçup gitti. Biri onu ensesinden tutup kaldırmış olsaydı ayakları öylece öne uzatılmış vaziyette havada kalırdı.

"Benim Sampson'ı kaçırdığımı mı söylüyorsun sen?"

"Şahsen değil. Bunun için Betty Fraley ve kardeşi Eddie Lassiter'la gizlice anlaştığını söylüyorum."

"İsimlerini hayatımda duymuş değilim. İkisinin de." Derin bir nefes aldı.

"Duyacaksın. Birisiyle mahkemede karşılaşacaksın, diğerine ne olduğunu da öğrenirsin."

"Dur bir dakika," dedi, "fazla hızlı gidiyorsun. Hepsi şu plakları attım diye mi?"

"Yani bu senin plağın?"

"Tabii ki." Sesi son derece samimiydi. "Bende Betty Fraley'in bazı plaklarının olduğunu kabul ediyorum. Geçen gece polisle Vahşi Piyano hakkında konuştuğunuzu duyduğumda hepsini fırlatıp attım."

"Demek ayrıca başkalarının telefon görüşmelerini de dinliyorsun?"

"Tamamen kazaydı. Telefon etmeye çalışırken kulak misafiri oldum."

"Betty Fraley'e mi?"

"Sana onu tanımadığımı söyledim."

"Kusura bakma," dedim. "Belki de cinayetle ilgili yeşil ışık yakmak için onu aramışsındır diye düşündüm."

"Cinayet mi?"

"Eddie Lassiter cinayeti. Şaşırmış gibi yapmak zorunda değilsin, Taggert."

"Ama ben bu insanlar hakkında hiçbir şey bilmiyorum."

"Betty'nin plaklarını fırlatıp atacak kadarını biliyorsun."

"İsmini duydum o kadar. Vahşi Piyano'da çaldığını biliyordum. Polisin orayla ilgilendiğini duyunca da plaklardan kurtuldum. İkinci derecede kanıtlar konusunda ne kadar mantıksız olabileceklerini sen de bilirsin."

"Beni de kendini kandırdığın gibi kandırmaya çalışma," dedim. "Masum biri o plakları fırlatıp atmayı aklından bile geçirmez. Ülkenin her yanındaki insanlarda o plaklar var, öyle değil mi?"

"Benim söylediğim de bu ya. Suçlayıcı hiçbir şeyleri yok."

"Ama sen olduğunu düşündün, Taggert. Bu işte Betty Fraley ile birlikte olmasan sana karşı bir delil teşkil edeceklerini düşünmezdin. Onları benim telefon konuşmamdan saatler önce denize atmıştın –Betty'nin bu olayla ilgisinden bahsedilmeden önce."

"Belki de," dedi. "Bu plaklara dayanarak üzerime herhangi bir şey atacak vaktin olacak."

"Bunu deneyecek değilim. Beni sana getirerek amaçlarına hizmet ettiler. O yüzden şimdi şu plakları bırakalım da daha mühim şeylerden konuşalım." Verandanın çaprazındaki hasır bir sandalyeye oturdum.

"Ne hakkında konuşmak istiyorsun?" Hâlâ müthiş kontrollüydü. Şaşkın gülümsemesi doğal; sesi sakindi. Bir tek omuzlarda bir araya toplanıp uyluklarda titreyen kasları onu ele veriyordu.

"Adam kaçırma," dedim. "Cinayeti sonraya saklayalım. Bu durumda adam kaçırma da o kadar ciddi. Ben sana kaçırılmayla ilgili kendi hikâyemi anlatacağım, sonra seninkini dinleyeceğim. Bir sürü insan seninkini dinlemeye can atacaktır."

"Çok yazık. Çünkü benim bir açıklamam yok."

"Benim var. Senden hoşlanmamış olsam bunu daha evvel görebilirdim. Senin herkesten çok fırsatın vardı ve herkesten çok nedenin. Sampson'ın sana karşı davranışlarına kızıyordun. Onun onca paraya sahip olmasına. Sen..."

"Hâlâ yok," dedi.

"Şu an mali durumun iyi olsa gerek. Yüz binin yarısı elli bin eder. Hayli geçici bir durum."

Ellerini gülünç bir şekilde iki yana açtı. "Üzerimde mi taşıyorum, peki?"

"O kadar da aptal değilsindir, Taggert," dedim. "Ama yeterince aptalsın da. Bir taşralı gibi davrandın. Şehirli eşkıyalar seni kazıklayıp kullandılar. Yüz binliğin senin olan yarısını büyük ihtimalle hiçbir zaman göremeyeceksin."

"Bana bir hikâye sözü vermiştin," dedi rahatça. Kolay kolay çözülmeyecekti.

Ona en iyi kartımı gösterdim. "Sen Sampson'ı Las Vegas'tan uçurmadan önce Eddie Lassiter sana telefon etti."

"Bana psişik güçlerin olduğunu söyleme, Archer. Adam öldü demiştin." Ama Taggert'ın ağzının etrafında yeni bir beyaz çizgi vardı.

"Eddie'ye ne söylediğini sana söyleyebilecek kadar psişik gücüm var. Ona ertesi gün saat üçte Burbank'e uçacağınızı söyledin. Siyah bir limuzin kiralayıp Burbank havaalanından onu aramanı beklemesini söyledin. Sampson limuzin istemek için Valerio'yu aradığında sen aramayı iptal edip onun yerine Eddie'yi çağırttın. Valerio'daki santral memuru yine Sampson'ın aradığını sandı. Onu bayağı iyi taklit ettin, değil mi?"

"Devam et," dedi. "Fantezileri hep sevmişimdir."

"Eddie kiralık arabayla havaalanının önüne gelince Sampson da doğal olarak arabaya bindi tabii. Herhangi bir şeyden şüphelenmek için bir nedeni yoktu.

Onu öyle sarhoş etmiştin ki şoförler arasındaki farkı anlayamadı –hususi bir yere gittiklerinde Eddie gibi ufak tefek bir adamın bile başa çıkabileceği kadar sarhoştu. Eddie onun üzerinde ne kullanmıştı, Taggert? Kloroform mu?"

"Bu senin hikâyen olacaktı ama," dedi. "Hayal gücün yorgun mu düştü?"

"Bu hikâye ikimizin. Şu iptal edilen telefon görüşmesi önemli, Taggert. Seni hikâyeye dâhil eden şey evvela o. Sampson'ın Valerio'yu arayacağını bilebilecek başka kimse yok. Sampson'ın Nevada'dan ne zaman geleceğini bilen başkası da yok. Evvelsi gece Eddie'yi uyaracak durumda olan başkası yok. Tüm ayarlamaları yapıp programa göre hayata geçirecek başka kimse yok."

"Havaalanında Sampson'la birlikte olduğumu hiçbir zaman inkâr etmedim. O sırada yüzlerce başka insan daha vardı. Sen de herhangi bir polis gibi ikincil kanıtlara pek meraklısın. Ve şu plak işi ikincil kanıt bile değil, dolaylı bir delil. Betty Fraley'le ilgili bir şey yok elinde ve aramızda bir bağlantı kurmuş da değilsin. Plakları yüzlerce koleksiyoncuda vardır."

Sesi hâlâ sakin ve berraktı, her yanından samimiyet akıyordu, ama endişeliydi. Vücudu sanki onu dar bir alana girmeye zorlamışım gibi kamburlaşıp gerilmişti. Ağzı da çirkinleşiyordu.

"Bağlantıyı ispatlamak zor olmasa gerek," dedim. "Bir ara birlikte görünmüş olmalısınız. Beni Valerio'da Fay Estabrook ile birlikte gördüğün gece de onu sen aramıştın, değil mi? Vahşi Piyano'da aradığın aslında Sampson değildi, değil mi? Betty Fraley'i görecektin. Puddler'ı üzerimden çekerek gözümü boyadın. Senin benim tarafımda olduğunu sandım. Öyle ki mavi kamyonete ateş ettiğinde işi aptallığa kadar vardırdım. Eddie'yi uyarıyordun, öyle değil mi Taggert. Ellerini adam kaçırma ve cinayetle kirletmeseydin kurnaz bir çocuk olduğunu söylerdim. Böyle bir aptallık kurnazlık falan bırakmıyor."

"Bana isim takmaya başladıysan," dedi, "sadede geldik demektir."

Hâlâ plaj sandalyesinde sakin sakin oturuyordu ama eli yan taraftan bir tabancayla birlikte belirivermişti. Daha önce gördüğüm 32'lik tabancaydı. Hafif ama kanımı donduracak kadar ağır bir tabancaydı.

"Ellerini dizlerinin üzerinde tut," dedi.

"Bu kadar erken pes edeceğini düşünmemiştim."

"Pes etmedim. Hareket özgürlüğümü garantiye alıyorum, o kadar."

"Beni vurmak bunu garanti etmez. Başka şeyleri garanti eder. Silahını bırak da konuşalım."

"Konuşacak bir şey yok."

"Her zamanki gibi yanılıyorsun. Benim bu davada ne yapmaya çalıştığımı zannediyorsun?"

Cevap vermedi. Silah elindeydi ve şiddete hazırdı, bu sebeple yüzü telaşsız ve rahattı. Bu yeni bir adamın yüzüydü: Sakin ve korkusuz; çünkü insan hayatına özel bir önem verdiği falan yoktu. Çocuksu ve oldukça masum; çünkü ancak bilmeyerek kötülük yapabilirdi. Büyüyüp kendini savaşın ortasında bulan bir adamdı.

"Ben Sampson'ı bulmaya çalışıyorum," dedim. "Onu geri getirebilirsem başka hiçbir şeyin önemi olmaz."

"Yanlış yaptın, Archer. Geçen gece ne dediğini unuttun herhalde: Sampson'ı kaçıranlara bir şey olursa bu onun sonu olur."

"Sana bir şey olmadı –henüz."

"Sampson'a da bir şey olmadı."

"Nerede o?"

"Ben isteyene kadar kimsenin onu bulamayacağı bir yerde."

"Paranı aldın. Bırak da gitsin."

"Benim de niyetim oydu, Archer. Onu bugün serbest bırakacaktım. Ama bu iş ertelenmek zorunda kalacak –süresiz olarak. Bana bir şey olacak olursa Sampson'a güle güle deyin."

"Anlaşabiliriz."

"Hayır," dedi. "Sana güvenemem. Bu işi temizlemeliyiz. Berbat ettiğinin farkında değil misin? Bir şeyleri berbat etme gücün var ama temizleyeceğimizi garanti etme gücün yok. Seninle bundan başka bir şey yapamam."

Önce vücudumun orta yerini hedef almış silaha, sonra teklifsizce tekrar bana baktı. Her an ateş edebilirdi, hazırlanmadan, sinirlenmeden. Tek yapması gereken tetiği çekmekti.

"Bekle," dedim. Boğazım gerilmişti. Cildim kurumuş gibiydi, terlemek istiyordum. Ellerim dizlerimi sıkıyordu.

"Bunu uzatmak istemeyiz." Kalkıp bana doğru yürüdü.

Sandalyede kımıldanıp ağırlımı bir taraftan diğerine verdim. Şansım yaver giderse bir atış beni öldürmezdi. Birinci atışla ikinci arasında ona ulaşabilirdim. Ayaklarımı geriye doğru çekip hızlı hızlı konuştum.

"Bana Sampson'ı verirsen seni yakalamaya çalışmayacağımı ve konuşmayacağımı garanti edebilirim sana.

Diğerleriyle de şansını denemelisin. Adam kaçırma da diğer iş girişimleri gibidir: Şansını denemelisin."

Kaskatı kesilmiş kolu içi boş mavi bir parmağa benzeyen silahla birlikte kalktı. Yanlara baktım, hareket edeceğim taraftan uzağa. Silah patladığında sandalyenin yarısında oturuyordum. Üzerine atladığımda Taggert kayıtsız kaldı. Silah elinden kayıp düştü.

Patlayan başka bir silahtı. Albert Graves Taggert'ın silahının bir ikiziyle kapı girişinde dikiliyordu. Paravandaki yuvarlak deliği serçe parmağıyla yokladı.

"Çok kötü," dedi. "Ama böyle olması gerekiyordu."

Suratımdan aşağı terler boşandı.

## 25

Taggert'ın esnek vücudunu düşerken yakalayıp çim halıya yatırdım. Kara gözleri açık ve parıl parıldı. Parmak uçlarımla dokunmama bir tepki vermediler. Sağ şakağındaki yuvarlak delikte kan yoktu. Küçük, kırmızı bir doğum lekesini andıran ölüm lekesiyle Taggert insan şeklindeki otuz papellik organik kimyasallara dönüşmüştü.

Graves tepemde dikiliyordu. "Ölmüş mü?"

"Sarsılmadan düştü. Çabuk ve temiz iş çıkardın."

"Ya sen ölecektin ya o."

"Biliyorum," dedim. "Boş yere tartışmak istemiyorum. Ama keşke ateş edip elindeki silahı düşürseydin ya da silahı tutan elinin dirseğini parçalasaydın."

"Artık öyle atışlar yapabilir miyim bilmiyorum. Ordudaki gibi idmanlı değilim." Ağzını eğip kaşlarından birini havaya kaldırdı. "Dırdırcı o...pu çocuğunun tekisin sen, Lew. Ben hayatını kurtarıyorum sen de durmuş tarzımı eleştiriyorsun."

"Dediklerini duydun mu?"

"Kâfi derecede. Sampson'ı o kaçırmış."

"Ama yalnız değilmiş. Arkadaşları bundan hoşlanmayacak. Acısını Sampson'dan çıkartacaklar."

"Sampson yaşıyor yani?"

"Taggert'ın demesine bakılırsa yaşıyor."

"Şu diğerleri kim?"

"Biri Eddie Lassiter'dı. Diğeri de Betty Fraley. Başkaları da olabilir. Bu olayla ilgili polisi arayacak mısın?"

"Herhalde."

"Bunu gizli tutmalarını söyle onlara."

"Ben bundan utanmıyorum, Lew," dedi ters ters. "Ama öyle görünüyor ki sen utanmam gerektiğini düşünüyorsun. Bunun yapılması gerekiyordu ve kanunların bu konuda ne söylediğini sen de benim kadar iyi biliyorsun."

"Olaya bir de Betty Fraley'in gözünden bak. O zaman kanuni olmayacaktır. Arkadaşına yaptıkların kulağına gidecek olursa o da doğruca gidip Sampson'ın kafasında bir delik açar. Neden onu sağ bırakmakla uğraşsın ki? Parayı aldı…"

"Haklısın," dedi. "Gazetelere ve radyoya çıkmasını engellemeliyiz."

"Ve Sampson'a ulaşmadan evvel onu yakalamalıyız. Kendine dikkat et, Bert. O tehlikeli biri ve öyle sanıyorum ki Taggert'a âşık."

"O da mı?" dedi ve bir an duraksadıktan sonra, "Acaba Miranda bu durumu nasıl karşılayacak?"

"Epey kötü. Ondan hoşlanıyordu sonuçta, değil mi?"

"Sırılsıklam âşıktı. Romantik biri, biliyorsun, çok da genç. Taggert onun istediğini sandığı şeylere sahipti; gençlik, güzellik ve kabarık bir savaş sicili. Bu şey onu çok sarsacak."

"Ben kolay kolay sarsılmam," dedim. "Ama gafil avlandım. Bana epey güvenilir bir çocuk gibi gelmişti, biraz bencil ama sağlam."

"Bu tipleri benim kadar iyi bilmezsin sen," dedi Graves. "Aynı şeyin başka çocukların başına geldiğini de gördüm, böyle uç derecede değil tabii, ama aynı şey. Liseden sonra orduya ya da hava kuvvetlerine katılırlar, işlerini çok da iyi yaparlar. Yüksek maaşlı subay ve centilmendirler artık, kendilerini ve sükselerini çok önemserler ve bunun büyümeye devam etmesi gerekir. Savaş onların bir parçasıdır ve savaş bitince onlar da biter. Oğlan çocuklarının yaptıkları işlere geri dönüp orta yaşlı sivillerden emir almak zorunda kalırlar. Manevra kolu ve makineli tüfek yerine kalem ve hesap makinesi tutarlar. Bazıları bunu kaldıramaz ve kötüleşir. Dünyanın onların istiridyesi olduğunu sandıklarından neden ellerinden çekilip alındığını anlayamazlar. Tekrar çekip almak isterler. Özgürlük, mutluluk ya da başarı için herhangi bir kuruma bağlı olmadan özgür, mutlu ve başarılı olmak isterler. Ve işte sonuç."

Yerdeki taze cesede baktı. Hâlâ açık olan gözleri çatının arasından boş gökyüzüne bakıyordu. Eğilip kapattım.

"Fazla hüzünlenmeye başladık," dedim. "Hadi gidelim buradan."

"Bir dakika." Elini omzuma koydu. "Bana bir iyilik yapmanı istiyorum, Lew."

"Nedir?"

Utana sıkıla konuşuyordu. "Miranda'ya bundan bahsettiğimde korkarım bunu olduğu gibi görmeyecektir. Ne kastettiğimi anlıyorsun –beni suçlayabilir."

"Ona ne söylememi istiyorsun?"

"Bunun senin eserin olmadığını biliyorum ama sana minnettar kalırım."

"Bunu yapabilirim," dedim. "Sanırım benim hayatımı kurtardın."

Bayan Kromberg elektrik süpürgesiyle ön taraftaki büyük odayı süpürüyordu. Ben içeri girince başını kaldırıp baktı ve süpürgeyi kapattı. "Bay Graves sizi bulabildi mi?"

"Buldu."

Yüzü sertleşti. "Ters bir şey mi var?"

"Artık yok. Miranda nerede biliyor musunuz?"

"Birkaç dakika evvel kahvaltı salonundaydı."

Beni geçirip güneşli bir odanın kapısında bıraktı. Miranda verandaya yukarıdan bakan bir penceredeydi. Elindeki nergisleri bir vazoya yerleştiriyordu. Sarı çiçekler iç karartıcı kıyafetleriyle uyuşmuyordu. Üzerindeki tek renkli şey siyah yün takımının yakasındaki kırmızı fiyonktu. Küçük sivri göğüsleri öfkeyle giysisini zorluyordu.

"Günaydın," dedi. "Bir isteği dile getiriyorum, bir beyanatta bulunmuyorum."

"Anladım," dedim. Gözlerinin etrafındaki deri şişkin ve mavimsiydi. "Ama benim size iyi sayılabilecek haberlerim var."

"Sayılabilecek derken?" Yuvarlak çenesini kaldırdı, ama ağzı hâlâ hüzünlüydü.

"Babanızın hayatta olduğunu düşünmek için nedenlerimiz var."

"Nerede peki?"

"Bilmiyorum."

"O zaman hayatta olduğunu nereden biliyorsunuz?"

"Biliyorum demedim. Düşünüyorum dedim. Onu kaçıranlardan biriyle konuştum."

Paldır küldür yanıma gelip koluma yapıştı. "Ne söyledi peki?"

"Babanın hayatta olduğunu."

Eli kolumu bırakıp diğer elini tuttu. Esmer parmakları kenetlendi. Kırık saplı nergisler yere düştü. "Ama onların söylediklerine güvenemezsin. Herhalde yaşadığını söyleyecekler. Ne istediler? Sana telefon mu ettiler?"

"Benim konuştuğum sadece bir tanesiydi. Yüz yüze konuştuk."

"Onu gördün ve gitmesine izin mi verdin?"

"Gitmesine izin vermedim. Öldü. Adı da Allan Taggert'tı."

"Ama bu imkânsız. Ben..." Alt dudağı sarktı ve alttaki dişleri ortaya çıktı.

"Neden imkânsızmış?" dedim.

"O bunu yapamaz. O iyi biridir. Bana karşı –bize karşı hep dürüst olmuştur."

"Hayatının fırsatını yakalayana kadar. O zaman gözü paradan başka bir şeyi görmezdi. Onu almak için cinayet bile işlerdi."

Gözlerinde bir soru işareti belirdi. "Ralph yaşıyor demiştin?"

"Taggert babanı öldürmedi. Beni öldürmeye çalıştı."

"Olamaz," dedi. "O böyle biri değildi. O kadın onu ayartmıştır. Onunla olursa ona zarar vereceğini biliyordum."

"Taggert sana ondan bahsetmiş miydi?"

"Tabii ki bahsetmişti. O bana her şeyini anlatırdı."

"Ve sen onu yine de seviyordun?"

"Onu sevdiğimi söyledim mi?" Ağzı yine toplanıp kibirle kıvrılmıştı.

"Ben sevdiğini sanmıştım."

"O alığı mı? Onu bir süre kullandım. İşimi gördü."

"Kes şunu," diye çıkıştım. "Beni aptal yerine koyamazsın, kendini de. Kendini paralama."

Ama birbirine kenetli elleri kımıldamadı, uzun bedeni de hareketsizdi. Bir ağaç kadar hareketsiz eğilip kesintisiz bir rüzgârla birlikte öylece kaldı. Rüzgâr onu bana doğru itti. Nergisleri ayaklarının altında ezdi. Ağzı benimkine yaklaştı. Vücudunu, çok uzun ama yeteri kadar uzun olmayan bir süre boyunca, göğüslerinden dizlerine kadar benimkine yapıştırdı.

"Onu öldürdüğün için teşekkür ederim, Archer." Sesi kederli ve zayıftı, yaralar konuşabilse sesleri ancak böyle çıkardı.

Onu omuzlarından tutup uzaklaştırdım. "Yanlışın var. Onu ben öldürmedim."

"Öldüğünü, seni öldürmeye çalıştığını söyledin ama."

"Onu vuran Albert Graves'di."

"Albert mı?" Kıkırdaması kahkahayla histeri krizi arasında gidip geldi. "Bunu Albert mı yaptı?"

"Keskin nişancıdır –birlikte epey atış talimi yapmışlığımız vardır," dedim. "O olmasaydı şu an burada seninle olmazdım."

"Burada benimle olmak hoşunuza gidiyor mu?"

"Bir parça midemi bulandırıyor. Bir şeyleri çiğnemeden yutmaya çalışıyor sonra da sindiremiyorsun."

Gözleri vücudumun üzerinde gezindi ve yarı maymun yarı cici kız edasıyla sırıttı. "Beni öperken de bulanmış mıydı miden?"

"Bulanmadı diyebilirsin. Ama rekabet eden beş altı kişilikle aynı odada olmak kafa karıştırıcı."

O maymun sırıtışıyla, "Mide bulandıran, demek istiyorsun herhalde," dedi.

"Aklını başına toplamazsan senin miden bulanacak. Bu olayla ilgili ne hissettiğini anla, sonra oturup bir güzel ağla, yoksa şizoid olup çıkacaksın."

"Ben hep şizoid bir tiptim zaten," dedi. "İyi ama neden ağlayacakmışım *Herr Doktor?*"

"Ağlayabiliyor musun görmek için."

"Beni ciddiye almıyorsun, değil mi Archer?"

"Elimi ayrık bir ağaca koyamam ben."

"Aman Tanrım," dedi. "Mide bulandırıcıyım, şizoidim, yarık ağacım. Ciddi ciddi sen beni ne zannediyorsun?"

"Bilmiyorum. Dün gece nereye gittiğini söylersen belki bir fikrim olabilir."

"Dün gece mi? Hiçbir yere."

"Bildiğim kadarıyla dün gece üstü açık kırmızı Packard'la epey dolaşmışsın."

"Dolaştım, ama bir yere gitmedim. Sadece sürdüm. Kafamı toplamak için yalnız kalmak istedim."

"Ne konuda."

"Ne yapacağım konusunda. Sen benim ne yapacağımı biliyor musun, Archer?"

"Yo. Sen?"

"Albert'ı görmek istiyorum," dedi. "Nerede o?"

"Soyunma kabininde. Olayın olduğu yerde. Taggert da orada."

"Beni Albert'a götür."

Onu paravanlı verandada ölünün başında otururken bulduk. Şerif ve Bölge Savcısı bir yandan Taggert'ın hâlâ örtülmemiş olan yüzüne bakıp bir yandan da Graves'in anlattıklarını dinliyorlardı. Üçü de Miranda için ayağa kalktı.

Albert Graves'e ulaşabilmek için Miranda'nın Taggert'ın üzerinden geçmesi gerekti. Bunu aşağıdaki örtülmemiş yüze bir kez bile bakmadan yaptı. Graves'in ellerinden birini tutup dudaklarına götürdü. Öptüğü sağ eliydi, tetiği çeken eli.

"Artık seninle evlenirim," dedi.

Graves bilsin bilmesin Alan Taggert'ı kafasından vurmak için haklı bir nedeni vardı.

## 26

Bir süre kimse konuşmadı. Âşıklar birlikte cesedin üstünde dikiliyorlardı. Diğerleri de durmuş onları seyrediyordu.

Nihayet Graves, "Buradan gitsek iyi olur, Miranda," dedi. Bölge Savcısı'na baktı. "Müsaadenizle. Bayan Sampson'a olanları anlatmam gerek."

"Git hadi, Graves," dedi Humphreys.

Ofisinden biri notlar alıp bir diğeri de cesedin fotoğraflarını çekerken Humphreys beni sorguya çekti. Soruları hızla ve etraflıca ilerliyordu. Ona Taggert'ın kim olduğunu, nasıl öldüğünü ve neden ölmek zorunda olduğunu anlattım. Şerif Spanner dinlerken yerinde duramıyor, bir sigarayı parçalara ayırıyordu.

Humphreys "Adli soruşturma yapmak gerekecek," dedi. "Sen ve Bert masumsunuz tabii. Taggert'ın elinde öldürücü bir silah var ve belli ki onu kullanmaya niyetliymiş. Maalesef onun vurulmasıyla eskisinden daha beter durumdayız. Hemen hemen hiç ipucumuz yok."

"Betty Fraley'i unutuyorsunuz."

"Unutmuyorum. Ama onu henüz yakalamadık, hem yakalasak bile Sampson'ın nerede olduğunu bildiğinden emin olamayız. Sorun değişmedi ve çözüme dünkünden daha yakın değiliz. Sorun Sampson'ı bulmak."

"Ve yüz bin doları," dedi Spanner.

Humphreys sabırsızca başını kaldırdı. "Para ikinci planda, bence."

"İkinci planda, evet, ama yüz bin dolar nakit para her daim önemlidir." Esnek üst dudağını çekiştirdi. Gri gözleri bana çevrildi. "Archer'la işiniz bittiyse onunla biraz konuşmak istiyorum."

Humphreys soğuk soğuk, "Al götür," dedi. "Ben şehre dönmeliyim." Cesedi de yanında götürdü.

Yalnız kaldığımızda Şerif ağır ağır ayağa kalkıp tepeme dikildi.

"Eee?" dedim. "Sorun nedir Şerif?"

"Belki sen bana söylersin?" Kalın kollarını göğsünde kavuşturdu.

"Size bildiklerimi anlattım."

"Belki. Geçen gece bana anlatman gereken her şeyi anlatmadın. Bu sabah arkadaşın Colton'dan duydum. Bana şu Lassiter'ın kullandığı limuzinden söz etti. Pasadena'daki bir kiralık araba şirketinden geliyormuş ve sen bunu biliyormuşsun." Sesi birden beni şaşırtmak istermiş gibi yükseldi. "Bana onu daha önce gördüğünü söylemedin, fidye notu bırakıldığında."

"Onun gibi bir tane görmüştüm ama aynı araba olduğundan haberim yoktu."

"Ama olabileceğini tahmin ediyordun. Colton'a o olduğunu söyledin. Bilgiyi bu bölgede yargı yetkisi olmadığı için kullanamayacak olan bir memura verdin, ama bana bir şey söylemedin, öyle değil mi? Söylemiş olsaydın biz de onu yakalamış olurduk. Cinayeti durdurur ve parayı kurtarırdık…"

"Ama Sampson'ı kurtaramazdınız."

"Buna sen karar veremezsin." Suratı pancar gibi olmuştu. "Her şeye el atıp benim işime burnunu sokuyorsun. Bilgi sakladın. Lassiter vurulduktan sonra ortadan kayboldun. Tek görgü tanığı sendin ve sen ortadan kayboldun. Aynı anda yüz bin dolar da ortadan kayboldu."

"İmalardan hoşlanmam." Ayağa kalktım. İri yarı bir adamdı ve gözlerimiz aynı seviyedeydi.

"Hoşlanmazsın demek. Benim hoşlandığımı nerden çıkarttın? Parayı sen aldın demiyorum –bunu zaman gösterecek. Lassiter'ı sen vurdun da demiyorum. Vurabilirdin diyorum. Silahını istiyorum, bir de yardımcım güneyde sana yetiştiğinde ne yaptığını bilmek istiyorum. Ve de ondan sonra ne yaptığını."

"Sampson'ı arıyordum."

"Demek Sampson'ı arıyordun," dedi aşırı bir alaycılıkla. "Sana inanmamı mı bekliyorsun?"

"Bana inanmak zorunda değilsin. Senin için çalışmıyorum."

Elleri dudaklarında bana doğru eğildi. "Çirkinleşmek istesem seni şu saniye içeri tıkardım."

Sabrım taşmıştı. "Şimdi göstermiyorsun," dedim, "ama çirkinsin."

"Sen kiminle konuştuğunun farkında mısın?"

"Şerifle. Elinde zorlu bir dava olan ve hiçbir fikri olmayan bir şerifle. Bu yüzden kendine bir günah keçisi arayan bir şerifle."

Kanı çekilen yüzü öfkeden yorgun düşmüş bir hale büründü. "Bu Sacramento'dakilerin kulağına gidecek," diye kekeledi. "Lisansın…"

"Bunu daha önce de duymuştum. Hâlâ çalıyorum.
Sana nedenini söyleyeyim: Temiz bir sicilim var ve
ben insanlar bana saldırmadan onlara saldırmam."

"Yani beni tehdit ediyorsun, öyle mi!" Sağ eliyle
kalçasının üzerindeki tabanca kılıfını kurcaladı. "Tu-
tuklusun, Archer."

Oturup bacak bacak üstüne attım. "Sakin ol, Şerif.
Oturup rahatla. Konuşacaklarımız var."

"Seninle mahkemede konuşacağız."

"Hayır," dedim. "Burada. Tabii beni göçmen de-
netçisine götürmek istiyorsan başka."

"Onun bununla ne ilgisi var?" Zeki görünme çaba-
sıyla göz kapaklarını buruşturdu ama ancak şaşırmış
görünebildi. "Sen yabancı değilsin ki?"

"Ben yerliyim," dedim. "Kasabada göçmen denet-
çisi var mı?"

"Santa Teresa'da yok. En yakın olanı Ventura'da-
ki federal büroda. Neden?"

"Onlarla çok iş yapar mısın?"

"Bir sürü. Yabancı bir suçluyu yakaladığımda on-
lara yönlendiririm. Benimle kafa bulmaya mı çalışı-
yorsun, Archer?"

"Otur," dedim tekrar. "Geçen gece aradığım şeyi bu-
lamadım, ama başka şeyler buldum. Seni ve dedektifleri
çok mutlu edecek bir şey. Bunu sana karşılıksız bir hedi-
ye olarak teklif ediyorum, hiçbir şart koşmadan."

Kalçalarını plaj sandalyesine indirdi. Öfkesi bir-
den geçivermiş yerini merak almıştı. "Nedir o? Güzel
bir şey olsa iyi olur."

"Ona üstü kapalı mavi kamyoneti, tapınaktaki es-
mer adamları, Troy'u, Eddie'yi ve Claude'u anlattım.

"Troy çetenin başı, kesinlikle eminim. Diğerleri onun için çalışıyor. Meksika sınırı ve Bakersfield bölgesi arasında düzenli bir şekilde gizli işler çeviriyorlar. Güney uç büyük ihtimalle Calexico'da."

"Tabii ya," dedi Spanner. "Sınırın kolayca geçilebileceği bir yer. Birkaç ay önce sınır nöbetçisiyle birlikte o tarafa gezmeye gitmiştim. Tek yapmaları gereken sürünerek bir yoldan diğer yola uzanan dikenli tellerin altından geçmek."

"Troy'un kamyoneti onları almak için bekliyor olacak. Bulutlardaki Tapınak'ı kaçak göçmenler için alıcı istasyon olarak kullanıyorlar. Allah bilir kaç tanesi oradan geçmiştir. Dün gece on iki ya da daha fazlası vardı."

"Hâlâ oradalar mı?"

"Şimdiye Bakersfield'a varmışlardır. Ama yakalamak zor olmayacaktır. Claude'u ele geçirirseniz konuşacaktır."

"Tanrım!" dedi Spanner. "Bir gecede on iki kişi topluyorlarsa bu ayda üç yüz altmış kişi eder. Sınırdan geçmek için ne kadar ödediklerini biliyor musun?"

"Hayır."

"Adam başı yüz papel. Şu Troy iyi para kazanıyormuş."

"Kirli para," dedim. "Bir düzine yoksul yerliyi kamyonete tıkıp, bütün birikimlerini alarak ve göçmen işçi olsunlar diye salıvererek kazanılmış."

Bana bir parça yadırgayarak baktı. "Onlar da kanunları çiğniyor, unutma. Gerçi sabıka kayıtları yoksa dava açmıyoruz. Sınıra götürüp bırakıyoruz, o kadar. Ama Troy ve çetesi başka mesele. Yaptıkları şey için rahat bir otuz sene yerler.

"İyi," dedim.

"Los Angeles'ta nerede takılıyor bilmiyorsun değil mi?"

"Vahşi Piyano diye bir yer işletiyor, ama orada görünmez. Sana bildiklerimi anlattım." İki şey hariç: Öldürdüğüm adam ve hâlâ Eddie'yi bekleyen sarışın kadın.

Şerif aheste aheste, "Dürüst birine benziyorsun," dedi. "Tutuklama ile ilgili söylediklerimi unut gitsin. Ama gereksiz yere tantana yapıyorsan tekrar hatırlatırım."

Teşekkür beklemediğimden hayal kırıklığına uğramadım.

## 27

Arabamı okaliptüs ağaçlarının altına park ettim. Kamyonet lastiklerinin izleri tozun içinde hâlâ görünüyordu. Sokağın aşağısında pastan benek benek olmuş A model bir sedan bir çitin önüne park edilmişti. Direksiyona iliştirilmiş konaklama belgesinde Bayan Marcella Finch yazıyordu.

Ay ışığı beyaz kulübeye insaflı davranmıştı. Öğlen güneşinde çirkin, iğrenç bir harabeydi, mavi denize karşı pis bir leke. Görünürde yaşayan ya da hareket eden hiçbir şey yoktu, denizin kendisi ve tepenin yamacındaki kurumuş otların arasındaki birkaç zayıf esinti hariç.

Kapı tıklattığımda gıcırdayarak bir parça açıldı.

Cılız bir kadın sesi, "Kim o?" dedi.

Silahı olabilir diye kenarda durup bekledim. Sesini yükseltti. "Orada biri mi var?"

"Eddie," diye fısıldadım. Eddie'nin artık ismine ihtiyacı yoktu ama yine söylemesi zordu.

"Eddie mi?" Örtülü ve meraklı bir kelimeydi.

Bekledim. Islıklı ayakları döşemede ilerledi. İçerinin loş ışığında onu göremeden sağ eli kapının köşesini kavradı. Soyulan kırmızı renk ojesinin altındaki tırnakları kirliydi. Elini tuttum.

"Eddie!" Kapının etrafına bakınan gözleri güneşten ve aşırı iyimserlikten kör olmuştu. Sonra gözlerini kırptı ve benim Eddie olmadığımı anladı.

On iki saat içinde hızla yaşlanmıştı. Göz çevresi şişmiş, ağzı gerilmiş, çenesi sarkmıştı. Eddie'yi beklemek onu bitirip tüketmişti. Bana diz atmaya sonra boynumu ısırmaya çalıştı. Onu yatağa ittim.

"Seni incitmek istemiyorum, Marcie."

Açık yuvarlak ağzıyla yüzüme doğru çığlığı bastı. Çığlığı kuru hıçkırıklarla bölündü. Örtülerin altına saklanarak kendini bir o yana bir bu yana attı. Bedeni ritmik bir orgazm acısıyla kıpırdanıyordu. Başında durup kuru hıçkırıklarını dinledim.

Kirli camlarda süzülüp yağmur lekeli duvarlardan ve eski püskü mobilyalardan yansıyan ışık griydi. Yatağın yanındaki eski pilli bir radyonun üzerinde bir avuç kibrit ve bir paket sigara vardı. Bir süre sonra kalktı, kahverengi bir sigara yakıp derin bir nefes çekti. Bornozunun önü açıldı, sarkık göğüslerinin görünmesinin artık bir önemi yoktu sanki.

Dumanla birlikte çıkan ses kibirli ve ruhsuzdu. "Bir aynasızı zevklendirmek için ağlama krizine girmeliyim herhalde."

"Ben aynasız değilim."

"Adımı biliyorsun. Yetkililerden bir haber almak için sabahtan beri bekliyorum." Soğuk bir ilgiyle bana baktı. "Siz piç kuruları daha ne kadar alçalabilirsiniz? Onu vurduğunuzda silahı bile yoktu. Sonra da gelip kapıda bana Eddie olduğunu söylüyorsun. Bir an için bana radyo haberlerinin yanlış olduğunu ya da siz piç kurularının blöf yaptığını düşündürdün. Bundan daha fazla alçalabilir misin?"

"Pek değil," dedim. "Kapıyı silahlı açarsın sandım."

"Benim silahım yok. Ben hiçbir zaman silah taşımam, Eddie de öyle. Eddie'nin dün gece silahı olsaydı şimdi ortalıklarda geziyor olmazdın. Eğlence olsun diye mezarının üzerinde zıplarsın artık." Ruhsuz sesi tekrar çatladı. "Ben de seninkinin üzerinde vals yaparım bakarsın, aynasız."

"Bir dakika sus da beni dinle."

"Seve seve." Ses eski çıngırtılı haline döndü. "Bundan sonra bir tek sen konuşacaksın. Beni kilitleyebilir, anahtarı da fırlatıp atabilirsin. Ama benden bir şey öğrenemezsin."

"Marihuanayı söndür, Marcie. Senden biraz makul konuşmanı istiyorum."

Gülüp dumanı yüzüme üfledi. Yarısına gelmiş sigarayı elinden alıp topuğumla ezdim. Kırmızı pençeleri yüzüme uzandı. Ben geri çekilince yatağa düştü.

"Sen de işin içindeydin herhalde, Marcie. Eddie'nin yaptığından haberin vardı, değil mi?"

"Her şeyi inkâr ederim. Onun işi kamyonet kullanmaktı. Imperial Valley'den kamyonetle fasulye taşırdı." Birdenbire ayağa kalktı ve bornozunu çıkartıp attı. "Beni merkez büroya götür de bu iş bitsin. Resmî her şeyi inkâr edeceğim."

"Ben merkez bürodan değilim."

Başının üzerinden bir elbiseyi geçirmek için kollarını kaldırınca vücudu dikleşti; göğüsleri dik, beli sıkı ve beyazdı. Vücudundaki tüyler koyu renkti.

"Hoşuna gitti mi?" dedi. Elbiseyi sert bir hareketle aşağı çekti ama boynundaki düğmeleri becerip bulamadı. Gölgeli sarı saçları yüzüne dökülmüştü.

"Sen aynasız değil misin?"

"Sen de Puddler gibi söylediklerini tekrarlayıp duruyorsun. Beni dinle. Ben Sampson'ı istiyorum. Ben onu bulmak için tutulmuş özel dedektifim. Benim tek istediğim o –anlıyor musun? Bana onu verirsen seni tehlikeden uzak tutarım."

"Seni pis yalancı," dedi. "Bir aynasıza güvenecek değilim, özel ya da başka tür. Hem ben Sampson'ın nerede olduğunu bilmiyorum."

Gözlerimi kahverengi gözlerine diktim. Boş ve sığdılar. Yalan söyleyip söylemediğini onlardan anlayamazdım.

"Sampson'ın nerede olduğunu bilmiyorsun…"

"Bilmiyorum dedim ya."

"Ama kim olduğunu biliyorsun."

Yatağa oturdu. "Bir halt bildiğim yok. Sana söyledim."

"Eddie bunu tek başına yapmadı. Bir ortağı olmalı."

"Tek başına yaptı. Yapmadıysa bile… İspiyoncu mu sandın sen beni? Eddie'ye yaptıklarından sonra polisler için iş yapar mıyım ben?"

Fıçı sandalyeye oturup bir sigara yaktım. "Sana komik bir şey söyleyeyim. Ben Eddie vurulduğunda oradaydım. Beni hesaba katmazsan üç kilometrelik bir alanda polis molis yoktu."

İncecik bir sesle, "Onu sen mi öldürdün?" dedi.

"Ben öldürmedim. Parayı başka bir arabaya aktarmak için bir yol kenarında durdu. Araba krem rengi üstü açılabilen spor bir arabaydı. İçinde de bir kadın vardı. Onu o vurdu. Bu kadın şimdi nerede olabilir?"

Gözleri ıslak çakıl taşları gibi parıldıyordu. Dilinin kırmızı ucu üst dudağının üzerinde gezinip ardından alt dudağına geçti. "Ta beyaz işine başladığından beri," dedi kendi kendine, "biz içicilerden her daim nefret ederlerdi."

"Oturup sakin olacak mısın Marcie? O nerede?"

"Kimden bahsettiğini bilmiyorum."

"Betty Fraley," dedim.

Uzun bir sessizliğin ardından yine, "Kimden bahsettiğini bilmiyorum," dedi.

Onu yatakta oturur halde bırakıp tekrar Corner'a gittim. Otoparka park edip ön camın güneşliğini indirdim. Yüzümü tanıyordu ama arabamı tanımıyordu.

Yarım saat boyunca Beyaz Plaj yolu bomboştu. Derken uzaklarda A model bir sedanın sürüklediği bir toz bulutu belirdi. Araba güneye, Los Angeles'a doğru dönmeden evvel boya küpüne batmış bir yüz, gri bir kürk, abartılı biçimde yana yatırılmış parlak mavi, tüylü bir şapka ilişti gözüme. Giysiler, makyaj malzemeleri ve yalnız geçirdiği bir yarım saat Marcie'de epey bir değişiklik yapmıştı.

İki üç arabanın peşinden otobana çıktım. A modelin azami hızı ellinin altındaydı, yani görüş alanına girmek işten bile değildi. Sıcak bir günde çok iyi bildiğim bir otobanda yavaş yavaş araba kullanırken tek sıkıntım uyanık kalabilmekti. Los Angeles'a yaklaşırken trafik artınca aramızdaki mesafeyi azalttım.

A model, Sunset Bulvarı'nda otobandan çıkıp bir an bile durmadan Pasifik Kayalıkları'na doğru yola koyuldu. Beverly Hills sınırında bulvardan çıkıp gözden kayboldu.

Onu her iki tarafında da çitler uzanan rüzgârlı bir yola kadar izledim. A model, çakıl taşlı bir araba yolunun girişindeki bir defne ağacının arkasına park edilmişti. Geçerken bir an Marcie'nin çimenlik alanı geçip zakkumlarla örtülmüş tuğladan bir verandaya doğru yürüdüğünü gördüm. Ölümcül bir enerjiyle ite kaka yol alıyordu.

# 28

Bir sonraki yoldan içeri dönüp banket kısmına park ettim ve banliyö huzurunu bozacak bir işareti beklemeye koyuldum. Saniyeler poker fişi kuleleri gibi tehlikeli bir şekilde yığılıyordu.

Arabanın kapısını açıp bir ayağımı kaldırıma uzatmıştım ki Ford motoru öksürür gibi bir ses çıkardı. Bacağımı içeri alıp direksiyonun arkasına sindim. Ford motoru son kez gürleyip hareket etti ve ardından sustu. Onun yerini daha boğuk bir ses aldı ve siyah Buick geri geri yoldan çıktı. Direksiyonda tanımadığım bir adam vardı. Tombul yüzündeki gözleri pişmemiş hamurun üzerine yapışmış kuru üzümleri andırıyordu. Marcie de ön koltukta onun yanında oturuyordu. Arka camlar cenaze arabalarındakilere benzer siyah perdelerle örtülmüştü.

Buick bulvarda geriye, denize doğru döndü. Cesaret edebildiğim kadar yakından takip ediyordum. Brentwood ile Pasifik Kayalıkları arasında sağa dönüp kanyona doğru giden bir yolu tırmandı. İçimden bir ses Sampson davasında fazla bir yolumuz kalmadığını söylüyordu. Sona doğru dar bir yola giriyorduk.

Yol kanyonun batı duvarına yontulmuştu. Çitle çevrilmemiş duvarın aşağısı sık çalılıklarla kaplıydı. Yolun yukarısında, solumda kabaca temizlenmiş toprak parçalarının üzerinde yükselen oraya buraya serpiştirilmiş evler vardı. Evler yeni ve henüz kaba inşaat halindeydi.

Bir yokuşun başında bir sonraki tepenin doruğuna tırmanan Buick ilişti gözüme. Bayır aşağı hızlanıp bir *barranca*nın[5] üzerinde bir taraftan diğerine uzanan taş bir köprüyü geçerek peşinden tepeyi tırmandım. Tanımadığı bir bölgede yolunu bulmaya çalışan iri siyah bir böcek gibi ağır ağır hareket ediyordu. Tekerlek izleriyle dolu bir yol sağa doğru ikiye ayrılıyordu. Böcek bir an duraksayıp o yolu takip etti.

Arabamın yarısını örten bir ağacın arkasına park ettim ve yolun aşağısına doğru küçülüp giden Buick'i seyrettim. Gerçek bir böcek boyuna geldiğinde kibrit kutusu büyüklüğünde sarı bir evin önünde durdu. Evden siyah kafalı kibrit çöpünden bir kadın çıktı. Arabadan iki kadın ve iki adam inip onun etrafını sardılar. Beşi birlikte bir sürü bacağı olan tek bir böcek gibi eve girdiler.

Arabamı bırakıp çalıların arasından kanyonun dibindeki kurumuş nehir yatağına doğru aşağı inmeye koyuldum. Yatak ben yaklaştıkça minik kertenkelelerin kaçıştığı iri kaya parçalarıyla çukur çukur olmuştu. Nehir yatağı boyunca sıralanmış dallı budaklı ağaçlar tam arkasına varana kadar beni sarı evden saklamıştı. Arka tarafı kısa taşlar üzerine oturtulmuş boyasız ahşap bir kulübeydi.

5    İsp. Dar ve dik yamaçlı vadi.

İçeride bir kadın tekrar tekrar çığlık çığlığa bağırdı. Çığlıklar sinirlerimi oynatıyordu ama onlara minnettardım. Nehir yatağından yukarı tırmanıp evin altında sürünürken çıkardığım gürültüyü bastırıyorlardı. Çığlıklar bir süre sonra dindi. Boylu boyunca uzanıp yukarıdaki döşemeden gelen eşeleme seslerini dinledim. Evin altındaki sessizlik sanki çömelmiş yeni bir çığlık bekliyordu. Burnuma taze çam, nemli toprak ve kendi ter kokum geldi.

İnce bir ses tepemde konuşmaya başladı. "Koşulları tam olarak anlamıyorsun. Sanki bizim tek amacımızın sadistlik ve aptalca bir intikam olduğunu düşünüyor gibi bir halin var. İntikam amacı gütmeye niyetimiz olsaydı davranışının bunu haklı çıkardığını düşünebilirdik.

"Müsaade edersen kendi fikrimi söylemek istiyorum. Benim fikrim şu ki, Betty, sen çok kötü bir şey yaptın. Bana danışmadan kendi başına bir işe kalkıştın ki bu çalışanlarımda pek onaylamadığım bir şeydir. Dikkatsiz bir teşebbüste bulunup çuvallayarak işleri daha da beter hale getirdin. Polis şimdi seni, beni, Fay'i ve Luis'i arıyor. Dahası sefil küçük komplona kurban etmek için benim değerli bir ortağımı seçtin. Sadece *esprit de corps*'tan[6] değil kardeş sevgisinden de nasibini almadığını göstererek de olaya son noktayı koydun. Kardeşin Eddie Lassiter'ı vurdun."

Fay Estabrook, "Sözlüğü yiyip yuttuğunu biliyoruz," dedi. "Sadede gel, Troy."

Yaralı bir kedinin inlemesini andıran bir ses, "Onu ben öldürmedim," dedi.

6   Fr. Ekip ruhu.

"Sen bir yalancısın," diye çemkirdi Marcie.

Troy sesini yükselti. "Hepiniz kapayın çenenizi. Geçmişte olanları unutacağız, Betty…"

"Onu sen öldürmezsen ben öldürürüm," dedi Marcie.

"Saçmalama Marcie. Ben ne dersem aynen onu yapacaksın. Zararı telafi etmek için bir şansımız var ve ilkel tutkularımızın bunu mahvetmesine izin vermeyeceğiz. Bizi bu küçük hoş partiye kadar getiren tutkularımız, değil mi Betty? Paranın nerede olduğunu bilmiyorum ama öğreneceğim tabii ki. Öğrendiğimde günahın bağışlanmış olacak, lafın gelişi tabii."

"O yaşamayı hak etmiyor," dedi Marcie. "Yemin ederim sen öldürmezsen onu ben öldüreceğim."

Fay kibirli kibirli güldü. "Nerede sende o yürek tatlım. Onu tek başına zapt edebilecek yüreğin olsa bizi aramazdın."

"İkiniz de susun." Troy sesini tekrar tatlı tekdüze bir tona indirdi. "Marcie'yi idare edebileceğimi biliyorsun, değil mi Betty. Sanırım şimdiye kadar seni bile idare edebileceğimi anlamışsındır. Her şeyi anlatacaksın, sanırım. Yoksa çok acı çekersin. Aslında belki bir daha hiç yürüyemeyeceksin. Sanırım bunu sana garanti edebilirim."

"Konuşmayacağım," dedi.

Troy sakin sakin, "Ama iş birliğine karar verirsen," dedi, "grubun refahını kendi bencil çıkarlarının önüne koyarsan grup da karşılığında sana seve seve yardım edecektir. Nitekim bu gece seni ülke dışına çıkartacağız. Biliyorsun ben ve Luis senin için bunu yapabiliriz."

"Bunu yapmayacaksın," dedi. "Seni tanırım, Troy."

"Şimdi daha yakından tanıyacaksın, tatlım. Diğer ayakkabısını da çıkar, Luis."

Vücudu yerde kıvranıyordu. Nefes alıp verişini duyuyordum. Yere bırakılan bir ayakkabı döşeme tahtasına çarptı. Buna bir son verme şansımı değerlendirdim. Ama dört kişiydiler, bir silahın yetmeyeceği kadar fazlaydılar. Betty Fraley'in ise hayatta kalması gerekiyordu.

Troy, "Taban tepkisini –sanırım böyle deniyordu– test edeceğiz," dedi.

"Bundan hoşlanmıyorum," dedi Fay.

"Ben de, tatlım. Nefret ediyorum. Ama Betty'de de katır inadı var."

Bir anlık bir sessizlik yırtılana kadar bir zar gibi gerildi. Çığlıklar tekrar başladı. Bittiğinde dişlerimi toprağa geçirdiğimi fark ettim.

"Taban tepkin çok iyi," dedi Troy. "Ağzının da böyle iyi çalışmaması ne kadar kötü."

"Onu size verirsem gitmeme izin verecek misiniz?"

"Söz veriyorum."

"Sen mi!" Dehşet verici bir şekilde iç geçirdi.

"Sözüme güvensen keşke, Betty. Seni incitmekten hoşlanmıyorum, sen de incinmekten hoşlanıyor olamazsın."

"Beni kaldırın, o zaman. Beni ayağa kaldırın."

"Tabii, tatlım."

"Buenavista'daki otobüs durağındaki bir kasada. Anahtarlar çantamda."

Evin görüş alanından çıkar çıkmaz koşmaya başladım. Arabama vardığımda Buick hâlâ aşağıda, yolun sonunda duruyordu. Tepeyi inip taş köprüye gittim ve karşı taraftaki rampanın yarısına kadar tırmandım. Bir ayağım debriyajda bir ayağım frende Buick'in gelmesini bekledim.

Uzunca bir süre sonra motorunun tepenin diğer tarafından yükselen iniltilerini işittim. Vitese takıp sessizce ilerledim. Arabanın kromu zirvede güneşten parladı. Yolu ortalayıp köprüde karşısına çıktım. Fren çığlıkları kornanın bağırtısını bastırdı. Koca araba çamurluğuma bir buçuk metre kala durabilmişti. Onun yalpalaması durmadan ben yerimden kalkmıştım.

Luis denen adam direksiyonun oradan bana baktı, yüzü sinirden çarpılmış, parıl parıl parlıyordu. Onun tarafındaki kapıyı açıp silahımı gösterdim. Yan tarafındaki Fay Estabrook öfkeden bar bar bağırıyordu.

"Dışarı!" dedim.

Luis bir ayağını aşağı indirip bana uzandı. Geri çekildim. "Dikkat et. Ellerini başının üzerine koy."

Ellerini kaldırıp yola çıktı. Parmaklarından birindeki yeşil zümrüt yüzük parladı. Geniş kalçaları krem rengi gabardin takımının altında sallandı.

"Sen de Fay. Bu tarafa."

Uzun topuklarının üzerinde sendeleyerek dışarı çıktı.

"Şimdi dönün."

Omuzlarının üzerinden bana bakarak dikkatlice döndüler. Silahımı Luis'in ense köküne indirdim. Dizlerinin üzerine çöküp usulca yüzüstü düştü. Fay elleriyle başını koruyarak sindi. Şapkası kayıp modası geçmiş bir stilde bir gözünü kapattı. Yola düşen uzun gölgesi onun hareketlerini taklit ediyordu.

"Onu arka koltuğa koy," dedim.

"Seni pis alçak!" dedi. Başka şeyler de söyledi. Elmacık kemiklerinin üzerindeki allık göz alıcıydı.

"Acele et."

"Onu kaldıramam."

"Kaldırmak zorundasın." Ona doğru bir adım attım.

Beceriksizce, düşen adamın üzerine eğildi. Adam hareketsiz ve ağırdı. Ellerini adamın koltuk altlarına sokup vücudunun üst kısmını kaldırdı ve onu arabaya sürükledi. Kapıyı açtım ve birlikte adamı arka koltuğa attık.

Nefes nefese doğruldu, yüzü al al olmuştu. Güneşli kanyonun kırsal alanlara özgü sükûneti yaptığımız şeye tuhaf bir dekor oluşturmuştu. Yukarıdan bakıyormuş gibi ikimizi de aklında kan ve para olan, güneşin altında iki minik figür olarak görebiliyordum.

"Şimdi bana anahtarı ver."

"Ne anahtarı?" Şaşkınlığını dile getirmek için kaşlarını çatmayı abartınca karikatüre benzedi. "Ne anahtarı?"

"Kasanın anahtarı, Fay. Çabuk ol."

"Bende anahtar manahtar yok." Ama bakışları neredeyse fark edilmeyecek bir şekilde Buick'in ön koltuğuna doğru kaydı.

Koltukta siyah süet bir cüzdan vardı. Anahtar içindeydi. Alıp kendi cüzdanıma koydum.

"Bin," dedim. "Hayır, sürücü koltuğuna. Sen kullanacaksın."

Dediğimi yaptı. Ben de onun arkasından bindim. Luis arka koltuğun köşesine gömülmüştü. Gözleri yarı açıktı, ama göz bebekleri görünmüyordu. Yüzü öncekinden daha çok hamura benziyordu.

Fay ters ters, "Arabanı geçemem," dedi.

"Geri geri tepeye çık."

Sert bir hareketle geri vitese taktı.

"O kadar hızlı değil," dedim. "Kaza yaparsak sağ çıkamazsın."

Küfretti ama yavaşladı da. Tepeyi geri geri dikkatle çıkıp indi. Dar yolun girişinde dönüp kulübeye doğru sürmesini söyledim.

"Yavaş ve dikkatli, Fay. Kornaya basmak yok. Omurgan olmadan bir işe yaramazsın, hem ikizlerin kalbi yoktur."

Tabancamın ağzıyla ensesine dokundum. Ürkünce araba ileri atıldı. Ağırlığımı Luis'in üzerine verdim ve sağdaki arka camı araladım. Dar yol kulübenin önündeki küçük bir açıklığa çıkıyordu.

"Sola dön," dedim, "kapının önünde dur. Sonra da hazır olda bekle."

Kulübenin kapısı içeriden açılıyordu. Başımı eğdim. Tekrar kaldırdığımda Troy kapı girişindeydi; sağ eli, eklemleri dışarı bakacak şekilde kapının kenarındaydı. İç geçirip ateş ettim. Beş metre mesafeden kurşunun bıraktığı izi görebiliyordum, sanki sağ elinin birinci ve ikinci eklemlerinin arasına şişman, kırmızı bir böcek konmuştu.

Sol eli silahına davranmak için kımıldayamadan önce vücudu bir an hareketsiz kaldı. Bu yanına gidip tabancamın kabzasını tekrar kullanmak için yeterli bir süreydi. Gümüşî başı dizlerinin arasında asılı vaziyette kapı eşiğine çöküverdi.

Arkamdaki Buick'in motoru gürledi. Fay'in arkasından gittim ve arabayı döndüremeden onu yakalayıp omuzlarından çekerek dışarı çıkarttım. Bana tükürmeye çalışınca salyaları çenesine aktı.

"İçeri gireceğiz," dedim. "Önce sen."

Topuklarının üzerinde tökezleyerek hani neredeyse sarhoş gibi yürüyordu. Troy kapı girişinden yuvarlanmış, daracık verandada hiç kımıldamadan iki büklüm yatıyordu. Üzerinden atlayıp geçtik.

Yanık et kokusu hâlâ odanın içindeydi. Betty Fraley yerdeydi. Marcey de boğazında onu terrier gibi tartaklıyordu. Onu çekip fırlattım. Bana tıslayıp topuklarını yere vurdu ama ayağa kalkmaya kalkışmadı. Silahımla Fay'e köşede onun yanında durmasını işaret ettim.

Betty Fraley doğruldu, nefesi boğazında ıslık gibi bir ses çıkartıyordu. Yüzünün bir tarafı boyunca, saç çizgisinden çene kemiğine kadar uzanan dört tırnak izinden kan sızıyordu. Yüzünün diğer tarafı sarıya çalan beyaz renkteydi.

"Güzel görünüyorsun," dedim.

"Sen de kimsin?" Sesi karga sesi gibiydi. Gözleri sabitlenmişti.

"Önemi yok. Bu insanları öldürmek zorunda kalmadan buradan gidelim."

"Zevkli bir iş olurdu," dedi. Ayağa kalkmaya çalıştı ama ellerinin ve dizlerinin üzerine düştü. "Yürüyemiyorum."

Onu kaldırdım. Vücudu kuru bir dal parçası gibi hafif ve sertti. Başı kollarıma düştü. Kötü bir çocuğu kucaklıyormuşum gibi bir hisse kapıldım. Marcie ve Fay köşeden beni seyrediyorlardı. O an kötülük kadınlara has bir özellik, kadınların saklayıp hastalık gibi erkeklere bulaştırdıkları bir zehirmiş gibi geldi bana.

Betty'yi dışarı çıkartıp arabaya kadar taşıdım ve ön koltuğa oturttum. Arka kapıyı açıp Luis'i yere yatırdım. Dolgun mavi dudaklarında köpükler vardı ve nefes alıp verişiyle şişip sönüyorlardı.

Direksiyonun başına geçtiğimde Betty'nin minicik karga sesi, "Teşekkür ederim," dedi. "Hayatımı kurtardın, ne işe yarayacaksa."

"Pek bir işe yarayacağı yok, ama bana karşılığını ödeyeceksin. Bedeli yüz bin papel –ve Ralph Sampson."

## 29

Buick'i köprünün girişine park ettim ve anahtarı aldım. Betty Fraley'i koltuktan kaldırdığımda sağ kolu omuzlarımda gezindi. Küçük parmaklarını ensemde hissedebiliyordum.

"Çok güçlüsün," dedi. "Sen Archer'sın, değil mi?" Başını kaldırıp muzip ve kurnaz bir masumiyetle bana baktı. Yüzündeki kandan haberi yoktu.

"Beni nihayet hatırlayabildin. Çek ellerini üzerimden yoksa seni yere bırakırım."

Göz kapaklarını indirdi. Arabamla geri geri gitmeye başlayınca birdenbire bağırmaya başladı.

"Onlara ne olacak peki?"

"Onlar için yerimiz yok."

"Gitmelerine izin mi vereceksin?"

"Onları hangi suçtan tutuklamamı istersin? Müessir fiil mi?" Yolda geniş bir yer bulup direksiyonu Sunset Bulvarı'na kırdım.

Parmakları kolumu çimdikledi. "Geri dönmemiz gerek."

"Sana ellerini üzerimden çekmeni söyledim. Eddie'ye yaptığın şeyden ben de onlar kadar hoşlanmıyorum."

"Ama onlarda bana ait olan bir şey var!"

"Hayır," dedim. "Aldım ve artık sana ait değil."

"Anahtar mı?"

"Anahtar ya."

Omurgası erimiş gibi koltuğa çöktü. Somurtarak, "Gitmelerine izin veremezsin," dedi. "Bana yaptıklarından sonra. Troy'u serbest bıraktın, gün bitmeden peşine düşecektir."

"Sanmıyorum," dedim. "Sen onları boş ver de kendin için endişelen."

"Benim endişelenecek bir geleceğim yok. Var mı?"

"Öncelikle Sampson'ı görmek istiyorum. Kararımı ondan sonra vereceğim."

"Seni ona götüreceğim."

"Nerede o?"

"Evden çok uzakta değil. Santa Teresa'dan yetmiş kilometre falan uzaktaki sahilde bir yerde."

"Doğru mu bu?"

"Doğru, Archer. Ama sen gitmeme izin vermeyeceksin. Para kabul etmezsin, değil mi?"

"Senden etmem."

"Neden ki?" dedi hınzır hınzır. "Benim yüz bin papel senin."

"Ben Sampson'lar için çalışıyorum. Onu geri alacaklar."

"Onların paraya ihtiyacı yok ki. Neden kafanı kullanmıyorsun, Archer? Bu işte benimle olan biri daha var. Bu birinin Eddie ile bir ilgisi yok. Neden parayı saklayıp bu biriyle paylaşmıyorsun?"

"Kimmiş bu adam?"

"Erkek olduğunu söylemedim." Marcie'nin parmaklarının baskısından kurtulan sesini, kız sesine dönüştürmüştü.

"Sen bir kadınla çalışamazsın. Kim bu adam?" Taggert'ın öldüğünü bilmiyordu ve bunu söylemenin sırası değildi.

"Boş ver. Bir an sana güvenebileceğimi düşündüm. Aklımı kaçırmaya başladım herhalde."

"Belki de. Bana Sampson'ın nerede olduğunu söylemedin. Söylemen ne kadar uzarsa sana yardım etme isteğim de o kadar azalır."

"Buenavista'nın on altı kilometre kuzeyindeki sahilde bir yerde. Savaş sırasında kapatılan bir plaj kulübünün soyunma odasıymış."

"Peki, yaşıyor mu?"

"Dün yaşıyordu. İlk gün kloroform yüzünden hastalanmıştı ama şimdi iyi."

"Dün iyiydi demek istiyorsun. Bağlı mı peki?"

"Ben onu görmedim. Eddie gördü."

"Herhalde onu orada açlıktan ölmeye terk ettin."

"Ben oraya gidemezdim. Beni tanıyordu. Tanımadığı Eddie'ydi."

"Eddie de eceliyle ölüverdi."

Neredeyse övünerek, "Yo, ben öldürdüm," dedi. "Ama sen bunu hiçbir zaman ispatlayamayacaksın. Eddie'yi vurduğumda Sampson'ı düşündüğüm falan yoktu."

"Parayı düşünüyordun, değil mi? Üçe bölüneceğine ikiye bölünecekti."

"Sebebin kısmen bu olduğunu kabul ediyorum ama sadece kısmen. Çocukken Eddie beni durmadan itip kakardı. Nihayet kendi ayaklarım üzerinde durup ilerlemeye başlayınca ötüp beni kodese yolladı. Ben mal kullanıyordum ama o satıyordu. Federallerin bana komplo kurmalarına yardım edip müebbetten yırttı. Bunu bildiğimi bilmiyordu ama ben onu haklayacağıma ant içtim. Ve başarıdan başarıya koştuğunu düşündüğü bir anda da onu hakladım. Belki de o kadar şaşırmamıştır. Bir şeyler ters gidecek olursa Marcie'ye beni nerede bulacağını söylemiş."

"Ve bir şeyler daima ters gider," dedim. "Adam kaçırma işleri başarıya ulaşmaz. Bilhassa kaçıranlar birbirlerini öldürmeye başlarsa."

Bulvara dönüp ilk benzincide durdum. Anahtarı yerinden çıkarışımı seyretti.

"Ne yapacaksın?"

"Telefon edip Sampson'a yardım çağıracağım. Ölüyor olabilir, bizim oraya varmamız bir buçuk saati bulur. Bu yerin bir adı var mı?"

"Eskiden Sunland Plaj Kulübü'ymüş. Uzun, yeşil bir bina. Otobandan görünüyor, ufak bir noktanın ucuna yakın."

İlk kez doğru söylediğinden emindim. Görevli depoyu doldururken ben de benzincinin ödemeli telefonundan Santa Teresa'yı aradım. Betty Fraley'i pencereden izleyebiliyordum.

Telefonu Felix açtı. "Sampson'ların malikânesi."

"Ben Archer. Graves orada mı?"

"Evet, efendim. Çağırayım."

Graves telefona geldi. "Hangi cehennemdesin sen?"

"Los Angeles'ta. Sampson yaşıyor, yani en azından dün yaşıyormuş. Sunland adındaki bir plaj kulübünün soyunma odasında tutuluyormuş. Orayı biliyor musun?"

"Bilirdim. Yıllardır iş yapmıyor. Nerde olduğunu biliyorum, Buenavista'nın kuzeyinde, otobanda."

"Bak bakalım oraya ne kadar hızlı gidebileceksin. İlk yardım çantası ve yiyecek de götür. İyisi mi yanına şerifi ve bir doktor al."

"Durumu kötü müymüş?"

"Bilmiyorum. Dünden beri yalnızmış. Ben de en kısa sürede orada olacağım."

Telefonu kapatıp ardından Peter Colton'ı aradım. Hâlâ işteydi.

"Senin için bir şeyler var elimde," dedim. "Bir kısmı senin bir kısmı da Adalet Bakanlığı için."

"Hiç şüphem yok, yeni bir baş ağrısıdır." Sesimi duyduğuna memnun olmuşa benzemiyordu. "Şu Sampson davası yüzyılın pisliği."

"Öyleydi. Davayı bugün kapatıyorum."

Sesi tam oktav bastı. "Bir daha söyle, lütfen."

"Sampson'ın nerede olduğunu biliyorum ve adam kaçırma çetesinin son üyesi şu anda yanımda."

"Naz yapmayı bırak Tanrı aşkına! Çıkar ağzındaki baklayı. O nerede?"

"Senin bölgenin dışında, Santa Teresa'da. Santa Teresa Şerifi yolda."

"Sen de böbürlenmek için mi aradın, zavallı, kendini beğenmiş piç kurusu seni. Elinde benim ve Adalet Bakanlığı için bir şey olduğunu sanıyordum."

"Var, ama adam kaçırma değil. Sampson eyalet dışına çıkartılmadı, o yüzden FBI'la bir işimiz yok. Davanın yan ürünleri de var ama. Brentwood ve Kayalıklar arasında Sunset'e akan bir kanyon var. Bu kanyona

giden yolun adı Hopkins Geçidi. Sekiz dokuz kilomet-
re ileride yolda siyah Buick bir sedan duruyor, onu ge-
çince boyasız çamdan bir kulübeye dar bir yol uzanı-
yor. Kulübede dört kişi var. İçlerinden biri de Troy.
Bilsin bilmesin Adalet Bakanlığı onları isteyecektir."

"Ne için?"

"Yasa dışı göçmenleri sınırdan geçirmekten. Ace-
lem var. Anlattıklarım yetmez mi?"

"Şimdilik yeter," dedi. "Hopkins Geçidi."

Arabaya döndüğümde Betty Fraley bana boş boş
baktı. Sonra gözlerindeki anlam, deliğinden çıkan bir
yılan gibi geri döndü. "Şimdi ne yapıyoruz, küçük
adam?" dedi.

"Sana bir iyilik yaptım, Troy'u ve diğerlerini al-
ması için polisi aradım."

"Ve beni."

"Seni koruyorum." Direksiyonu U.S. 101'e doğru
Sunset yönüne kırdım.

"Aleyhine tanıklık edeceğim," dedi.

"Gerek yok. Suçu üzerine ben kendim atacağım."

"Gümrük kaçakçılığı suçu mu?"

"Öyle. Troy beni hayal kırıklığına uğrattı. Centil-
men bir üçkâğıtçı için kamyonla Meksikalı taşımak çok
düşük kalite bir iş. Önemli ziyaretçilere Hollywood
Bowl'u gezdirseymiş."

"İyi para getiriyordu. Kârını ikiye katlıyordu. Yol-
culuk için zavallı sürüngenlerin paralarını alıyor, son-
ra da onları kişi başı çok yüksek bir paraya çiftliklere
devrediyordu. Meksikalıların bundan haberi yoktu
ama grev kırıcı olarak kullanılıyorlardı. Bu yolla Troy

bazı yerel polisler tarafından korunuyordu. Diğer tarafta da Luis Meksikalı federallere rüşvet veriyordu."

"Sampson grev kırıcıları Troy'dan satın mı alıyordu?"

"Evet, ama bunu hiçbir zaman kanıtlayamazsın. Sampson kendisini tehlikeden uzak tutma konusunda epey titizdi."

"O kadar da değilmiş," dedim. Bunun üzerine bir şey söylemedi.

Otobanda kuzeye döndüğümde yüzünün acıdan çirkinleştiğini fark ettim. "Torpido gözünde biraz viski olacaktı. Yanıklarını ve yüzündeki çizikleri temizlemek için kullanabilirsin. Ya da içebilirsin."

Her ikisini de yapıp açık olan şişeyi bana uzattı.

"Ben almayayım."

"Önce ben içtim diye mi? Benim hastalıklarım zihinsel."

"Çek şunu."

"Benden hoşlanmıyorsun, değil mi?"

"Ben zehir içmem. Ama haksız da sayılmazsın. Biraz aklın var gibi, düşük seviyede de olsa."

"Hiçbir şey için teşekkürler, benim akıllı dostum."

"Sen de görmüş geçirmişsin."

"Bakire değilim, bunu kastediyorsan eğer. On bir yaşımdan beri değilim. Eddie'nin karşısına para kazanma fırsatı çıkmıştı. Ama ben hayatımı hiçbir zaman belden aşağısıyla kazanmadım. Müzik beni ondan korudu."

"Ne yazık ki bundan koruyamamış."

"Şansımı denedim. Olmadı. Öyle ya da böyle, neden umurumda olduğunu düşünüyorsun?"

"Şu birini önemsiyorsun. Sana ne olursa olsun onun parayı almasını istiyorsun."

"Sana bu konuyu unutmanı söylemiştim." Bir an duraksayıp, "Gitmeme izin verip parayı alabilirsin. Yüz bin papellik bir işe bir daha hayatta kalkışamazsın."

"Sen de, Betty. Alan Taggert da."

Ağzından şaşkınlığın ve şokun neden olduğu bir inilti yükseldi. Tekrar konuşabildiğinde saldırgan bir tonda, "Benimle alay ediyordun demek," dedi. "Taggert hakkında ne biliyorsun?"

"Bana anlattıklarını."

"Sana inanmıyorum. Sana bir şey anlattığı falan yok." Lafını düzeltti. "Bir şey bildiği yok ki anlatsın."

"Vardı."

"Başına bir şey mi geldi yoksa."

"Başına ölüm geldi. Eddie gibi onun da kafasında bir delik var."

Bir şeyler söyleyecek oldu ama sözcükler bir ağlama kriziyle bölündü, bitmek bilmeyen iniltiler yerini düzenli kuru hıçkırıklara bıraktı. Epeyce bir zaman sonra fısıltıyla:

"Neden bana onun öldüğünü söylemedin?" dedi.

"Sormadın ki. Ona âşık mıydın?"

"Evet," dedi. "Birbirimize âşıktık."

"Madem ona âşıktın ne demeye onu böyle bir şeyin içine soktun?"

"Ben sokmadım. Bunu o yapmak istedi. Birlikte uzaklara gidecektik."

"Ve sonsuza dek mutlu yaşayacaktınız."

"Ucuz şakalarını kendine sakla."

"Senin gençlik aşkı masalına kanacak değilim, Betty. Görüp geçirmişlik söz konusu olduğunda o daha çocuktu, sen ise yaşlı bir kadın. Bana kalırsa sen ondan faydalandın. Bir muhbire ihtiyacın vardı ve o da kolay bir lokma gibi duruyordu."

"Hiç de öyle değildi." Sesi şaşırtıcı derecede tatlıydı. "Altı aydır birlikteydik. Piyano'yu açmamdan bir hafta sonra Sampson'la birlikte gelmişti. Tutuldum, o da aynı durumdaydı. Ama ikimizin de hiçbir şeyi yoktu. Temiz bir kaçış için paraya ihtiyacımız vardı."

"Sampson da bunun bariz kaynağıydı. Adam kaçırma da bariz yöntemi."

"Sampson'a boş yere şefkat gösterme. Başlangıçta başka fikirlerimiz vardı aslında. Alan o kızla, Sampson'ın kızıyla evlenecek Sampson da ona para verecekti. Ama bunu Sampson'ın kendisi bozdu. Bir gece Valerio'daki bungalovu Taggert'a ödünç vermişti. Gece yarısı onu perdenin arkasında bizi gözetlerken yakaladık. Bu olaydan sonra Sampson kıza Alan'la evlenirse onu reddedeceğini söyledi. Alan'ı da kovacaktı ama onun hakkında fazla şey biliyorduk."

"Neden ona şantaj yapmadınız. Bu size daha çok uyardı."

"Onu da düşündük ama o bizim baş edemeyeceğimiz kadar büyüktü, ayrıca eyaletteki en iyi avukata sahip. Hakkında bir sürü şey biliyorduk ama onu kolay kolay sıkıştıramazdık. Şu Bulutlardaki Tapınak mesela. Troy,'un, Claude'un, Fay'in orayı ne amaçla kullandıklarını Sampson'ın bildiğini nasıl ispatlayabilirdik?"

"Madem Sampson'la ilgili bu kadar şey biliyorsun," dedim, "onu bu hale getiren ne, onu da söyle?"

"Zor soru. Önceleri onda biraz i...nelik olduğunu düşünüyordum, ama emin değilim. Yaşlanıyor ve galiba kendini yorgun hissediyor. Kendini tekrar erkek gibi hissetmesini sağlayacak bir şeyler arıyordu; astroloji ya da sapkın seks, ne olursa. Umursadığı tek şey kızıydı. Sanırım onun Alan'a vurulduğunu anladı ve Alan'ı hiçbir zaman affetmedi."

"Taggert da ona vurulmalıymış," dedim.

"Öyle mi dersin?" Sesi çatladı. Tekrar konuştuğunda mütevazı ve inceydi. "Ona hiç iyiliği dokunmadı. Bunu biliyorum, senin söylemene gerek yok. Elimde değildi, onun da. O nasıl öldü, Archer?"

"Köşeye sıkıştı ve bir silahla kurtulmaya çalıştı. Başka biri daha önce ateş etti. Graves diye biri."

"O adamla tanışmak isterdim. Daha önce Taggert'ın konuştuğunu söylemiştin. Bunu yapmamıştı, değil mi?"

"Senin hakkında değil."

"Buna sevindim," dedi. "Şimdi nerede?"

"Santa Teresa'da, morgda."

"Keşke onu görebilsem –son bir kez daha."

Sözcükler karanlık bir rüyanın içinden usulca çıkıp gelmişti. Arkasından gelen sessizlikte rüya, zihninin ötesine yayılıp batan güneşin yarattığı gölgeler kadar uzun bir gölge meydana getirdi.

# 30

Buenavista için yavaşladığımda alacakaranlık, binaların çirkinliğini yumuşatıyor ve ışıklar ana yol boyunca ilerliyordu. Otobüs durağındaki neon tazıyı fark ettim ama durmadım. Kasabadan bir iki kilometre ötede otoban ıssız kumsalların üzerinde yükselen kayalıkların arasından kıvrıla kıvrıla tekrar kıyı şeridiyle birleşiyordu. Gün ışığının denizin yüzeyine tutunmuş son gri parçaları da yavaş yavaş yutuluyordu.

Betty Fraley, "Burası," dedi. Öyle sessizdi ki yanımda oturduğunu neredeyse unutmuştum.

Yan yol olmadığından otobanın asfalt banketinde durdum; yolun denize bakan, kumsala doğru meyilli tarafında. Köşedeki, hava şartları nedeniyle solmuş bir tabelada albenili bir sahil imarı reklamı vardı, ama görünürde ev falan yoktu. Otobanın yaklaşık iki yüz metre aşağısındaki, uzun, basık ve köpüklü dalgaların göz alıcı parlaklığıyla uyuşmayan belli belirsiz bir rengi olan eski plaj kulübünü görebiliyordum.

"Aşağıya arabayla gidemezsin," dedi. "Yolun sonunu deniz alıp götürmüş."

"Buraya daha önce gelmediğini sanıyordum."

"Geçen haftadan beri gelmedim. Eddie burayı bulduğunda onunla birlikte gelip gözden geçirmiştim. Sampson soyunma odalarının erkeklere ayrılmış olan bölümündeki küçük odalardan birinde."

"Orada olsa iyi olur."

Anahtarı alıp onu arabada bıraktım. Aşağı inerken yol daralarak her iki tarafında da derinlemesine aşınmış hendeklerin bulunduğu balçıktan, girintili çıkıntılı bir patikaya dönüşüyordu. İlk binanın önündeki ahşap platform eğilmişti, ayaklarımın altındaki çatlakların arasında büyüyen çim kümelerini hissedebiliyordum. Saçakların altındaki pencereler yüksek ve de karanlıktı.

El fenerimi ortadaki ikiz kapılara çevirince şablonla yazılmış levhaları gördüm. Birinde 'Erkekler' diğerinde 'Bayanlar' yazıyordu. Sağdaki, 'Erkekler' yazan yarı açıktı, çekip ardına kadar açtım ama fazla ümidim yoktu. Mekân boş ve cansız görünüyordu. Yerinde durmayan su dışında ne içerisinde ne de etrafında hayat belirtisi vardı.

Sampson'dan da Graves'den de bir iz yoktu. Saatime baktım, yediye çeyrek vardı. Graves'i arayalı rahat bir saat olmuştu. Cabrillo Kanyonu'ndan yetmiş küsur kilometrelik yolu gelmek için bir dolu vakti vardı. Ona ve şerife ne olduğunu merak etmiştim.

El fenerimin ışığını uçup gelmiş kum taneleri ve yıllarca birikmiş molozla kaplı döşemeye çevirdim. Önümde kontrplaktan bir duvara sıralanmış kapalı kapılar vardı. Sıralanmış kapılara doğru bir adım attım. Arkamdaki kımıltı öylesine hızlıydı ki dönecek vaktim olmadı. Kapanmadan evvel bilincimde yanıp sönen son kelime 'tuzak'tı.

Bilincim geri geldiğinde yanıp sönen ilk kelime ise 'enayi'ydi. Elektrikli bir fenerin tek gözü korkunç vicdan gözü gibi bana dikilmişti. İçimden bir ses kalkıp dövüşmemi söylüyordu. Albert Graves'in gür sesi bu sesi susturdu.

"Ne oldu sana?"

"Çek şu feneri." Işığı göz yuvalarımdan bıçak gibi girip kafatasımın arkasından çıkıyordu.

Feneri yere koyup yanıma çömeldi. "Kalkabilecek misin, Lew?"

"Kalkabilirim." Ama olduğum yerde kaldım. "Geciktin."

"Karanlıkta burayı bulmak zor oldu."

"Şerif nerede? Onu da mı bulamadın?"

"Bir davaya bakıyormuş, paranoyağın birini belediye hastanesine götürüyormuş. Ona peşimden gelmesi ve bir doktor getirmesi için not bıraktım. Zaman kaybetmek istemedim."

"Bana çok zaman kaybetmişsin gibi geliyor."

"Bu yeri bildiğimi sanıyordum ama kaçırmışım galiba. Farkına varana kadar neredeyse Buenavista'ya kadar gitmişim. Dönünce de bulamadım."

"Arabamı da mı görmedin?"

"Nerede?"

Doğruldum. Bulantı sarkaç gibi kafamın içinde öne arkaya sallanıyordu. "Hemen yukarıda köşede."

"Orası benim park ettiğim yer. Senin arabanı görmedim."

Araba anahtarlarımı arandım. Cebimdeydiler. "Emin misin? Anahtarlarımı almamışlar."

"Araban orada değil, Lew. Onlar da kim?"

"Betty Fraley ve beni kim yere serdiyse işte. Çetenin Sampson'ın başını bekleyen dördüncü bir üyesi daha var herhalde." Ona oraya nasıl geldiğimi anlattım.

"Onu arabada bırakmak akıllıca bir hareket değilmiş," dedi.

"İki günde üç defa yere serilince insan aptallaşabiliyor."

Ayağa kalktım. Bacaklarımın mecali yoktu. Omzuna yaslanmamı söyledi. Duvara yaslandım.

Feneri kaldırdı. "Başına bir bakayım." Yüzündeki geniş düzlemler hareket eden ışıkla birlikte endişeden yol yol olmuştu. Şişman ve yaşlı görünüyordu.

"Daha sonra," dedim.

El fenerimi alıp sıra sıra kapılara yöneldim. Sampson ikincisinin ardındaydı, kabinin arka duvarındaki bir banka yığılmış şişman bir adam… başı dimdik köşeye sıkışmıştı. Açık gözleri kanla kaplanmıştı.

Graves arkamdan içeri girip, "Aman Tanrım!" dedi.

Ona el fenerini verip Sampson'ın üzerine eğildim. Elleri bir ucu raptiyeyle duvara tutturulmuş çeyrek inçlik iple ayak bileklerine bağlanmıştı. İpin diğer ucu Sampson'ın boğazına gömülmüş ve sert bir düğümle sol kulağının altından bağlanmıştı. Bağlı bileklerinden birine dokunmak için cesedin arkasına uzandım. Soğumamıştı ama nabız yoktu. Kırmızı göz kürelerinin bebekleri simetrik değildi. Kalın ölü bileklerindeki ekose desenli sarı, kırmızı, yeşil parlak çoraplarında dokunaklı bir şeyler vardı.

Graves nefesini bıraktı. "Ölmüş mü?"

"Evet." Korkunç bir hayal kırıklığı hissettim, onun peşinden de uyuşukluk. "Buraya geldiğimde yaşıyordu herhalde. Ben ne kadardır baygınım."

"Saat şimdi yediyi çeyrek geçiyor."

"Ben geldiğimde çeyrek vardı. Yarım saat önce yola çıkmışlar. Gitmeliyiz."

"Sampson'ı burada mı bırakacağız?"

"Evet. Polis onu bu şekilde isteyecektir."

Onu karanlıkta bıraktık. Geriye kalan gücümü tepeyi tırmanmak için kullandım. Arabam gitmişti. Graves'in Studebaker'ı kavşağın diğer tarafına park edilmişti.

Direksiyonun başına geçerken, "Hangi tarafa?" diye sordu.

"Buenavista. Otoban devriyesine gideceğiz."

Dolap anahtarının gitmiş olduğunu düşünerek cüzdanıma baktım. Ama oradaydı, kart bölümüne sıkışmıştı. Beni yere seren her kimse Betty Fraley ile fikir alış verişinde bulunma vakti olmamıştı. Ya da kaçmaya ve parayı bırakmaya karar vermişlerdi. Nedense bu pek olası görünmüyordu.

Kasaba sınırını geçerken Graves'e, "Beni otobüs durağına bırak," dedim.

"Neden?"

Ona neden olduğunu söyledim ve ekledim: "Para oradaysa onun için geri gelebilirler. Değilse muhtemelen bu yoldan gelip dolabı kırarak açtılar demektir. Sen otoban devriyesine git ve daha sonra da beni al."

Beni otobüs durağının önündeki kırmızı kaldırıma bıraktı. Cam kapının önünde dikilip kare şeklindeki büyük bekleme odasına baktım. İş tulumu giymiş üç dört adam yaralı banklara yayılmış gazete okuyordu.

Floresan ışığında antika gibi duran birkaç ihtiyar adam afişlerle kaplanmış duvarlara yaslanmış kendi aralarında laflıyorlardı. Bir köşedeki, anne baba ve birkaç çocuktan oluşan Meksikalı bir aile, altı kişi kalmış futbol takımı gibi tek vücut olmuşlardı. Odanın arka tarafındaki saatin altında duran bilet gişesi Hawai gömlekli sivilceli bir delikanlı tarafından işgal edilmişti. Solda çörek tezgâhı, arkasında da üniformalı sarışın şişman bir kadın vardı. Sıra sıra yeşil metal dolaplar sağda, duvarın karşısındaydı.

Odadakilerden hiçbiri beklediğim heyecanı göstermedi. Her zamanki şeyler için bekliyorlardı –yemek, otobüs, cumartesi gecesi, emekli aylığı ya da yataklarında gelecek doğal bir ölüm.

Cam kapıyı itip açtım ve sigara izmaritleriyle dolu döşemede ilerleyip dolapların yanına gittim. Aradığım numara anahtarın üzerinde yazıyordu –yirmi sekiz. Anahtarı kilide sokarken odaya göz gezdirdim. Çörekçi kadının mavi gözleri ilgisizce beni izliyordu.

Dolapta kırmızı çadır bezinden bir çanta vardı. Çantayı çekip alırken içindeki kâğıdın hışırtısını duydum. Yakındaki boş bir banka oturup çantayı açtım. İçindeki kahverengi kese kâğıdı bir ucu yırtılarak açılmıştı. Yeni sert banknotların kenarlarını parmaklarımla yokladım.

Çantayı koltuğumun altına sıkıştırıp çörek tezgâhına gittim ve bir kahve siparişi verdim.

Sarışın kadın, "Gömleğinizde kan lekesi olduğunun farkında mısınız?" diye sordu.

"Farkındayım. Ben böyle giyinirim."

Kadın parayı ödeyebileceğimden şüphe eder gibi baktı. Ona yüz papel verme dürtüsünü bastırıp tezgâha on senti çarptım. Bana kalın beyaz bir kupada kahve verdi.

Kahvemi içerken kapıyı kolladım; sağ elimle fincanı tutuyor, sol elimi silahımı çekmek için hazır bekletiyordum. Bilet gişesinin üstündeki elektrikli saat zamandan minik ısırıklar alıyordu. Bir otobüs geldi ve odadakileri karıştırıp gitti. Saat çok yavaş çiğniyordu, her bir dakikayı dişleriyle altmış kez eziyordu. Sekize on kala gelmelerini ümit etmek için çok geçti. Ya paradan vazgeçmişler ya da diğer yöne gitmişlerdi.

Graves girişte göründü. Elini kolunu deli gibi sallayıp duruyordu. Fincanımı bırakıp peşinden gittim. Arabası caddenin karşısına çift sıra park edilmişti.

Kaldırımda, "Arabanı haşat etmişler," diye anlatmaya başladı.

"Kaçmışlar mı?"

"Görünüşe göre biri kaçmış. Fraley denen kadın ölmüş."

"Diğerine ne oldu peki?"

"O.D. henüz bilmiyor. Ellerindeki tek şey ilk telsiz raporuydu."

On beş kilometreyi on beş dakikadan daha kısa bir sürede katettik. Yer istop etmiş bir dizi araba ve farların ışığında, siyah renkte hareketli kâğıt parçaları gibi görünen insan kalabalığıyla doluydu. Graves elindeki kırmızı ışıklı işaret fenerini bize doğru sallamaya çalışan bir polisin önünde aniden durdu.

Arabanın basamağında durunca araba sırasının ötesindeki ışık kuşağının ucunu görebiliyordum. Arabam oradaydı, burnu toprak sete çakılmıştı. Koşup enkazın etrafını sarmış kalabalığın arasından ite kaka kendime yol açtım.

Esmer yüzünde dikiş izi olan bir devriye polisi elini omzuma koyup beni durdurdu. Omzumu salladım. "Bu benim arabam."

Gözlerini kısınca güneşin neden olduğu kırışıklıklar ta kulaklarına kadar yayıldı. "Emin misin? Adın ne?"

"Archer."

"Pekâlâ, seninmiş. Araba bu isme kayıtlı." Motosikletinin yanında üzgün üzgün dikilen genç devriye polisine seslendi: "Buraya gel, Ollie! Bu adamın arabasıymış."

Kalabalık benim üzerime odaklanarak yeni bir şekil almaya başladı. Hurdaya dönmüş arabanın etrafındaki sıkı çemberi kırdıklarında arabanın yanındaki, battaniyeye sarılmış figürü gördüm. Gözleriyle onu yiyip bitiren iki kadının arasından geçip battaniyenin bir kenarını kaldırdım. Altındaki şey tanınmaz haldeydi ama elbiselerinden tanımıştım.

Bir saatte iki tane fazlaydı ve midem artık isyan etmişti. İçtiğim kahveden başka bir şey olmadığı için acı bir şey kustum. İki devriye polisi ben konuşacak duruma gelene kadar bekledi.

Daha yaşlı olanı, "Bu kadın sizin arabanızı mı çaldı?" dedi.

"Evet. Adı Betty Fraley."

"Emniyetten onun için arama bülteni çıkardıklarını söylediler…"

"Doğrudur. Peki ya ötekine ne oldu?"

"Hangi ötekine?"

"Yanında bir adam vardı."

Genç devriye polisi, "Arabayı çarptığında yoktu," dedi.

"Bundan nasıl emin olabilirsin ki."

"Olurum. Olayı gördüm. Aslında bir şekilde ben sebep oldum."

"Yo, yo, Ollie." Daha yaşlı olan adam elini Ollie'nin omzuna koydu. "Sen kesinlikle doğru olan şeyi yaptın. Kimse seni suçlayacak değil."

"Her neyse," dedi Ollie pat diye. "İyi ki araba çalıntıymış."

Bu söylediği canımı sıkmıştı. Üstü açılabilen spor arabamın sigortası vardı ama yerine yenisini koymak zor olacaktı. Hem ona karşı bir şeyler hissediyordum, bir binicinin atına karşı hissedeceği türden şeyler.

Ona ters ters, "Neler oldu?" diye sordum.

"Birkaç kilometre ötede elliyle falan kuzeye doğru gidiyordum. Spor arabadaki bu bayan ben hareket etmiyormuşum gibi yanımdan geçip gitti, ben de peşine düştüm. Doksan civarında seyrediyordum ki ona yetiştim. Başa baş giderken gazlayıp gitti. Kenara çekmesi için sinyal verdiğimde hiç oralı olmadı, ben de önünü kestim. Yoldan çıkıp sağ taraftan beni geçmeye çalıştı ama direksiyon hâkimiyetini kaybetti. Elli altmış metre kayıp toprak sete çarptı. Dışarı çıkardığımda ölmüştü."

Bitirdiğinde suratı sırılsıklamdı. Daha yaşlı olanı onu omzundan hafifçe sarstı. "Bunun seni üzmesine izin verme, evlat. Sen kanunları uygulamak zorundasın."

"Kesinkes emin misiniz?" diye sordum. "Arabada başka kimse yok muydu?"

"Buhar olup uçmadılarsa…" Yüksek, gergin bir sesle, "Çok komik," diye devam etti, "yangın çıkmamıştı ama ayaklarının altı su toplamıştı. Ayakkabılarını da bulamadım. Yalınayaktı."

"Komikmiş," dedim. "Acayip komikmiş."

Albert Graves kalabalığın arasından kendine yol açmaya çalışıyordu. "Başka bir arabaları olsa gerek."

"O zaman ne demeye benimkiyle uğraşsın ki?" Enkazın içine, eğrilmiş, kanlı gösterge panelinin altına doğru uzanınca elim ateşleme kablolarına değdi. Uçları sabah bıraktığım bakır tellerle birleştirilmişti. "Motoru çalıştırmak için ateşleme kablolarını birleştirmiş."

"Daha çok erkeğin işi gibi görünüyor, değil mi?"

"Şart değil. Bunu yapmayı ağabeyinden de öğrenmiş olabilir. Bütün araba hırsızları bu numarayı bilir."

"Belki de kaçmak için ayrılmaya karar vermişlerdir."

"Belki de, ama anlamıyorum. Benim arabamın onu ele vereceğini bilecek kadar zeki biriydi."

Devriye polislerinden yaşlı olanı, "Doldurmam gereken bir rapor var," dedi. "Birkaç dakikanız var mı?"

Ben son soruyu yanıtlarken Şerif Spanner yardımcısının kullandığı bir polis aracıyla geldi. İkisi birlikte araçtan inip hızla yanımıza geldiler. Spanner'ın koca göğüsleri koşarken bir kadınınki gibi zıplıyordu.

"Burada neler oldu?" Spanner Sampson ve Betty Fraley'e olanları duyunca bana döndü.

"İşlere burnunu sokmanın nelere yol açtığını görüyor musun, Archer? Seni benim nezaretimde çalışman için uyarmıştım."

Bunu sineye çekecek havamda değildim. "Senin nezaretinde, öyle mi! Sampson'ın yanına çabucak gitmiş olsaydın şu anda yaşıyor olurdu."

"Onun nerede olduğunu biliyordun ve bana söylemedin," diye zırıldandı. "Bunun bedelini ödeyeceksin, Archer."

"Ya, evet, biliyorum. Lisansımın yenilenme vakti geldiğinde. Daha önce de söylemiştin. Peki, Sacramento'ya kendi beceriksizliğinle ilgili ne anlatacaksın? Olay patlak verdiğinde sen belediye hastanesine deli taşıyordun."

"Dünden beri hastaneye gitmedim ben," dedi. "Ne diyorsun sen?"

"Sampson'la ilgili mesajımı almadın mı? Birkaç saat önce?"

"Mesaj falan almadım. Yakanı böyle kurtaramazsın."

Graves'e baktım. Gözlerini kaçırdı. Dilimi tuttum.

Santa Teresa yönünden bir ambulans sirenlerini bağırta bağırta geldi.

Devriye polisine, "Ağırdan alıyorlar," dedim.

"Öldüğünü biliyorlar. Aceleye gerek yok."

"Onu nereye götürecekler."

"Santa Teresa'daki morga, sahip çıkan olmazsa tabii."

"Olmayacak. Orası onun için iyi bir yer."

Alan Taggert ve Eddy, sevgilisi ve ağabeyi zaten oradaydılar.

## 31

Graves sanki enkazdan etkilenmiş gibi arabayı çok yavaş kullanıyordu. Santa Teresa'ya varmamız neredeyse bir saati buldu. Yol boyunca düşündüm –Albert Graves'i sonra da Miranda'yı. Düşüncelerim kötü refakatçilerdi.

Şehre girdiğimizde merak dolu gözlerle bana baktı. "Ümidimi kaybetmeyeceğim, Lew. Polisin onu yakalama şansı yüksek."

"Kimden bahsediyorsun?"

"Katilden tabii ki. Diğer adamdan."

"Başka birinin daha olduğundan emin değilim."

Elleri direksiyonu sıktı. Parmak eklemlerinin dışarı fırladığını görebiliyordum. "Ama biri Sampson'ı öldürdü."

"Evet," dedim. "Biri öldürdü."

Gözlerine baktım; yavaşça dönüp benimkilerle buluştular. Uzun bir müddet bana sakin sakin baktı.

"Yola dikkat et, Graves. Her şeye dikkat et."

Yüzünü tekrar yola çevirdi, ama ben onun utanç dolu bakışlarını yakaladıktan sonra.

Otobanın Santa Teresa ana yoluyla kesiştiği yerde kırmızı ışık yanınca durdu. "Nereye gidiyoruz?"

"Sen nereye gitmek istersin?"

"Benim için fark etmez."

"Sampson'ın evine gideceğiz," dedim. "Bayan Sampson'la konuşmak istiyorum."

"Bunu şimdi yapmak zorunda mısın?"

"Ben onun için çalışıyorum. Ona rapor vermeliyim."

Işık değişti. Sampson'ın evine giden yola dönene kadar başka bir şey konuşulmadı. Karanlık kütlesi birkaç ışıkla delinmişti.

"Mümkünse Miranda'yı görmek istemiyorum," dedi. "Biz bu öğleden sonra evlendik."

"Biraz acele etmedin mi?"

"Ne demek istiyorsun? İzin belgesini aylardır yanımda taşıyorum."

"Babası eve dönene kadar bekleyebilirdin. Ya da doğru dürüst bir cenaze yapılıncaya kadar."

"O bugün yapmak istedi," dedi. "Adliye Sarayı'nda evlendik."

"Düğün geceni büyük ihtimalle orada geçireceksin. Hapishane de aynı binadaydı, değil mi?"

Cevap vermedi. Garajın yanında arabayı durdurduğunda yüzüne bakmak için eğildim. Utancına boyun eğmişti. Bir kumarbaz gibi geri çekilmekten başka yapacağı bir şey kalmamıştı.

"İronik," dedi. "Bu bizim düğün gecemiz, senelerdir beklediğim gece. Ama şimdi onu görmek istemiyorum."

"Seni burada tek başına bırakacağımı mı zannediyorsun?"

"Neden olmasın?"

"Sana güvenmiyorum. Sen güvenebileceğimi zannettiğim tek kişiydin–" Cümleyi bitirecek sözcükleri bulamadım.

"Bana güvenebilirsin, Lew."

"Bundan sonra Bay Archer diyelim."

"Bay Archer, o zaman. Cebimde bir silah var. Ama kullanmayacağım. Bu kadar şiddet yeter. Anlıyor musun? Bıktım."

"Bıkmalısın da," dedim, "iki cinayetten sonra. Bir süreliğine şiddete doydun."

"Neden iki cinayet dedin, Lew?"

"Bay Archer."

"Böyle yüksek ahlak dersi verir gibi konuşmana gerek yok. Bu şekilde planlamamıştım ben."

"Planlayan pek yoktur zaten. Taggert'ı önceden planlamadan vurdun, o zamandan beridir de doğaçlama yapıyorsun. Sona doğru epey dikkatsizleştin. Şerifi aramadığını öğrenebileceğimi düşünebilirdin."

"Sana söylemediğimi kanıtlayamazsın."

"Kanıtlamak zorunda değilim. Ama neyin peşinde olduğunu anlamam için yeterliydi. O kulübede Sampson'la bir süreliğine yalnız kalmak istiyordun. Taggert ve arkadaşlarının senin için yapamadıkları şeyi bitirmen gerekiyordu."

"Ciddi ciddi benim kaçırma olayıyla bir ilgim olduğunu mu düşünüyorsun?"

"Olmadığından adım gibi eminim. Ama kaçırma olayının seninle bir ilgisi vardı. Sana Taggert'ı öldürmek için bir bahane vererek içindeki katili dışarı çıkarttı."

"Taggert'ı kötü niyetle vurmadım," dedim. "Onu yolumdan çektiğim için üzgün olmadığımı kabul ediyorum.

Miranda ondan çok hoşlanıyordu. Ama onu vurmamın nedeni seni kurtarmaktı."

"Sana inanmıyorum." Buz gibi bir öfkeyle oturdum. Kar kristalleri gibi gökyüzüne tutunan yıldızlar soğuk soğuk üzerime yağıyordu.

"Bunu planlamamıştım," dedi. "Planlayacak zamanım yoktu. Taggert seni vuracaktı, ben onu vurdum. Bu kadar basit."

"Öldürmek hiçbir zaman basit değildir, senin kadar zeki bir adam tarafından gerçekleştirilse bile. Sen keskin nişancısın, Graves. Onu öldürmek zorunda değildin."

Bana sert bir yanıt verdi. "Taggert ölmeyi hak ediyordu. Layığını buldu."

"Ama doğru zamanda değil. Konuştuklarımızın ne kadarını duydun merak ediyorum. Onun Sampson'ı kaçıranlardan biri olduğunu bilmene yetecek kadarını duymuşsundur. Büyük ihtimalle Taggert ölürse ortaklarının Sampson'ı öldüreceğinden emin olmana yetecek kadarını duydun."

"Çok az şey duydum. Seni vuracağını görünce ben onu vurdum." Sesindeki merhametsizlik geri gelmişti. "Görünüşe bakılırsa hata yapmışım."

"Sen bir sürü hata yaptın. İlki Taggert'ı öldürmekti –her şeyi başlatan da zaten oydu, değil mi? Ölmesini istediğin aslında Taggert değildi; Sampson'ın kendisiydi. Sen Sampson'ın eve sağ salim gelmesini hiçbir zaman istemedin. Taggert'ı öldürerek de bunu hallettiğini zannettin. Ama Taggert'ın hayatta olan tek bir ortağı vardı ve o da saklanıyordu. Ben ona söyleyene kadar Taggert'ın öldüğünden haberi bile yoktu. Eline fırsat geçse büyük ihtimalle yapacak olsa bile onun da Sampson'ı öldürme şansı yoktu. Onun için Sampson'ı senin öldürmen gerekti."

Utanç ve kararsızlık gibi bir şey tekrar yüzünü çekiştirdi. Silkinip onlardan kurtuldu. "Ben gerçekçi biriyim, Archer. Sen de öyle. Sampson kimse için bir kayıp değil."

Sesi değişmiş, birdenbire sığlaşıp sönükleşmişti. Adam lafı çevirip kaçamak yanıtlar veriyor; kendisine dayanak olacak bir tanesini bulmak için tavır değiştirip duruyordu.

"Adam öldürmeyi eskisinden daha hafife alıyorsun," dedim. "Cinayet işledikleri için insanları gaz odalarına gönderdin sen. Senin de muhtemelen oraya gideceğin aklına geldi mi?"

Gülümsemeyi başardı. Gülümsemesi ağzının kenarlarında ve gözlerinin arasında derin ve çirkin çizgiler oluşturdu. "Bana karşı kullanabileceğin kanıtın yok. Bir tanecik bile."

"Kesin denilecek bir olasılık ve senin örtülü itirafın dışında…"

"Ama elinde belgesi yok. Beni mahkemeye çıkartmaya yetecek bir şeyin yok."

"O benim işim değil. Sen nerede durduğunu benden daha iyi biliyorsun. Sampson'ı neden öldürmek zorunda olduğunu bilmiyorum."

Bir süre sessiz kaldı. Konuşmaya başladığında sesi yine değişmişti. İçten ve her nasılsa gençti, yıllar önce erkek erkeğe söyleşilerden tanıdığım adamın sesiydi bu. "Zorunda olduğumu söylemen tuhaf, Lew. Gerçekten de öyle hissediyordum. Bunu yapmak zorundaydım. Sampson'ı tek başına soyunma odasında bulana kadar kararımı vermemiştim. Onunla konuşmadım bile. Ne yapılabileceğini gördüm ve bir kere gördükten sonra hoşuma gitse de gitmese de yapmak zorundaydım."

"Bence hoşuna gitti."

"Evet," dedi. "Onu öldürmek hoşuma gitti. Şimdi ise düşünmeye bile tahammül edemiyorum."

"Kendine biraz fazla yumuşak davranmıyor musun? Ben psikanalist değilim ama başka nedenlerin olduğunu biliyorum. Daha açık ve o kadar da ilginç olmayan nedenler. Bu öğleden sonra potansiyel olarak çok zengin olan bir kızla evlendin. Babası ölmüş olsa gerçekten zengin olacak bir kız... Sakın bana senin ve müstakbel gelinin son birkaç saattir beş milyon dolarlık servete sahip olduğunuzun farkında olmadığını söyleme."

"Bunu gayet iyi biliyorum," dedi. "Ama beş milyon değil. Yarısı Bayan Sampson'ın."

"Onu unutmuştum. Neden onu da öldürmedin?"

"Feci bastırıyorsun."

"Sen değersiz bir çeyrek milyon için Sampson'a daha beterini yaptın. Parasının yarısının yarısı için. Sen cimri değil miydin, Graves? Yoksa daha sonra Bayan Sampson ve Miranda'yı da mı öldürmeyi planlıyorsun?"

Cansız bir ses tonuyla, "Bunun doğru olmadığını biliyorsun," dedi. "Beni ne sanıyorsun sen?"

"Daha karar vermedim. Sen bir kızla evlenip aynı gün mirasçı olabilsin diye babasını öldüren bir adamsın. Sorun neydi, Graves? Onu milyon dolarlık çeyizi olmadan istemiyor muydun? Ona âşık olduğunu zannediyordum."

"Kes!" Sesi azap içindeydi. "Miranda'yı bu işe karıştırma."

"Elimde değil. Bunu Miranda için yapmadıysan konuşacak başka şeylerimiz var demektir."

"Hayır," dedi. "Konuşacak başka bir şey yok."

Onu yüzünde meteliksiz kumarbaz gülümsemesiyle arabada oturur halde bıraktım. Çakıl taşlı yolu geçip eve giderken sırtım ona dönüktü. Cebinde bir silah vardı ama arkama bakmadım. Şiddetten bıktığını söylediğinde ona inanmıştım.

Mutfağın ışıkları yanıyordu, ama kapıyı tıklattığımda kimse cevap vermedi. Asansöre gittim. Ben asansörden dışarı adımımı atarken Bayan Kromberg de üst kattaydı.

"Nereye gidiyorsunuz?"

"Bayan Sampson'ı görmem gerek."

"Göremezsiniz. Bugün çok sinirliydi. Bir saat kadar önce üç uyku hapı aldı."

"Önemli."

"Ne kadar önemli?"

"Duymayı beklediği bir şey."

Gözlerinde ufak bir intikal parıltısı belirdi ama beni sorgulamayacak kadar iyi bir hizmetkârdı. "Bakayım uyumuş mu?" Gidip Bayan Sampson'ın odasının kapalı olan kapısını sessizce açtı.

İçeriden korku dolu bir fısıltı geldi. "Kim o?"

"Kromberg. Bay Archer sizi görmesi gerektiğini söylüyor. Önemliymiş."

"Pekâlâ," dedi fısıltı. Işık açıldı. Bayan Kromberg içeri girebilmem için kenara çekildi.

Bayan Sampson dirseklerine dayanmış, ışıkta gözlerini kırpıştırıyordu. Esmer yüzü uykudan ya da uyuma umudundan uyuşmuş, hamur gibi olmuştu. Göğüslerinin yuvarlak, koyu renk uçları ipek pijamasının altından boş boş bakan gözler gibi üzerime dikilmişti.

Kapıyı kapattım. "Kocanız öldü."

Benden sonra, "Öldü," diye tekrarladı.

"Şaşırmışa benzemiyorsunuz."

"Şaşırmalı mıyım? Gördüğüm rüyalardan haberiniz yok. Zihninizi susturamamak korkunç bir şey, yüzler görecek kadar dalar ama uyuyamazsınız. Yüzler bu gece öyle canlıydı ki. Denizin yüzünü şişirdiğini gördüm, beni yutmakla tehdit ediyordu."

"Söylediğimi duydunuz mu Bayan Sampson? Kocanız öldü. İki saat önce öldürüldü."

"Sizi duydum. Ondan daha uzun yaşayacağımı biliyordum."

"Bunun sizin için anlamı sadece bu mu?"

"Daha ne olacaktı ki?" Sesi bulanık ve duygudan yoksundu; uyku ile uyanıklık arasındaki derin boğazda gezinen başıboş bir vızıltı gibi... "Daha önce de dul kalmıştım, bunu o zaman hissetmiştim. Bob öldüğünde günlerce ağladım. Ama babası için yas tutacak değilim. Ben onun ölmesini istiyordum."

"O halde dileğiniz gerçekleşti."

"Bütün dileklerim değil. Çok erken öldü ya da yeterince erken değil. Herkes erken öldü. Miranda ötekiyle evlenseydi Ralph vasiyetini değiştirecek ve her şey bana kalacaktı." Başını kaldırıp sinsi sinsi bana baktı. "Ne düşündüğünüzü biliyorum, Bay Archer. Benim kötü bir kadın olduğumu düşünüyorsunuz.

Ama kötü değilim aslında. Çok az şeyim var, görmüyor musunuz? Sahip olduğum bu kadarcık şeye göz kulak olmalıyım."

"Beş milyon doların yarısına," dedim.

"Mesele para değil. Onun size verdiği güç. Ona öyle ihtiyacım var ki. Şimdi Miranda gidip beni yalnız bırakacak. Gelip bir dakika yanımda oturun. Uykuya dalmadan öyle korkuyorum ki. Sizce her gece uyumadan evvel o yüzleri görecek miyim?"

"Bilmiyorum, Bayan Sampson." Ona acıyordum ama diğer hisler daha ağır basıyordu. Gidip kapıyı üzerine kapattım.

Bayan Kromberg hâlâ holdeydi. "Bay Sampson'ın öldüğünü söylediğinizi duydum."

"Öldü. Bayan Sampson konuşacak durumda değil. Miranda'nın nerede olduğunu biliyor musunuz?"

"Aşağı katta bir yerlerde."

Onu oturma odasında buldum; şöminenin yanındaki bir pufun üzerine oturup bacaklarına sarılmıştı. Işıklar kapalıydı. Ortadaki koca pencereden karanlık denizi ve gümüşî ufku görebiliyordum.

Ben odaya girince başını kaldırdı ama beni karşılamak için ayağa kalkmadı. "Sen misin, Archer?"

"Evet. Sana söyleyeceklerim var."

"Onu buldun mu?" Şöminede alev alev yanan bir kütük başını ve boynunu düzensiz bir pembeliğe bürümüştü. Gözleri kocaman ve simsiyahtı.

"Evet. Ölmüş."

"Öleceğini biliyordum. Başından beri ölüydü, değil mi?"

"Keşke öyle olduğunu söyleyebilsem."

"Ne demek istiyorsun?"

Ne kastettiğimi açıklamayı bir kenara bıraktım. "Parayı kurtardım."

"Para mı?"

"Bu." Çantayı ayaklarının dibine fırlattım. "Yüz binlik."

"Umurumda değil. Onu nerede buldun?"

"Beni dinle Miranda. Tek başınasın."

"Pek sayılmaz," dedi. "Bu öğleden sonra Albert Graves'le evlendim."

"Biliyorum. Bana anlattı. Ama bu evden kurtulup kendi başının çaresine bakmalısın. İlk yapman gereken bu parayı bir kenara koymak. Onu geri alabilmek için ne badireler atlattım ben, hem bir kısmına ihtiyacın olabilir."

"Kusura bakma. Nereye koymalıyım?"

"Bankaya gidene kadar çalışma odasındaki kasaya."

"Peki." Ani bir katiyetle ayağa kalkıp çalışma odasına yöneldi. Kolları gergin, omuzları dikti; sanki üzerlerine doğru inen bir baskıya karşı koyuyorlardı.

O, kasayı açarken yola inen bir arabanın sesini duydum. Zarafetten daha çekici beceriksizce bir hareketle bana döndü. "O da kim?"

"Albert Graves. Beni buraya o getirdi."

"Ne demeye içeri gelmedi?"

Cesaretimin kalan parçalarını bir araya toplayıp ona söyledim: "Bu gece babanı öldürdü."

Ağzı soluk soluğa kımıldadı sonra sözcükleri zorla dışarı çıkarttı. "Şaka yapıyorsun, değil mi. Yapamaz!"

"Yaptı." Gerçeklere sığındım. "Bu öğleden sonra babanın alıkonduğu yeri buldum. Los Angeles'tan

Graves'i arayıp şerifle birlikte mümkün olduğunca çabuk oraya gitmesini söyledim. Graves oraya benden önce gitmiş, şerif olmadan. Ben oraya vardığımda ondan bir iz yoktu. Arabasını görünmeyecek bir yere park etmiş ve hâlâ babanla birlikte içerideymiş. İçeri girdiğimde arkadan vurup beni yere serdi. Kendime geldiğimde yeni gelmiş gibi davrandı. Baban ölmüştü. Cesedi hâlâ sıcaktı."

"Albert'ın bunu yaptığına inanamıyorum."

"Ama inanıyorsun değil mi?"

"Kanıtın var mı?"

"Teknik bir kanıt gerekecek. Arayacak zamanım olmadı. Kanıt bulmak polise kalmış."

Deri koltuğa yavaşça oturdu. "Ne çok insan öldü. Babam, Alan…"

"İkisini de Graves öldürdü."

"Ama Alan'ı seni kurtarmak için öldürdü. Bana demiştin ki…"

"Karmaşık bir öldürme eylemiydi," dedim. "Gerekçeli bir cinayet ve daha fazlası. Taggert'ı öldürmek zorunda değildi. O keskin nişancıdır. Onu yaralayabilirdi. Ama Taggert'ın ölmesini istiyordu. Sebepleri vardı."

"Ne tür olası nedenler?"

"Sanırım sen bir tanesini biliyorsun."

Yüzünü ışığa doğru kaldırdı. Birkaç değişik şey arasından seçim yapıp cesarette karar kıldı gibi geldi bana. "Evet, biliyorum. Ben Alan'a âşıktım."

"Ama Graves'le evlenmeyi planlıyordun."

"Dün geceye kadar karar vermemiştim. Biriyle evlenecektim ve bu kişi o olacak gibiydi. 'Evlenmek, için için yanmaktan iyidir.'"

"Senin üzerinde bir kumar oynadı ve kazandı. Ama üzerine kumar oynadığı diğer şey olmadı. Taggert'ın ortağı babanı öldüremedi. O yüzden Graves de babanı kendi hakladı."

Ellerinden biriyle gözlerini ve alnını kapadı. Şakaklarındaki mavi damarlar genç ve inceydi. "Bu inanılmayacak kadar çirkin bir şey," dedi. "Bunu nasıl yapar anlamıyorum."

"Para için yaptı."

"Ama o parayı hiçbir zaman umursamazdı. Onun en beğendiğim yanlarından biriydi bu." Elini yüzünden çekince acı acı gülümsediğini gördüm. "Beğenilerim akıllıca değilmiş."

"Graves'in parayı umursamadığı zamanlar olmuş olabilir. Bu şekilde kalacağı yerler olabilir ama Santa Teresa o yerlerden biri değil. Bu kasabada para hayat veren kan demek. Eğer sende yoksa yarı ölüsün. Milyonerler için çalışıp hiçbir şeyinin olmaması gururunu kırmış olsa gerek. Derken birden kendisi için de milyoner olma fırsatı yakalıyor ve parayı yeryüzündeki her şeyden daha çok istediğini fark ediyor."

"Şu an ne istiyorum biliyor musun?" dedi. "Keşke ne param ne de cinsiyetim olsa. Bana yarardan çok zarar getiriyorlar."

"İnsanlara yaptığı şeyler için parayı suçlayamazsın. Kötülük insanların içinde, para da bahaneleri. Diğer değerlerini yitirdiklerinde para için çıldırıyorlar."

"Albert Graves'e ne oldu acaba?"

"Kimse bilemez. Kendisi de bilmiyor. Şimdi önemli olan ona bundan sonra ne olacağı."

"Polise söylemek zorunda mısın?"

"Onlara söyleyeceğim. Sen razı olursan işimi kolaylaştırmış olursun. Bu nihayetinde senin işini de kolaylaştırır."

"Benden sorumluluğu paylaşmamı istiyorsun ama benim ne düşündüğüm aslında umurunda değil. Ne olursa olsun onlara söyleyeceksin zaten. Ama kanıtın olmadığını kabul etmiyorsun." Koltukta huzursuzca kımıldandı.

"Suçlanırsa reddetmeyecektir. Sen onu benden daha iyi tanıyorsun."

"Onu iyi tanıdığımı zannediyordum. Ama artık emin değilim... hiçbir şeyden."

"Bunun için devam etmeme izin vermelisin. Gidermen gereken şüphelerin var ve onları hiçbir şey yapmadan gideremezsin. Şüpheyle de yaşamaya devam edemezsin."

"Yaşamaya devam edeceğimden de emin değilim."

"Bana duygusallık ayağı yapma," dedim ters ters. "Kendine acıma hiç senin tarzın değil. İki adamla da şansın çok kötü gitti. Bence sen bunların üstesinden gelebilecek kadar güçlü bir kızsın. Sana daha evvel de kendine bir hayat kurman gerektiğini söylemiştim. Tek başınasın."

Bana doğru eğildi. Narin ve yumuşak göğüsleri vücudundan taşıyordu. Ağzı yumuşacıktı. "Nereden başlayacağımı bilmiyorum. Ne yapmam gerek?"

"Benimle gel."

"Seninle mi geleyim? Seninle gelmemi mi istiyorsun?"

"Kendi sorumluluğunu benim üzerime yıkmaya çalışma, Miranda. Sen çok tatlı bir kızsın ve senden çok hoşlanıyorum ama sen benim bebeğim değilsin. Benimle gel ve bölge savcısıyla konuşalım. Kararı o versin."

"Pekâlâ. Humphreys'e gidiyoruz. O daima Albert'a yakın olmuştur."

Beni rüzgârlı bir yoldan şehri yukarıdan gören yassı bir ovaya çıkardı. Humphreys'in kızılağaçtan bungalovunun önünde durduğumuzda araba yolunda bir araç daha duruyordu.

"Bu Albert'ın arabası," dedi. "Lütfen sen içeri yalnız gir. Onu görmek istemiyorum."

Onu arabada bırakıp terasa çıkan taş basamakları tırmandım. Ben tokmağa dokunmadan Humphrey kapıyı açtı. Yüzü her zamankinden daha çok kuru kafaya benziyordu.

Terasa çıkıp kapıyı kapattı. "Graves burada," dedi. "Birkaç dakika önce geldi. Bana Sampson'ı öldürdüğünü anlattı."

"Ne yapacaksın?"

"Şerifi aradım. Yolda." Parmaklarını seyrelen saçlarında gezdirdi. Mimikleri de sesi gibi ince ve hafifti; sanki gerçeklik onun ulaşamayacağı bir yere çekilmişti. "Bu trajik bir şey. Albert Graves'in iyi bir adam olduğunu sanırdım."

"Suç genellikle böyle yayılır," dedim. "Salgın gibi. Daha önce de görmüşsünüzdür."

"Dostlarımdan birinde değil ama." Bir an sustu. "Bert daha bir dakika evvel Kierkegaard hakkında konuşuyordu. Masumiyetle ilgili bir şeylerden alıntı yapıyordu, bu derin bir uçurumun kenarında durmak gibi bir şey. Masumiyetinizi kaybetmeden uçurumdan aşağı bakamazsınız. Bir kez baktınız mı suçlusunuzdur. Bert aşağı baktığını söyledi, Sampson'ı öldürmeden önce suçlu olduğunu."

"Hâlâ kendine yumuşak davranıyor," dedim. "O aşağı bakmıyordu, yukarı bakıyordu. Çok parası olanların yaşadığı tepelerdeki evlere. Bir değişiklik yapıp kendisi paralı olmak istedi, Sampson'ın milyonlarının çeyreğiyle."

Humphreys yavaş yavaş cevap verdi. "Bilmiyorum. O hiçbir zaman parayı fazla önemsemedi. Hâlâ da önemsemiyor... sanmıyorum. Ama ona bir şey oldu. Sampson'dan nefret ediyordu ama başka bir sürü şeyden de nefret ediyordu. Sampson kendisi için çalışan herkesi uşağa çevirirdi. Ama Graves'deki şey daha derin bir şeydi. Bütün hayatı boyunca çok çalıştı, derken birden her şey bozuldu. Onun için anlamını yitirdi. Artık ne erdem ne adalet diye bir şey kalmıştı; ne onun içinde ne de dünyada. Savcılığı bu yüzden bırakmıştı, biliyorsun."

"Bilmiyordum."

"Nihayet körlemesine dünyaya saldırdı ve birini öldürdü."

"Körlemesine değil, gayet açıkgözlülükle."

"Hem de nasıl körlemesine," dedi Humphreys. "Hayatımda Bert Graves'in şu anda olduğu kadar perişan halde olan birini görmedim."

Miranda'nın yanına döndüm. "Graves buradaymış. Onun hakkında tamamen yanılmıyormuşsun. Doğru şeyi yapmaya karar verdi."

"İtiraf etmiş mi?"

"Blöf yapamayacak kadar dürüst. Kimse ondan şüphelenmemiş olsaydı yapabilirdi. Dürüstlüğün de belli şartları vardır. Ama o benim bildiğimi biliyordu. Humphreys'e gidip hikâyesini anlatmış."

"Anlamasına sevindim." Bunu bir dakika sonra çıkardığı gürültülerle yalanladı. Vücudunu sarsan derin iç çekişlerle direksiyonun üzerine kapandı.

Onu kaldırıp arabayı kendim kullandım. Tepeden aşağı inerken şehrin bütün ışıklarını görebiliyordum. Gerçek gibi görünmüyorlardı. Yıldızlar ve evlerin ışıkları siyah boşlukta asılı kalmış ateş böceği pırıltılarını, sönmeye yüz tutmuş bir ateşin kıvılcımlarını andırıyorlardı. Benim dünyamdaki tek gerçek şey yanımda oturan, sıcak, titreyen, dalgın kızdı.

Kollarımı vücuduna dolayıp onu kendime çekebilirdim. Öyle dalgın, öyle savunmasızdı ki. Ama bunu yaparsam benden bir hafta içinde nefret ederdi. Altı ay içinde de ben ondan nefret edebilirdim. Ellerimi kendime saklayıp yaralarını yalamasına izin verdim. Omzumu ağlamak için kullandı, başka herhangi birinin omzunu kullanacağı gibi.

Ağlaması kendi kendini sallayıp uyutmasıyla sabit bir ritme dönüştü. Şerifin arabası tepenin dibinde yanımızdan geçti ve Graves'in beklediği eve doğru döndü.

ROSS
MACDONALD

ÖLÜMCÜL
SIR

Çeviren: Nihan Halmena

"Gerilim romanının kraliçesi..." —The Times

Stuart
Safiri

Alanna Knight

Çeviren: Dilhan Özdemir